GEOFFREY BLAINEY

UMA BREVE

HISTÓRIA
DO MUNDO

FUNDAMENTO

2008, Editora Fundamento Educacional Ltda.

Editor e edição de texto: Editora Fundamento
Capa e editoração eletrônica: Commcepta Design
CTP e impressão: Sociedade Vicente Pallotti

Produzido originalmente por Penguin Group
Copyright © Geoffrey Blainey 2004

Dados Internacionais de Catalogação na Publicação (CIP)
(Câmara Brasileira do Livro, SP, Brasil)

Blainey, Geoffrey
    Uma breve história do mundo / Geoffrey Blainey ; versão brasileira :
Editora Fundamento. – São Paulo – SP : Editora Fundamento Educacional, 2008.

    Título original : A very short history of the world

    1. História do mundo I. Título.

04-6412   CDD-909

Índices para catálogo sistemático:
1. História mundial 909

Fundação Biblioteca Nacional

Depósito legal na Biblioteca Nacional, conforme Decreto nº1.825, de dezembro de 1907.
Todos os direitos reservados no Brasil por Editora Fundamento Educacional Ltda.

Impresso no Brasil

Telefone: (41) 3015 9700
E-mail: info@editorafundamento.com.br
Site: www.editorafundamento.com.br

Sumário

Parte 1

1. Vindos da África   7
2. Quando os mares começaram a subir   19
3. A primeira Revolução Verde   31
4. A cúpula da noite   43
5. As cidades dos vales   49
6. Maravilhoso mar   62
7. Senhor do Amarelo – Rei do Ganges   74
8. A ascensão de Roma   87
9. Israel e "O Ungido"   96
10. Depois de Cristo   103
11. O sinal da Lua crescente   115
12. Os gansos selvagens cruzam as montanhas   123
13. Em direção à Polinésia   132

Parte 2

14. Os mongóis   142
15. Os perigos do clima e das doenças   151
16. Novos mensageiros   156
17. A gaiola   163
18. Os incas e os Andes   174
19. A Reforma   184
20. Viagem à Índia   197
21. Os presentes que o Novo Mundo escondia   203
22. O olho de vidro da ciência   212
23. Destronando a colheita   222

Parte 3

24. A queda das cartas do baralho   237
25. Além do Saara   250

26. Nobre vapor   258
27. Será que todos são iguais?   271
28. O globo desvendado   285
29. As guerras mundiais   298
30. A bomba e a Lua   310
31. Nem frutas, nem pássaros   326

Epílogo   340

Amor,

O livro é interessante porém incompleto; falta um capítulo particular. O capítulo que faça referência à enorme volta dada pelo mundo, de forma que duas pessoas oriundas de pontos próximos na geografia, mas Infinitamente distantes na sociedade, se encontram.

E após se encontrarem, descobrem que apesar do "trajeto" diferente, seu caminho é o mesmo, ou no mínimo, o mapa do caminho de um de nós está no outro. Te amo,

Joeane.

PARTE 1

CAPÍTULO 1
VINDOS DA ÁFRICA

H á 2 milhões de anos, eles viviam na África e eram poucos. Eram seres quase humanos, embora tendessem a ser menores que seus descendentes que hoje povoam o planeta. Andavam eretos e subiam montanhas com enorme habilidade.

Alimentavam-se principalmente de frutas, nozes, sementes e outras plantas comestíveis, mas começavam a consumir carne. Seus implementos eram primitivos. Se eram bem-sucedidos em dar forma a uma pedra, não iam muito longe com a modelagem. É provável que usassem um pedaço de pau para defesa ou ataque, ou até mesmo para escavar, caso surpreendessem um roedor escondendo-se em um buraco. Não se sabe se construíam abrigos feitos de arbustos e de pedaços de pau para se protegerem do vento frio no inverno. Não há dúvida de que alguns moravam em cavernas – quando podiam ser encontradas –, mas uma residência permanente teria restringido bastante a necessária mobilidade para encontrar alimento suficiente. Para viver do que a terra oferecia, precisavam fazer longas caminhadas a lugares onde sementes e frutas pudessem ser encontradas. Sua dieta era resultado de uma série de descobertas, feitas ao longo de centenas de milhares de anos. Uma das mais importantes estava em saber se uma planta, aparentemente comestível, não era venenosa; explorando novos lugares à procura de novos alimentos em tempos de seca e carestia, alguns devem ter morrido por envenenamento.

Há 2 milhões de anos, esses seres humanos, conhecidos como hominídeos, viviam principalmente nas regiões dos atuais Quênia, Tanzânia e Etiópia. Se dividirmos a África em três zonas horizontais, a raça humana ocupava a zona central, ou zona tropical, constituída principalmente de pastos. Uma mudança no clima, cerca de um ou dois milhões de anos antes, que fez com que em certas regiões os pastos tenham substituído boa parte das florestas, pode ter incentivado esses hominídeos a, gradualmente, descendo das árvores, deixar a companhia de seus parentes, os macacos, e passar mais tempo no chão.

Eles já acumulavam uma longa história, embora não tivessem nenhuma memória ou registro disso. Falamos hoje do grande espaço de tempo que se passou desde a construção das pirâmides do Egito, mas esse período representa um simples piscar de olhos se comparado à longa história que a raça humana já viveu. Na Tanzânia, descobriu-se um registro primitivo pelo qual se conclui que dois adultos e uma criança caminhavam sobre cinza vulcânica amolecida por uma chuva recente. A seguir, suas pegadas foram cozidas pelo sol e, aos poucos, foram cobertas por camadas de terra; as pegadas, definitivamente humanas, têm pelo menos 3,6 milhões de anos. Até mesmo isso é considerado um fato recente na história do mundo contemporâneo: os últimos dinossauros foram extintos há cerca de 64 milhões de anos.

No leste da África, os primeiros humanos costumavam acampar às margens dos lagos e dos leitos arenosos de rios ou em campinas: nesses locais, foram encontrados alguns restos deixados por eles. Conseguiam adaptar-se a climas mais frios e, na Etiópia, preferiam os planaltos abertos, a uma altitude de 1.600 ou 2.000 metros acima do nível do mar. Nas florestas sempre verdes das regiões montanhosas, também sentiam-se em casa; sua adaptabilidade era impressionante.

De modo geral, na impiedosa competição por sobreviver e multiplicar-se, os humanos tiveram sucesso. Nas regiões da África que habitavam, eram em número bem menor que as espécies de grandes animais, alguns deles agressivos; ainda assim, os humanos prosperaram. Talvez as populações tenham se tornado muito numerosas para os recursos disponíveis na região ou tenha havido um longo período de seca, e isso os tenha levado para o norte. Há forte indício de que, em algum momento dos últimos dois milhões de anos, eles tenham começado a migrar mais para o norte. O maior deserto do mundo, que se estende do noroeste da África para além da Arábia, pode, por algum tempo, ter impedido seu avanço. A estreita faixa de terra entre a África e a Ásia Menor, contudo, podia ser facilmente atravessada.

Moviam-se em pequenos grupos: eram exploradores e colonizadores. Em cada região desconhecida, tinham de adaptar-se a novos alimentos e precaver-se contra animais selvagens, cobras e insetos venenosos. Os que abriam caminho conseguiam uma certa vantagem, pois os seres humanos, adversários implacáveis dos invasores de território, não estavam lá para atrapalhar seu caminho.

Era mais uma corrida de revezamento do que uma longa caminhada. É possível que um grupo de talvez 6 ou 12 pessoas avançasse uma pequena distância e decidisse se estabelecer naquele lugar. Outros vinham, passavam por cima delas ou impeliam-nas para outro lugar. O avanço pela Ásia pode ter levado de 10 mil a 200 mil anos. Montanhas tinham de ser escaladas; pântanos, vencidos. Rios largos, gelados e de forte correnteza tinham de ser atravessados. Será que eles atravessavam esses rios em seus pontos mais rasos, nas estações muito secas, ou nos pontos mais próximos às nascentes, antes que o leito se tornasse largo demais? Será que os exploradores sabiam nadar? Não sabemos as respostas. À noite, em terreno desconhecido, era preciso selecionar um abrigo ou um lugar com um mínimo de segurança. Sem a ajuda de cães de guarda, cabia a eles manter vigilância sobre animais selvagens que vinham caçar durante a noite.

No decorrer dessa longa e lenta migração, a primeira de muitas na história da raça humana, esses povos originários dos trópicos avançaram para territórios bem mais frios, jamais conhecidos por qualquer de seus ancestrais. Não se sabe ao certo se conseguiam aquecer-se ao fogo nas noites frias. É provável que quando um raio caía nas proximidades, ateando fogo à vegetação, eles apanhassem um galho em chamas e o transportassem para outro lugar. Quando o galho estava quase todo queimado e o fogo por se extinguir, juntavam-lhe outro galho. O fogo era tão valioso que, uma vez obtido, era tratado com desvelo; ainda assim, o fogo podia extinguir-se por descuido, apagar-se sob uma chuva forte ou por falta de madeira seca ou gravetos. Enquanto conseguiam manter o fogo, devem tê-lo levado em suas viagens como um objeto precioso, como faziam os primeiros nômades australianos.

A habilidade de produzir fogo, em vez de obtê-lo ao acaso, veio bem mais tarde na história humana. Com o tempo, os humanos conseguiram produzir uma chama através do atrito e do calor provocados ao esfregarem-se dois pedaços de madeira seca. Podiam, também, triscar um pedaço de pirita ou outra rocha adequada e, assim, provocar uma faísca. Em ambos os processos, eram necessários gravetos muito secos e o domínio da arte de soprar delicadamente sobre os gravetos em chamas.

O emprego habilidoso do fogo, resultado de muitas idéias e experiências durante milhares de anos, é uma das conquistas da raça humana. A genialidade da maneira com que era empregado pode ser vista na forma de vida que sobreviveu até o século 20, em algumas regiões remotas da Austrália. Nas planícies desanuviadas do interior, os aborígines acendiam pequenas fogueiras para enviar sinais de fumaça, uma forma inteligente de telégrafo. Usavam o fogo também para cozinhar, para se aquecer e para forçar os animais a sair das tocas (enchendo-as de fumaça). O fogo era a única iluminação à noite, exceto quando uma lua cheia lhes dava luz para suas cerimônias de dança. Era usado para endurecer os pedaços de pau usados para cavar, para modelar madeira com a qual eram feitas as lanças e para cremar os mortos. Era usado, ainda, para gravar marcas cerimoniais na pele humana e para afastar as cobras do capim perto dos acampamentos. Era um eficaz repelente de insetos e era usado por caçadores para queimar o capim em sistema de mosaicos em certas ocasiões do ano e, assim, incentivar novo crescimento, quando viessem as chuvas. Eram tão numerosos os usos do fogo que, até recentemente, foi a ferramenta de maior utilidade da raça humana.

Hoje, os humanos possuem armas que fazem com que as garras e os dentes de um animal pareçam insignificantes. Por muito tempo, entretanto, foi a raça humana que esteve em desvantagem: fisicamente, era menor e mais leve que muitos dos animais que habitavam as redondezas e incomparavelmente menos numerosa que cada rebanho de grandes animais. Todo o contingente humano de cada região era pequeno, se comparado ao das outras espécies. Na Ásia, o grande mamute de chifres recurvos, uma espécie de elefante, deve ter excedido em muito o número de humanos, que eles viam ocasionalmente, enquanto pastavam.

O perigo de ataque de animais selvagens era constante. Há poucos anos, em 1996, 33 crianças foram fatalmente atacadas por lobos, em um Estado da Índia. Na África, os leopardos e os leões devem ter sido temidos pelos humanos. Obviamente, cada pequeno avanço na capacidade de organização humana foi uma ajuda vital para a autodefesa, principalmente à noite. Sem a habilidade de cooperação contra o inimigo, é possível que os primeiros humanos a se arriscarem em novas áreas tropicais tenham sido facilmente eliminados por predadores. Em certos lugares, é possível que o pelotão de frente, composto por menos de uma dúzia de indivíduos, tenha sido logo dizimado.

11

Há cerca de 1,8 milhão de anos, o pelotão de frente desse movimento chegou à China e ao Sudeste Asiático. Pouco se sabe sobre a longa série de viagens feitas pela raça humana, embora muito ainda possa ser desvendado por arqueólogos e pré-historiadores no próximo século. Habitantes do interior em sua essência, esses humanos provavelmente tardaram em estabelecer-se ao longo do litoral, levando ainda mais tempo para dominar as águas, mesmo as mais rasas.

Em escavação recente, feita numa ilha mais afastada do arquipélago da Indonésia, revelaram-se resquícios de habitação humana, remontando a mais de 800 mil anos. Os resquícios descobertos no antigo leito de um lago na ilha montanhosa de Flores provaram, sem qualquer sombra de dúvida, que os humanos tinham aprendido a construir embarcações e a conduzi-las mar adentro: as embarcações a vela ainda levariam muito tempo para aparecer. Para chegar à ilha de Flores, tiveram de fazer uma travessia marítima ousada rumo ao leste, partindo da ilha mais próxima. Mesmo que o nível do mar estivesse em seu ponto mais baixo, a distância percorrida em barco ou bote pequeno, partindo dessa ilha mais próxima, deve ter sido de pelo menos 19 quilômetros. Talvez essa tenha sido a viagem marítima mais longa até então. Algo como a primeira viagem à Lua no século 20, no sentido de que excedia todas as viagens anteriores.

Aqui e ali ainda podem ser encontrados traços da vida cotidiana desses exploradores e colonizadores pioneiros. Perto de Pequim, em um acampamento humano, camadas de cinza e carvão vegetal foram recentemente descobertas através de cuidadosas escavações. Essas fogueiras de acampamento permaneceram intactas por talvez 400 mil anos e continham os restos de uma refeição: o osso calcinado de um veado e cascas de nozes de árvores encontradas naquela região.

UM DESPERTAR

No espaço de vários milhões de anos, os humanos tinham se tornado mais adaptáveis, munidos de mais recursos. O cérebro humano estava crescendo em volume. Enquanto ocupava cerca de 500 centímetros cúbicos nos primeiros humanos, chegou a 900 na espécie humana chamada *Homo erectus*, que levou a cabo a longa migração. Em algum ponto entre os últimos 500 mil e 200 mil anos, o cérebro sofreu novamente um crescimento notável em volume; esse aumento foi um dos grandes acontecimentos na história das mudanças biológicas.

> ENTRE OS ÚLTIMOS 500 MIL E 200 MIL ANOS, O CÉREBRO SOFREU UM CRESCIMENTO NOTÁVEL EM VOLUME; ISSO FOI UM GRANDE ACONTECIMENTO NA HISTÓRIA DAS MUDANÇAS BIOLÓGICAS.

A estrutura do cérebro também vinha mudando e caracterizava-se por uma "área motora e uma área da fala". Um cérebro maior parecia estar associado a uma crescente habilidade em usar as mãos e os braços e ao lento surgimento de uma linguagem falada. Um crescimento tão substancial no tamanho do cérebro de qualquer espécie é um acontecimento de grande importância. Como isso aconteceu, porém, é um grande mistério; uma das possíveis causas foi o uso cada vez maior da carne na alimentação. É pouco provável que a raça humana, nesse estágio, possuísse as armas ou as habilidades necessárias para matar animais selvagens de qualquer tamanho. Possivelmente, as refeições de carne provinham da crescente coragem de revirar as carcaças de animais recém-abatidos, enquanto o rebanho ou a manada principal pastava não muito longe do local, ou provinham da crescente habilidade de caçar animais menores que não apresentavam perigo, mas que não eram fáceis de capturar. É provável que, no decorrer do tempo, os ácidos graxos encontrados na carne tenham sofisticado o cérebro e seu funcionamento; a longo prazo, essa vantagem possibilitou aos humanos vislumbrar melhores maneiras de caçar animais. Tudo isso, porém, é apenas especulação.

A linguagem falada adquiria mais palavras e mais precisão. As belas-artes surgiam juntamente com o ato de comunicar-se através da fala, apoiando-se no uso de símbolos que podiam ser detectados pelo ouvido e pela visão. A habilidade de inventar símbolos e de reconhecê-los foi resultado do lento desenvolvimento do cérebro; talvez um desenvolvimento da laringe humana também tenha ajudado a expressar esses símbolos na forma de sons.

Apesar dos avanços obtidos no estudo da mente nos últimos 50 anos, ainda há muito que explorar sobre o cérebro e a fala humanos. Nas palavras de um médico especialista, em uma atividade complexa como a fala "a interação das partes do cérebro não se assemelha ao sistema de uma máquina, mas, sim, a uma colcha de retalhos". Seja qual for sua origem, a fala é a maior de todas as invenções.

Há cerca de 60 mil anos, surgiram sinais de um despertar da humanidade. Recuando no tempo, os pré-historiadores e arqueólogos colheram evidências de uma lenta sucessão de mudanças que, nos 30 mil anos seguintes, chegaram a merecer descrições, tais como "O Grande Salto" ou "A Explosão Cultural". Há muita controvérsia sobre quem teria dado esse salto e quem teria provocado essa explosão. Provavelmente, as mudanças estiveram a cargo de um novo grupo humano que surgiu na

África e depois emigrou para a Ásia e a Europa, onde coexistiu com o homem de Neanderthal, uma espécie que mais tarde viria a desaparecer. O que é digno de nota é a existência da criatividade humana em várias frentes.

A fala de centenas de gerações de pessoas que viveram durante esse despertar está adormecida e perdida no tempo, mas parte de suas artes e ofícios sobrevive em fragmentos ou intacta. As artes floresceram na Europa durante a longa era glacial, que teve início cerca de 75 mil anos atrás. Evidências que chegaram até nossos dias sugerem que muitos humanos esperavam renovar sua existência em uma vida após a morte; a viagem para essa nova vida requeria acessórios ou indicativos do *status* de cada um, e os itens escolhidos eram arranjados ao redor do corpo no túmulo. Em Sunghir, na Rússia, cerca de 28 mil anos atrás, um homem de aproximadamente 60 anos de idade teve seu corpo adornado com mais de dois mil fragmentos de marfim e de outros ornamentos. Atingir 60 anos de idade deve ter sido algo digno de veneração, pois a maioria dos adultos morria muito mais cedo.

Em outro túmulo, enterrada ao lado de um homem, uma adolescente fora vestida com um chapéu de contas e um provável manto, do qual o único vestígio é um alfinete de marfim que o teria prendido ao pescoço da menina. Seu corpo estava coberto com mais de cinco mil contas e outros enfeites. O longo tempo que os amigos ou a tribo inteira levaram para preparar essas decorações e o cuidado que tiveram para arrumar o túmulo são um sinal de que a morte era tão importante quanto a vida.

Não raro, as pessoas desse mundo nômade devem ter vivido uma grande incerteza. Estavam à mercê das estações climáticas, pois não armazenavam grãos, nozes ou outros alimentos com os quais pudessem enfrentar a fase inicial de um período de carestia. Em sua maioria, os abrigos eram frágeis. Em algumas regiões, viviam lado a lado com tigres, leões, ursos, panteras, elefantes e outros animais de grande força e ferocidade. Deviam ansiar por segurança e consolação. Começaram, então, a criar religiões e objetos de devoção e homenagem, assim como representações do mundo a seu redor.

As técnicas de caça foram aos poucos se desenvolvendo. Lascas de pedra em forma de pontas de lança, lâminas e outros instrumentos de corte e de perfuração, superiores a tudo o que já havia sido usado até então, eram produzidos às centenas de milhares no espaço de apenas um ano. Em vez de ir ao encalço só de animais pequenos, os caçadores passaram a atacar animais de maior porte. Na Alemanha, caçavam-se elefantes; na França, o leopardo, por sua pele e por sua carne; na Itália, caçava-se o javali.

O desenvolvimento das armas parece ter ensejado maior habilidade de organização. As armas e a habilidade humana de cooperação fizeram parte do mesmo despertar intelectual. Rebanhos de animais eram caçados e encurralados ou levados à morte em um precipício, o que dava lugar a grandes festas de carne. É comum, hoje em dia, afirmar que os seres humanos naquela época viviam em harmonia com o meio ambiente e não matavam sem necessidade ou com imprudência, mas essa afirmação tem de ser tratada com cuidado, devido à falta de provas e conclusões.

Na Europa e na Ásia, onde quer que o suprimento de alimentos fosse favorável, acampamentos e vilas adquiriam feição mais permanente. As casas eram geralmente construídas em encostas que ofereciam proteção contra os ventos gelados. Uma pequena escavação circular criava um espaço plano que servia de chão feito de ardósia, e troncos de madeira sustinham o telhado, que era recoberto com pele de cavalos selvagens e de outros animais. Vinda da fogueira, no centro do único e amplo cômodo, a fumaça saía por uma pequena abertura no telhado.

No mundo inteiro, as pessoas viviam uma vida seminômade. Cada pequeno grupo de pessoas, raramente chegando a 20, ocupava um grande território. No decorrer de um ano, mudavam sistematicamente de lugar, sem carregar nenhum pertence e fazendo uso da variedade dos alimentos da estação: uma uva madura aqui, uma plantação de tubérculos ali, um ninho com ovos de pássaros mais adiante, uma noz que amadurecia acolá. Desde que a população fosse pequena e os recursos naturais fossem muitos, as pessoas viviam em relativa abundância.

15

É possível que, às vezes, vários grupos se encontrassem a cada ano em lugares com fartura de alimentos, mas as grandes reuniões devem ter sido uma raridade. No mundo inteiro, é possível que em nenhuma época, por exemplo, antes de 20000 a.C., mais de 500 pessoas tenham se reunido em um mesmo local. Até mesmo suas reuniões deviam ser temporárias. Como não cultivavam e não criavam animais, não podiam prover com alimentos uma grande reunião de pessoas por muito tempo.

Uma tribo ou grupo de pessoas que estava constantemente em movimento não podia tratar com eficácia dos doentes e dos que não agüentavam realizar longas caminhadas. Até bebês gêmeos eram um grande transtorno e, provavelmente, um dos dois era morto. Os mais idosos, que já não podiam andar, eram deixados para trás para morrer. Uma sociedade em movimento não tinha outra alternativa.

O COLOMBO NEGRO

Todas as manhãs, quando o sol aparecia no Leste Asiático, as pessoas podiam ser vistas em atividade: colocando lenha no fogo, amamentando as crianças, saindo para colher nozes ou capturar animais selvagens, raspando a parte interna da pele dos animais para com ela fazerem vestimentas ou tirando lascas das rochas para com elas modelarem suas ferramentas. As mesmas cenas, provavelmente, podiam ser testemunhadas em dezenas de milhares de locais à medida que os primeiros raios de sol se moviam para oeste, por toda a Ásia e depois por toda a Europa até o Atlântico. Atividades semelhantes podiam ainda ser vistas na África, onde os humanos ocupavam uma área cada vez maior.

Cerca de 100 mil anos atrás, a área ocupada pela raça humana era extensa, mas uma grande parte do globo permanecia desabitada pelo homem. Os animais das Américas nunca tinham ouvido a voz humana ou visto uma lança. Na Austrália e na Nova Guiné, que formavam um continente único, não havia pegadas humanas. As ilhas mais distantes eram inacessíveis. No Oceano Pacífico, a maioria das ilhas hoje habitadas era desconhecida dos seres humanos: Havaí e Ilha de Páscoa, Taiti e Samoa, Tonga e Fiji, além das grandes ilhas da Nova Zelândia. No Oceano Índico, a grande ilha de Madagáscar, de clima relativamente quente, nunca vira uma fogueira e, nas remotas ilhas vulcânicas de Maurício e Reunião, o estranho pássaro dodó, que não voava, não era ainda perturbado pelos seres humanos. No Oceano Atlântico, ao norte do Equador, os Açores e a Ilha da Madeira eram desabitados. A Groenlândia e a Islândia estavam permanentemente cobertas de gelo, e os pássaros das Antilhas estavam totalmente a salvo dos caçadores humanos.

A raça humana, na verdade, estava confinada a apenas uma massa de terra, cuja área total desocupada era imensa. A área dessas terras habitáveis, mas desocupadas, era equivalente à Ásia, ao deserto do Saara e ao norte da África, juntos.

Várias viagens de descobrimento começavam a ser realizadas. Os humanos estavam assumindo a tarefa de uma segunda longa migração. Entre as margens mais próximas do Sudeste Asiático, que na época incluía Java, e o litoral mais próximo da Nova Guiné Austrália, havia oito barreiras marítimas. A maioria delas eram pequenas passagens ou estreitos, com a margem oposta visível do ponto de partida. A passagem mais larga teria cerca de 80 quilômetros. Os pioneiros, usando botes ou pequenas canoas, ocasionalmente se aventuravam a ir de uma ilha a outra mais próxima – desde que a margem oposta fosse visível. Mas, se o vento soprasse muito forte, sua frágil embarcação ficaria alagada e todos a bordo pereceriam afogados.

A travessia desse mosaico de mares e ilhas situados entre a Ásia, a oeste, e a Nova Guiné Austrália, a leste, se estendeu por milhares de anos. Em algumas ocasiões, ela foi suspensa por até 10 mil anos. Uma ilha era descoberta e povoada e, logo em seguida, outro barco ou bote encontrava, acidental ou intencionalmente, outra ilha. Finalmente, sem a mínima idéia da importância da descoberta, a raça humana atracou na Nova Guiné Austrália. Não havia motivo para imaginar que um novo continente tivesse sido descoberto. Não se sabe quando o descobridor, com extrema dificuldade, chegou à nova terra, mas é quase certo que tenha sido há mais de 52 mil anos.

O novo continente era uma surpresa, um enigma e, às vezes, um terror. Não havia animais perigosos, mas muitas das cobras e algumas das aranhas eram extremamente venenosas. Aos poucos, os recém-chegados foram explorando o continente: cada estuário, cada montanha, cada planície e cada deserto. Caminhando por terra até a Tasmânia, eles cozinhavam em cavernas ao longo das margens dos rios no que era, na época, uma tundra e que é hoje uma floresta tropical. Esses novos habitantes da Tasmânia eram os que viviam mais ao sul do globo. Foi um verdadeiro testemunho da adaptabilidade do ser humano, que havia se originado nos trópicos, mudado para o norte, seguido para leste e estava agora a meio caminho do Pólo Sul.

Na última fase desse lento movimento de povos, originado na África e estendendo-se muito além, o desenvolvimento da linguagem foi um dos triunfos. Os dialetos e as línguas se multiplicaram. Mesmo em uma vasta região, onde todos, na época da colonização inicial, provavelmente emitiam sons semelhantes, as línguas divergiram. Os grupos viviam em relativo isolamento e, assim, suas línguas evoluíram de acordo com padrões diversos. Provavelmente, já existiam milhares de línguas diferentes quando teve início um novo evento geográfico que, separando permanentemente diversos povos uns dos outros, multiplicou ainda mais o número de línguas.

CAPÍTULO 2
QUANDO OS MARES COMEÇARAM A SUBIR

E m 20000 a.C., a raça humana estava confinada a um continente maciço. Europa e África, Ásia e América não eram separadas por mares, e essa única massa de terra era palco de quase todas as atividades humanas. A Austrália e a Nova Guiné juntas formavam uma segunda massa de terra habitada, mas contavam com menos de 5% da população mundial. Havia outra característica curiosa dessa população: estava quase inteiramente confinada às zonas tropical e temperadas; as áreas mais frias do mundo eram praticamente desabitadas.

Nessa época, as temperaturas em todos os lugares eram muito mais baixas do que as de hoje. As geleiras eram ativas e muito extensas, mesmo no sul da Austrália, enquanto no Hemisfério Norte uma enorme área era coberta de gelo durante quase todo o ano. A Finlândia, a Suécia e uma boa parte da Irlanda, que na época não era uma ilha, eram terras sem proveito. Nas partes altas da Europa Central, havia uma área bem maior que a da atual Suíça completamente recoberta de gelo. Alguns dos atuais balneários da Europa Ocidental, em cujas praias multidões de pessoas hoje se banham durante o verão, eram uma paisagem desolada, com gelo flutuando sobre a água, mesmo em alto verão. A maioria dos atuais balneários ficava longe do mar.

A América do Norte era praticamente uma terra de gelo. Quase todo o atual Canadá ficava debaixo de uma camada compacta de neve. Uma enorme extensão do que hoje são os Estados Unidos, uma área talvez equivalente à metade da área ocupada por sua população atual, ficava debaixo de gelo quase permanente. Partes da América Central, que no século 20 nunca viram neve, eram atingidas por nevascas. Nos pontos mais altos do lado oeste da América do Sul, a neve cobria uma enorme área, mesmo durante o verão.

COMO OS OCEANOS TINHAM NÍVEIS MUITO BAIXOS DE ÁGUA, ERA POSSÍVEL A UM HOMEM CAMINHAR DO SUL DA INGLATERRA ATÉ A FRANÇA.

Na maioria das regiões desabitadas do mundo, o calor do verão era menos intenso e os níveis de chuvas e de evaporação eram diferentes dos atuais. Para os seres humanos como um todo, entretanto, esse clima oferecia uma vantagem, pois terras secas se estendiam por vastos territórios que atualmente se encontram submersos.

Como os oceanos tinham níveis muito baixos de água, era possível a um homem caminhar do sul da Inglaterra até a França e continuar andando, se não fosse impedido por outros humanos, até chegar a Java. Um javanês fisicamente preparado poderia ir andando por uma rota incerta rumo ao norte da Ásia e atravessar um istmo de terra para chegar ao inexplorado Alasca. Naquele período, Java não era uma ilha, mas parte da Ásia.

Lugares que são hoje os portos marítimos mais movimentados do mundo situavam-se sobre terra seca ou nas margens de rios que ficavam distantes do mar aberto. Naquela época, os locais onde hoje estão as cidades de São Francisco, Nova York e Rio de Janeiro não podiam ser alcançados por mar. As pessoas viviam próximas a Xangai e Calcutá, Cingapura e Sydney sem nunca terem visto o mar, que se achava a enorme distância desses pontos.

Muitos estreitos marítimos, hoje considerados estratégicos e que dia e noite movimentam navios cargueiros e petroleiros, eram simplesmente extensões de campinas ou florestas. Os estreitos de Dardanelos e de Bósforo, de Gibraltar e de Málaca, de Sunda e de Torres são apenas alguns dos caminhos marítimos, hoje movimentados, que não existiam na época.

Certos mares de hoje e muitos dos grandes golfos tampouco existiam ou seus formatos eram muito diferentes. O Mar Negro era um lago profundo sem saída para o Mediterrâneo. O Mar Báltico não desembocava no Mar do Norte; grandes braços de mar, como o atual Golfo Pérsico, eram terra seca

Por volta de 5000 a.C., uma grande mudança começou a ocorrer, ainda que de forma lenta. Os verões e invernos tornaram-se gradativamente mais quentes. As geleiras recuaram um pouco. As pessoas mais idosas, cujas memórias serviam como repositório de informações, devem ter comentado com os mais jovens que alguns tipos de flores e árvores da primavera pareciam estar brotando um pouco mais cedo que de costume.

O degelo acelerou-se entre 12000 a.C. e 9000 a.C. Em muitas partes habitáveis do mundo, a mudança climática deve ter sido notável, mesmo para o período de vida de um longevo. As pessoas que viviam no litoral notaram mais uma mudança: o mar estava subindo, e isso vinha ocorrendo antes mesmo de o clima se tornar nitidamente mais quente.

Muitos habitantes das vilas próximas ao mar temiam que suas casas fossem alagadas um dia; alguns viviam sob a expectativa desse dia. Ninguém entendia a causa desse estranho acontecimento, embora provavelmente tivesse as próprias explicações. Não tinham meios de saber que as grandes áreas geladas em ambas as extremidades do globo estavam lentamente derretendo e que o degelo estava fazendo subir o nível dos mares.

Com a mudança climática, vieram as alterações na vazão dos grandes rios. Na África, por volta de 10000 a.C., a água do Lago Vitória começou a correr para o Rio Nilo e, a partir de então, o Nilo tornou-se o rio mais longo do mundo. No leste e no oeste da Ásia, o aumento na vazão dos grandes rios deve ter tido efeitos profundos. A maioria dos longos rios asiáticos dependia do degelo no alto das montanhas da Ásia Central e, como o verão tornou-se mais acentuado, a vazão de alguns rios deve ter aumentado substancialmente. O fluxo de sedimentos finos depositados ao longo de rios, como o Ganges, o Amarelo e outros, era, em parte, resultado do aumento no volume dessa água de degelo. As planícies do entorno, cobertas de sedimentos, acabariam por tornar-se o berço do que hoje chamamos de civilização.

Durante algum tempo, o norte da África atraiu colonizadores humanos. Em parte das terras áridas, por volta de 7000 a.C., a precipitação anual de chuvas era três vezes mais acentuada do que a de hoje. Lagos e pântanos pontilhavam o Saara. As pessoas podiam percorrer vários trechos da região e não ver nada além de campinas ou espécies de bosques, onde inúmeras árvores ofereciam sombra. A população do norte da África deve ter aumentado rapidamente durante os séculos mais favoráveis. Em seguida, sobreveio um período de seca e, a partir de 3000 a.C., aproximadamente, o homem começou a fugir dos desertos que se expandiam cada vez mais.

A elevação do nível dos mares estava quase completa por volta de 8000 a.C. Ao todo, os mares tinham subido até 140 metros: uma altura de 116 metros é uma avaliação freqüente. Esse foi o evento mais extraordinário na história humana durante os últimos 100 mil anos – muito mais decisivo do que a invenção da máquina a vapor, a descoberta das bactérias, a ida à Lua ou, na verdade, do que o somatório de todos os eventos do século 20. A elevação do nível dos mares desencadeou uma grande transformação na vida humana e uma explosão populacional.

No Sudeste Asiático, à medida que os mares subiram, o antigo litoral, na maioria dos lugares, tornou-se irreconhecível e deixou de ser litoral. No entanto, nenhum litoral foi tão alterado quanto o do continente que abrangia a Nova Guiné e a Austrália. O clima tropical da Nova Guiné, com suas altas montanhas, foi afetado de modo marcante. Nessas montanhas, a linha de neve durante o inverno costumava descer até 3.600 metros. Com a elevação das temperaturas, entretanto, a linha de neve recuou mais de mil metros sobre as encostas das montanhas. Nas terras mais altas, o clima se tornou muito mais favorável à agricultura. A Nova Guiné não perdeu pelo fato de os mares terem se elevado: a porção de terra que foi submersa pelas águas foi compensada pela terra que surgiu com o degelo e pela diminuição dos ventos frios. Com a elevação contínua do nível dos mares, a Nova Guiné finalmente se separou da Austrália, formando-se, assim, o Estreito de Torres.

A Austrália foi particularmente remodelada pela elevação do nível dos mares, pois era o mais plano dos continentes. Talvez um sétimo de suas terras secas foi, aos poucos, sendo submergido, enquanto os habitantes do litoral observavam, sem muito que fazer. Ao final desses notáveis acontecimentos, as tribos australianas que um dia viveram a até 500 quilômetros do oceano podiam ouvir, em noites de tempestade, um som desconhecido e lúgubre, o barulho das ondas.

No extremo sul do continente australiano, o mar invasor criou uma fenda, e a Tasmânia acabou por se tornar uma ilha. Esse estreito divisor tornou-se cada vez mais largo e mais chuvoso, e as pessoas da ilha ficaram totalmente isoladas no que se tornou talvez a mais longa segregação de que se tem notícia. De fato, as características dos tasmanianos foram bastante alteradas durante o longo período de isolamento; passaram a apresentar cabelos crespos e se tornaram geralmente menores do que os aborígines dos quais descendiam.

A Austrália continental, ao contrário da Tasmânia, não estava completamente isolada. Um conjunto de ilhas bem próximas umas das outras a ligavam à Nova Guiné e, de tempos em tempos, os dois povos separados pelo estreito mar engajavam-se no comércio. Mas, na verdade, esse estreito espaço, por razões não esclarecidas, serviu de grande vala ou barreira por milhares de anos. Do lado da Nova Guiné, surgiu uma forma de vida baseada em grandes plantações, cultivo de alimentos, uma população muito mais densa e uma organização política e social diferente. Do outro lado, os australianos permaneceram colhendo e caçando, organizados em pequenos grupos nômades e vivendo sistematicamente da terra. Não há dúvida de que, se os mares não tivessem subido e se a Austrália e a Nova Guiné tivessem continuado parte do mesmo continente, com ligações ao longo de uma vasta extensão, a história recente da Austrália teria mais a ver com a história da Nova Guiné. Quando o isolamento foi finalmente rompido com a chegada dos ingleses a Sydney, em 1788, o choque e a desordem causados ao modo de vida peculiar dos australianos foram muito marcantes.

23

Groenlândia

Golfo de
S. Lourenço

Cidade do
México

Istmo do
Panamá

Amazônia

Ilha de
Páscoa

Mar de Bering

Alasca

Havaí

Taiti

Japão

Nova Irlanda
Nova Bretanea
Buka

Ilhas
Samoa

Estreito
de Torres

Coréia
Honshu
Beijing

Estreito de
Tsushima
Taiwan

Mar do
Sul da
China

Bornéu

Nova
Guiné

Austrália

Tasmânia

Luzón

Flores

Sumatra

Java

Golfo de
Carpentária

São Petersburgo

Mar Negro

Golfo
Pérsico

Madagáscar

Islândia

Mar
Báltico

Pirencos

Madeira
Mar Mediterrâneo

S a a r a

Nigéria

Ruanda

Lago
Vitória

Vale da Grande Fenda

1 A ELEVAÇÃO DO NÍVEL DOS MARES

Perfil do mundo em 16000 a.C.

■ Terras secas
▨ Capas de gelo

AS AMÉRICAS ESQUECIDAS

O continente americano havia sido recém-descoberto pela raça humana quando os mares começaram a subir. Os primeiros humanos provavelmente atravessaram o espaço entre a Sibéria e o Alasca em algum momento antes de 22000 a.C. Os dois continentes eram unidos por um frio corredor de terra e, no verão, a travessia não pode ter sido tão difícil. Na verdade, é possível que caçadores e suas famílias simplesmente tenham atravessado esse corredor à procura de animais, achado o outro lado mais atraente e decidido ficar. De fato, eles foram os descobridores de um novo continente e com direito a um lugar especial na história, mas – até onde sabiam – estavam simplesmente realizando seu trabalho normal de cada dia. Certamente, várias levas de pessoas atravessaram esse corredor e desceram a costa oeste até chegar ao México, de clima mais quente. Sua presença no México, por volta de 22000 a.C., pode ser comprovada pelos preciosos artefatos feitos de pedras de obsidiana deixadas em seus acampamentos.

Grandes animais pastavam nas campinas, fazendo delas o paraíso dos caçadores. Bisões, mamutes, mastodontes, cavalos e camelos dividiam a paisagem e não sabiam que caçadores habilidosos estavam a caminho. Caças pequenas, como coelhos e veados, podiam ser capturadas aos milhões, e novas plantas comestíveis eram encontradas em abundância. Quando o inverno se aproximava, os novos habitantes tinham acesso a mais peles e couros de animais do que poderiam usar.

A população da América aumentava, e muitas escavações de acampamentos humanos apontam para uma rápida disseminação dos povoamentos por volta de 11000 a.C. Atravessando o istmo do Panamá, o homem primitivo chegou à América do Sul, com poucas barreiras impedindo o seu movimento, até que o gelo permanente no extremo sul fosse avistado.

Aí, então, os mares que subiam sem aviso começaram a separar as Américas do restante do mundo. Por volta de 10000 a.C., o corredor de terra que ia da Ásia ao Alasca, o único portão de entrada para as Américas, foi cortado pela elevação dos mares. Formava-se o Estreito de Bering e, durante algum tempo, o mar no novo estreito se congelava, permitindo caminhar sobre o gelo; ainda assim, esse ponto de travessia era perigoso quando o clima se tornava mais ameno. Quase todo o contato entre as Américas e o mundo externo foi interrompido e, talvez por mais de 10 mil anos, reinou o silêncio. Pássaros migratórios viajavam entre os dois continentes, mas as pessoas viviam isoladas. Por fim, os habitantes das Américas acabaram por desconhecer o lugar de suas origens.

Em seu prolongado isolamento da Ásia, contudo, as Américas não ficaram estagnadas. Os humanos rapidamente penetraram cada pedaço de terra habitável. Aos poucos, ramificaram-se em vários modos de vida: os caçadores inuítes no norte gelado, caçadores e extratores vagando pelo também gelado extremo sul, vários povos combinando atividades de caça e lavoura em diversas partes da América do Norte e do Sul, enquanto algumas tribos viviam com abundância de salmão e do trabalho escravo, ao longo dos rios Fraser e Colúmbia, no Noroeste. Mesmo antes de 2000 a.C., as Américas possuíam uma enorme diversidade de atividades econômicas e de culturas.

No fim do século 20, surgiu a idéia de que, de alguma forma, a Floresta Amazônica, isolada e impenetrável, havia praticamente escapado da interferência humana. Com o respeito cada vez maior pela natureza em muitos cantos do mundo ocidental, a Floresta Amazônica em geral é considerada um prodígio. Ali, a natureza primitiva se preserva em toda a sua glória vulnerável: uma enorme bacia verde banhada por um majestoso rio silencioso. Até mesmo o Rio Amazonas é hoje conhecido por sua extraordinária história humana durante o longo período em que as Américas foram separadas da Europa e da Ásia. Os trabalhos de cerâmica mais antigos em todas as Américas foram feitos não na América Central ou do Norte, mas na floresta tropical da Bacia Amazônica, antes de 5000 a.C. Há também evidências de que o milho, o cereal milagroso, foi primeiramente cultivado pelos plantadores da região. Curiosamente, a diversidade biológica dessa região é geralmente mais impressionante, não na floresta virgem, mas nas áreas que foram cultivadas pelos plantadores pioneiros da Amazônia e que, agora, estão camufladas por nova vegetação.

Como as Américas, o Japão também foi lançado num isolamento prolongado. Sua história humana era muito mais extensa do que a das Américas. O país havia sido ocupado há dezenas de milhares de anos antes de os mares começarem a subir. Uma das regiões habitadas mais frias do mundo, seus picos cobertos de neve há muito se sobrepunham a imensas áreas de florestas. Com os texugos, lebres e javalis estavam os tigres, panteras, ursos pardos, bisões, uma espécie de elefante e outros animais de porte, embora seu número estivesse diminuindo.

À medida que os mares começaram a subir, eles separaram as áreas povoadas do Japão, mais ao sul, e as converteram em ilhas. O Estreito de Tsushima, que separa o Japão da Coréia, formou-se desde logo. Quando afinal o Japão foi totalmente isolado, sua população era muito pequena, pouco menos de 30 mil pessoas, a maioria provavelmente vivendo no litoral ou próximo dele, com o mar fornecendo-lhes peixes, os vales e planícies dando-lhes vegetais no verão. Pequenos grupos de pessoas mudavam de lugar para tirar melhor proveito das estações que, quando eram prolíferas, causavam grande júbilo, mas tempos de escassez estavam por vir.

Para os japoneses, no que eles chamam de período Jomon, a expectativa de vida era baixa, como para a maioria dos povos. Viver 45 anos era uma raridade e chegar aos 70, um milagre. A ossada de um homem de Yokohama, escavada em 1949, foi estudada através de raio X, mostrando que, quando criança, ele às vezes passou fome. Seus dentes, como o de tantas outras pessoas nômades, estavam desgastados e os molares inferiores de um lado da boca estavam quase nivelados com a gengiva superior. O desgaste dos dentes foi acelerado pela prática de assar carne sobre pedras quentes ou a fogo

> VIVER 45 ANOS ERA UMA RARIDADE E CHEGAR AOS 70, UM MILAGRE.

aberto sobre a areia e, portanto, uma porção de carne geralmente vinha salpicada de grãos.

Os japoneses da Ilha de Kyushu já faziam trabalhos de grande beleza em cerâmica. Uma peça datada de 10500 a.C. é provavelmente mais antiga que qualquer cerâmica da China e, talvez, do mundo inteiro. Cerâmicas ainda mais antigas foram descobertas recentemente. No decorrer de milhares de anos, suas formas tornaram-se tão ornamentadas quanto as peças das civilizações egípcia, grega e chinesa, das quais o Japão, devido ao seu isolamento e distância, não poderia ter conhecimento.

Por volta de 5000 a.C., algumas das casas ou cabanas japonesas impressionavam quando comparadas aos padrões da maioria das regiões do globo. Cavava-se um buraco, e as paredes da pequena casa de cerca de 4 metros quadrados ficavam parcialmente dentro dele e parcialmente acima da superfície do chão. Traves verticais sustentavam o telhado de sapê, feito com grama e junco. Dentro de um espaço em que era possível escutar um ao outro, podiam ser encontradas quatro ou cinco casas que, ao todo, abrigavam talvez 15 pessoas. Em noites frias, o calor do corpo das pessoas amontoadas umas junto das outras provavelmente era responsável pela maior parte do aquecimento, pois a fogueira era localizada do lado de fora da casa. Cães pequenos eram mantidos para caça e também para servirem de companhia. Próximo ao local das casas, foram escavadas pequenas figuras de barro mostrando seios e nádegas desproporcionais, possivelmente representando estátuas sagradas que protegiam as mulheres nos trabalhos de parto.

Os japoneses já cultivavam alimentos em alguns distritos. Muitos grupos viviam parte do ano perto das florestas, onde se podia colher uma grande quantidade de nozes, parte das quais era consumida e parte cultivada. Setembro, outubro e novembro eram os meses para colher frutos secos, sendo os da castanheira os primeiros a cair. Embora as castanhas sejam menos nutritivas que os frutos da nogueira, elas eram mais fáceis de conservar entre camadas de folhas colocadas em covas de armazenagem nas proximidades ou dentro das casas. Em contraste, os frutos do carvalho que se desprendiam da árvore precisavam de tratamento com água corrente para remover o ácido tânico; reduzidos a farinha fina pela ação de pedras trituradoras, os frutos do carvalho eram altamente saborosos. A tarefa de socar e de moer esses frutos – e de amassar barro para fazer potes – em geral ficava com as mulheres. O constante exercício tinha o curioso efeito de alongar suas clavículas.

Com uma engenhosidade crescente na produção de alimentos, a população do Japão em 2000 a.C. devia exceder os 200 mil, fazendo da região uma das mais densamente povoadas do mundo. Nos padrões atuais, no entanto, o Japão era uma selva esparsamente habitada.

O PARADOXO DO ISOLAMENTO

Por milhares de anos, as pessoas que viviam nos territórios dos atuais Japão e Estados Unidos eram bastante ou totalmente isoladas do mundo externo. Sua experiência era pouco comum. Pode parecer que essas terras tenham ficado permanentemente afetadas por esse longo isolamento, ao mesmo tempo em que a Europa e a Ásia continuavam mudando rapidamente. No entanto, as duas áreas, que uma vez estiveram tão isoladas, são as grandes potências econômicas do mundo de hoje.

Talvez esse paradoxo tenha uma explicação. O isolamento geográfico, mais cedo ou mais tarde, era um grande problema para todos os povos; mas, nos últimos 150 anos, o isolamento geográfico se tornou um misto de bênção e de patrimônio. Em um mundo que encolhe cada vez mais, idéias, bens e pessoas podem facilmente atravessar barreiras marítimas que eram impenetráveis há 10 mil anos. Mas o mar ainda é uma barreira para os exércitos invasores. Para o Japão e os Estados Unidos, as barreiras marítimas deixaram de ser uma desvantagem e se tornaram uma das principais forças, salvando-os de muitas invasões e fazendo-os relutar em envolver-se em guerras dispendiosas que ocorriam longe de casa.

A Europa chegou a se enfraquecer várias vezes com as guerras ocorridas em seu solo e nos mares nos últimos 150 anos. Conseguiu se recuperar, mas sua recuperação e influência global foram prejudicadas por divisões. Em contraste, durante o mesmo período, nos Estados Unidos uma só guerra eclodiu em seu solo; ainda assim, uma guerra civil, e não contra invasores. Se os Estados Unidos, em 1800, estivessem situados na Europa, provavelmente nunca teriam se alçado a seu atual poder; nunca teriam tido sucesso numa política de isolamento. Da mesma forma, as principais ilhas do Japão, deparando-se com uma situação militar desesperadora durante os últimos meses da Segunda Guerra Mundial, tampouco foram invadidas naquela época. Na verdade, reconhecendo a grande dificuldade de invadir o Japão, os Estados Unidos, em 1945, não tiveram quase nenhuma alternativa senão jogar as primeiras bombas atômicas na esperança de amedrontar os japoneses, levando-os à rendição. Em essência, os fatores geográficos que tinham penalizado e isolado o Japão e a América do Norte após a elevação do nível dos mares acabaram sendo uma vantagem em certas situações.

CAPÍTULO 3
A PRIMEIRA
REVOLUÇÃO VERDE

N a Síria e na Palestina, logo após os mares terem chegado a seu novo nível, uma pequena revolução parecia estar começando. Ao contrário da bem conhecida Revolução Industrial, ela foi incrivelmente lenta, e a força de seu impacto não seria sentida durante milhares de anos. Mas a vida humana tomara um rumo do qual não havia como escapar.

O vilarejo de Jericó era a vitrine da revolução por volta de 8000 a.C. Consistia de pequenas casas de tijolos de barro, lá cultivando trigo e cevada em minúsculos pedaços de terra. Esses cereais, que originalmente cresciam a ermo, foram selecionados para cultivo porque seus grãos eram grandes em comparação aos outros cereais silvestres e um grão maior era mais fácil de colher e de moer, sendo transformado em farinha integral rudimentar. Provavelmente, os habitantes dos vilarejos preparavam a terra, selecionavam um tipo firme de semente que não se despedaçava quando madura e plantavam as sementes de forma mais concentrada que a natureza o fazia. O grão, colhido com facas e foices de pedra, era armazenado no vilarejo. Hoje, metade das calorias do mundo vem de uma pequena variedade de cereais, os primeiros dos quais eram cultivados pelos habitantes desses vilarejos do Oriente Médio.

A princípio, os habitantes de Jericó e de outros vilarejos semelhantes não possuíam nenhum animal doméstico. A maior parte da carne que consumiam ainda vinha de gazelas selvagens e de outros animais e aves que eles diligentemente caçavam. Mas, nos cerca de 500 anos que passaram tentando dominar o trigo, a cevada e certas ervilhas e grãos de leguminosas, começaram também a criar cabras e ovelhas em pequenos rebanhos, provavelmente nas proximidades dos vilarejos. Aí estava mais uma forma de provisão de alimentos, pois o rebanho é um alimento. Evidências sugerem que as primeiras espécies de animais foram domesticadas inicialmente em regiões distintas – ovelhas nas fronteiras da atual Turquia e Iraque, cabras nas montanhas do Irã, gado no planalto da Anatólia. Ovelhas e cabras viviam principalmente em rebanhos e, portanto, eram mais fáceis de domesticar, pois domesticar um indivíduo da espécie significava domesticar todos.

Os primeiros humanos a domesticar ovelhas, cabras e bois e a mantê-los juntos em rebanhos provavelmente não foram os mesmos que iniciaram as primeiras plantações. Plantar trigo ou domesticar cabras requeria pelo menos uma dúzia de observadores, homens ou mulheres com olhos bem atentos. É provável que os homens, que em geral eram os caçadores, tenham sido os domesticadores dos animais e que as mulheres tenham cultivado os primeiros cereais. Os cereais e o gado não coexistiam em harmonia inicialmente. Os primeiros lavradores não queriam animais pastando perto de suas plantações, alimentando-se delas ou pisoteando-as.

Nas pequenas fazendas e plantações, o trabalho diário tinha de seguir uma programação mais rígida que nos dias de vida nômade. Se era hora de capinar, de cavar ou de semear, a oportunidade tinha de ser aproveitada – ou poderia ser perdida. A nova forma de vida exigia uma disciplina e uma sucessão de obrigações que contrastavam com a liberdade dos trabalhadores da colheita e dos caçadores.

Não se sabe ao certo por que esse duplo avanço teve lugar no mesmo ponto do Mediterrâneo, mas a região realmente oferecia vantagens. Mais para o interior, abundavam dois cereais que davam grãos particularmente grandes e ali também habitavam ovelhas e cabras que, por serem pequenas e viverem em rebanhos, eram mais fáceis de ser domesticadas que a maioria dos grandes animais selvagens. Mas essas vantagens e essa sorte, em si, não são suficientes para explicar as mudanças. Na história do mundo, oportunidades e sorte foram relativamente abundantes, mas poucos foram aqueles que souberam aproveitá-las.

Outros fatores moldaram o início dessa nova forma de vida. A elevação dos mares alagando o litoral levou os povos para o interior, onde, como resultado, uma mistura de povos, idéias e hábitos se impôs. Além disso, o clima estava se tornando mais quente, fazendo com que certas plantas e animais proliferassem. Os cereais certamente cresciam numa área maior que até então. Os animais de porte, tradicionalmente uma fonte vital de alimentos, estavam se tornando mais escassos e isso serviu de incentivo para que se domassem animais selvagens.

Por longos períodos, as tribos pioneiras que estavam ocupando plantações e criando rebanhos tiveram de coexistir com os povos nômades. Essa convivência impunha certa tensão. Em tempos de fome, os nômades famintos eram tentados a atacar os vilarejos vizinhos que mantinham estoques de grãos e rebanhos de animais. Os habitantes dos vilarejos, por sua vez, fortificavam-se e mantinham vigilância constante. Em maior número e mais bem organizados – trabalhar na lavoura implicava organização –, estes geralmente eram páreo para os nômades em qualquer luta.

O futuro estava com os novos fazendeiros e pastores de rebanhos; ter acesso ao celeiro em tempos de fome era possuir um patrimônio que nenhuma outra tribo na era nômade poderia possuir. Durante a seca, o vilarejo que tivesse um bom estoque de grãos e um rebanho de ovelhas ou cabras poderia sobreviver por mais tempo.

As pessoas podiam possuir ovelhas, mas, de certa forma, as ovelhas é que possuíam as pessoas, praticamente fixando-as ao vilarejo. Por isso, a forma de vida tradicional – a busca por alimentos,

> O FUTURO ESTAVA COM OS NOVOS FAZENDEIROS; O ACESSO A CELEIROS EM TEMPOS DE FOME ERA ALGO QUE NENHUMA TRIBO NA ERA NÔMADE PODERIA TER.

o saque e as alegrias das caçadas bem-sucedidas – ainda tinha um certo encanto. Era também uma fonte segura de alimentos, principalmente na primavera. Assim, milhares de anos depois do surgimento da lavoura e da criação de animais, muitos vilarejos ainda dependiam mais da caça e da coleta de alimentos em pântanos, florestas e planícies do que da nova fonte, proveniente de cereais, do leite e da carne.

A disseminação dessa nova forma de vida pelas margens do Mediterrâneo seria muito lenta. Em 7000 a.C., já se plantava, e as ovelhas e cabras se alimentavam sob a vigilância de seus donos na Grécia, na Sérvia e nos pequenos vales italianos, descendo pelas encostas até o Mar Adriático. Em 5400 a.C., os fazendeiros com seus paus de escavar estavam presentes no oeste da Escócia e no Ulster, província da atual Irlanda do Norte. Em 3000 a.C., na Escandinávia, podiam ser vistos pequenos trechos de terra com plantações e rebanhos.

Pelo menos 2 mil anos separaram as primeiras fazendas da Grécia das primeiras fazendas próximas ao Mar Báltico. Ao nos surpreendermos com esse avanço tão lento das fazendas e dos rebanhos por toda a Europa, um obstáculo deve ser lembrado. Florestas densas ou espaçadas cobriam 80% da Europa; derrubar boa parte dessas florestas com machados de pedra – uma vez que o ferro era ainda desconhecido – e valendo-se de milhares de pequenas fogueiras exigia paciência e muito suor. Sair à procura de alimentos era muito mais fácil.

Enquanto isso, o gado havia sido levado para várias partes do norte da África, indo desde o Egito e Líbia até a Argélia. Enquanto a África praticamente importou seus primeiros animais domesticados e o cultivo de alimentos, ela domesticou o burro, um animal de carga, e a pequena galinha-d'angola, que acabou sendo um dos pratos favoritos nas mesas do Egito Antigo e, mais tarde, de Roma. Os primeiros gatos domésticos eram africanos e, mais tarde, tornaram-se guardiães fiéis dos estoques de grãos que atraíam os roedores. Os africanos também foram os primeiros a cultivar o painço, também chamado de milho-miúdo, que era geralmente visto como um grão inferior, e os primeiros a plantarem o sorgo, com seus grãos viçosos, junto com arroz, inhame e azeite de dendê.

Em todos os lugares, o cultivo do solo começou de forma muito rudimentar. A principal ferramenta de escavação era um pedaço de pau com a extremidade afiada e endurecida ao fogo. Esse pedaço de pau enrijecido ao fogo figura entre as invenções fundamentais na história da raça humana – mais importante que o trator – e serviu aos lavradores em várias partes do mundo por milhares de anos.

Para semear, era necessário fazer experiências. É fácil presumir que os primeiros fazendeiros carregavam consigo uma bolsa tecida de forma rudimentar, cheia de sementes, lançando-as e espalhando-as à sua volta com um movimento amplo da mão, à medida que iam andando pelo solo recém-escavado, mas, em muitos lugares, essa forma de espalhar as sementes era desconhecida. Em algumas regiões da África, as mulheres cavavam milhares de buracos com um pedaço de pau ou enxada, ou até mesmo com um rápido movimento dos dedos do pé em solo macio, e jogavam alguns grãos de painço em cada buraco, fechando-os em seguida. Outros enchiam a boca de grãos e os cuspiam, um pouco por vez, depois de cada buraco ter sido cavado. Em algumas partes do sul da África, o grão era, na verdade, espalhado sobre a grama e sobre o solo antes mesmo de acontecer a lavra da terra.

A Grécia, não muito depois de 3000 a.C., desenvolveu um tipo diferente de lavoura, voltado para a oliveira e a videira. Nas encostas íngremes que até então tinham sido utilizadas somente pelas ovelhas e cabras, proliferaram os vinhedos e as plantações de oliveiras, aumentando as calorias anuais disponíveis em cada vilarejo em até 40%. O azeite de oliva era usado não só para cozinhar, mas para encher os lampiões e limpar o corpo. O vinho e o azeite de oliva alteraram a dieta alimentar no leste do Mediterrâneo.

Enquanto todo nômade passava a maior parte do dia na colheita e na caça de alimentos, a nova ordem criava especialistas, como fabricantes de tijolos, pedreiros, padeiros, fabricantes de cerveja, oleiros, tecelões, alfaiates e costureiras, soldados, sapateiros, escavadores de valas de irrigação, cuidadores de celeiros e, obviamente, fazendeiros e pastores de rebanhos. Talvez 90 de cada 100 pessoas de uma região ainda estivessem voltadas para o cultivo de alimentos, para a caça e tarefas afins, mas as outras 10 assumiam uma grande variedade de profissões. Os novos especialistas moravam em vilarejos, e os maiores desses vilarejos tornaram-se cidades; as cidades teriam sido inviáveis sem o desenvolvimento da lavoura.

35

A capacidade de um distrito de alimentar as pessoas passava a ser multiplicado por três, seis ou talvez até mais vezes, com o uso mais eficiente do solo e das pastagens, dos minerais e da pesca: um conjunto de conquistas que estava além das habilidades dos povos nômades. A população do mundo, até então reduzida, aumentou drasticamente. Talvez somente 10 milhões de pessoas habitassem o mundo inteiro na época em que as primeiras experiências com lavoura e criação de rebanhos foram feitas. Mas é provável que por volta de 2000 a.C. a população do mundo se aproximasse dos 90 milhões; 2 mil anos mais tarde, na época de Cristo, estava próxima dos 300 milhões.

Às vezes o crescimento contínuo da população era refreado por epidemias. Os nômades, sem saber, levaram vantagens em termos de saúde. Por estarem em constante mudança, deixavam para trás os dejetos que produziam. Por usarem pouca roupa ou até mesmo nenhuma, em climas tropicais , ficavam mais expostos à luz solar, que impedia a proliferação de germes. Por não possuírem animais, eram alvo de menor número de doenças. Por outro lado, na nova ordem, a aglomeração de pessoas nas cidades aumentava o risco de infecção.

Portanto, enquanto a nova forma de vida proporcionava mais alimentos e, assim, aumentava a população do mundo, também fomentava vírus, que periodicamente diminuíam a população. O trato diário com os novos rebanhos domesticados provavelmente expôs as pessoas a doenças que, até então, estavam confinadas a esses animais. Uma forma de tuberculose veio com o leite das vacas e das cabras; o sarampo e a varíola foram transmitidos do gado para as pessoas que cuidavam dele, pela ordenha ou ingestão de sua carne; uma forma de malária provavelmente veio das aves, e a gripe veio dos porcos e dos patos.

O SACRIFÍCIO HUMANO

Uma nova forma de organização política estava surgindo. Enquanto nas sociedades nômades o poder tinha sido dividido principalmente entre homens mais velhos, a nova ordem dos fazendeiros era cada vez mais controlada por uma elite de governantes ou por um chefe, geralmente do sexo masculino. Ao mesmo tempo em que defendia sua cidade e suas terras aráveis, o chefe aproveitava a oportunidade para descontar em seus inimigos antigos desafetos e mágoas, capturando alguns deles e escravizando-os. Os nômades raramente usavam escravos, ao passo que um governante sedentário poderia empregar escravos ou trabalho forçado para construir canais de irrigação, templos, fortificações e outros projetos. Os novos governantes podiam arrecadar impostos na forma de grão, carne ou outros bens, enquanto as terras dos nômades haviam sido áreas livres de impostos.

Os novos governantes ordenavam sacerdotes que, por sua vez, davam legitimidade e apoio moral aos governantes. Enquanto a religião em si era uma velha aliada da raça humana, sacerdotes e sacerdotisas eram uma novidade. Eles ajudavam a trazer a chuva que punha fim à seca, abriam caminho para uma colheita farta, ajudavam a derrotar o inimigo na guerra e, provavelmente, davam uma sensação de paz interior para aqueles que, caso contrário, poderiam ter-se sentido aflitos. Por volta de 3500 a.C., muitos dos vilarejos rurais e pequenas cidades da Europa e do Oriente Médio estavam construindo monumentos religiosos de tamanho impressionante.

37

As novas religiões refletiam um sentimento de admiração em relação ao universo e às suas obras, bem como os temores e as esperanças em relação ao imenso poder da natureza. Esta tinha de ser adorada e apaziguada; a população de uma região podia ser dizimada por uma tempestade de granizo que destruía as plantações, doenças que matavam os rebanhos, pragas de insetos ou fungos que atacavam a colheita, uma primavera que passava sem chuvas, a diminuição do número de animais selvagens devido a doenças, à seca ou a

> PARA GARANTIR FERTILIDADE E ABUNDÂNCIA, PRESENTES PODERIAM SER OFERECIDOS AOS DEUSES. O MAIOR DELES ERA O SACRIFÍCIO DE UMA VIDA HUMANA.

uma enchente inesperada. Para garantir que o solo se mantivesse fértil ou que a colheita anual fosse abundante, presentes poderiam ser oferecidos aos deuses. O maior presente era o sacrifício de uma vida humana, que podia abrir os portões através dos quais a abundância adentraria.

O ENIGMA DA NOVA GUINÉ E DAS AMÉRICAS

As áreas mais altas da Nova Guiné pareciam tão remotas que permaneceram inexploradas pelos europeus até o século 20. Por outro lado, elas foram um dos pivôs da revolução verde. Já em 7000 a.C., quando a agricultura ainda não havia chegado à Europa, os habitantes da Nova Guiné cultivavam vários tipos de inhame e outras raízes, o taro (tipo de inhame que gosta de sombra), a cana-de-açúcar e a banana nativa. Valas cavadas à mão melhoravam a qualidade do solo e ajudavam essa forma simples de lavoura. Não é impossível, ainda que seja pouco provável, que a idéia de lavrar a terra tenha chegado à Nova Guiné proveniente do Sudeste Asiático.

Na Nova Guiné, as árvores eram cortadas com machados de pedra, com os quais o lenhador dava golpes curtos e bruscos, característicos dos machados de guerra dos índios norte-americanos, em vez dos movimentos típicos dos atuais machados de cabo longo. Por fim, a lenha e a vegetação rasteira eram queimadas, construía-se uma cerca e plantavam-se raízes comestíveis usando as cinzas recentes da fogueira como nutriente. A capina era uma tarefa fundamental e, geralmente, era praticada pelas mulheres. Após algumas safras, o solo se tornava temporariamente empobrecido e, a alguma distância dali, um novo pedaço de terra da floresta era arduamente cultivado. Era uma forma de pioneirismo que exigia muito músculo, resistência e suor. Tal mudança na forma de cultivo requeria grandes áreas de floresta, das quais só uma fração era lavrada e plantada durante o ano.

As Américas, assim como a Nova Guiné, desenvolveram suas próprias áreas de lavoura. Plantas, como a abóbora, o algodão e a pimenta malagueta, eram cultivadas no México antes do ano 6000 a.C. e, mais tarde, surgiram o milho e o feijão. Na costa leste do que hoje são os Estados Unidos, as terras lavradas apareceram por volta de 2500 a.C. No tempo devido, a agricultura se tornou a base das civilizações americanas que os espanhóis vieram a descobrir.

A visão predominante é de que a agricultura americana e suas civilizações características surgiram praticamente isoladas. Há um consenso de que a elevação do nível dos mares isolou permanentemente os novos colonizadores que atravessaram da Ásia para as Américas; contudo, a possibilidade de uma influência cultural recorrente do leste da Ásia, África ou Europa não pode ser eliminada por completo. Talvez uma nova leva de colonizadores tenha ocasionalmente chegado ao continente americano.

Algumas evidências favorecem a teoria de que a Ásia e as Américas tenham permanecido em contato. Assim, a galinha pigmentada da China, com seus ossos pretos e carne escura, existiu nas Américas, onde era tratada da mesma forma que na China, sendo sacrificada em rituais de magia e de cura, mas evitada nas refeições. Será que essa galinha teria chegado da China em barcos de colonizadores que vieram mais tarde, em outras levas? Da mesma forma, alguns estudiosos argumentam que o característico calendário dos maias, que viviam na América tropical, provavelmente se originou em Taxila, no atual Paquistão, e que quatro dos 20 nomes dados aos dias desse calendário foram emprestados diretamente das divindades hindus.

O fluxo de idéias, de plantas e de animais pelo Pacífico talvez tenha se dado em ambas as direções. Não obstante, uma região de lavouras surgiu antes das outras e foi mais dinâmica em todos os seus efeitos. O Oriente Médio era como um fogo que, uma vez aceso, propiciava cada vez mais luz.

Vasos feitos à mão, cozidos ao sol ou sobre brasas eram uma parte fundamental da nova forma de vida. Enquanto os vasos não tinham utilidade para os povos nômades, pois estes estavam em constante movimento, os povos que viviam no mesmo lugar boa parte do ano ganharam muito com a invenção da cerâmica. No mundo ocidental, hoje é difícil com-

39

preender por que os vasos cerâmicos foram tão importantes, já que são tão pouco usados atualmente, exceto como enfeite. Os vasos eram principalmente valiosos para fornecer luz e para cozinhar, sendo também extremamente eficientes para queimar combustíveis. Havia lampiões de cerâmica e vasilhas nas quais colocavam-se velas; vasos maiores, alguns com tampas e alças, guardavam água e cerveja dentro de casa. Um vaso não vitrificado servia de moringa, pois aparentemente mantinha a água fresca. Nas pastagens da República dos Camarões, grandes vasos eram usados para a fabricação de vinho de palma, enquanto outros guardavam noz-de-cola. Os nigerianos tocavam bumbos de cerâmica em funerais. As mulheres encarregavam-se dos trabalhos em cerâmica em algumas regiões, administrando, assim, o que era a principal indústria de manufatura na época.

Uma sociedade sedentária que sabia fazer vasos de cerâmica conseguiu evoluir mais, criando novos cardápios de comida e bebida, pois tinha muito mais chance do que os nômades de fazer as próprias bebidas fermentadas – já que estas exigiam grandes vasos para armazená-las. Uma sociedade que possuía vasos conseguia produzir lêvedo e empregá-lo no preparo de pães em fornos de cerâmica; uma sociedade que cozinhava sua carne em vasos, em vez de aquecê-la em fogo aberto ou pedra quente, tinha, curiosamente, mais probabilidade de gostar de sal. Na verdade, o sal foi o primeiro alimento a tornar-se um item regular de comércio.

Os fabricantes de cerâmica foram os precursores dos metalúrgicos e, com seu barro, acabaram precedendo o trabalhado com metal e minério. Embora a fabricação de cerâmica sob calor intenso não tenha levado automaticamente à fundição de minério, serviu como passo fundamental para isso. Como fazer o melhor uso dos combustíveis, como aumentar o calor com um golpe de ar frio, como manejar as laterais dos vasos cerâmicos sob o fogo, quanto tempo deixá-los esfriar: respostas a tais perguntas serviram de diretrizes e indicadores para o tratamento dos minérios metálicos sob calor intenso.

Um dos marcos mais importantes da história do mundo foi a extração, pela primeira vez, de metais quase puros de pedaços de pedra dura e rica em cobre, utilizando-se o fogo ardente e em brasa. As primeiras fornalhas e oficinas de fundição de cobre foram desenterradas em Timna, no sul de Israel, à vista das montanhas secas da Jordânia. A fornalha, operada pela primeira vez por volta de 4200 a.C., consistia de um pequeno buraco no chão, em formato oval e escavado até a profundidade aproximada da mão de um adulto. Para evitar que grande quantidade de calor escapasse, uma cunha simples de pedra era colocada por cima do fogo como uma tampa solta. Era um empreendimento de fundo de quintal: dizer isso não deixa de ser um exagero.

A fundição do cobre, finalmente, levou à descoberta de como obter o bronze. É provável que tenha sido um acidente, mas só a mente alerta é capaz de ver o significado daquilo que acontece por acidente. O bronze foi obtido ao fundir-se grande quantidade de cobre puro (90%) com uma pequena parcela de estanho (10%), a liga resultante era mais dura que o cobre e mais fácil de moldar. Por volta de 3500 a.C., o bronze já era produzido por ferreiros nas cidades-estado da Mesopotâmia. Onde encontravam estanho, um ingrediente essencial, não se sabe ao certo até hoje.

41

Como por milagre, um homem da era do cobre, em carne e osso, foi recentemente encontrado. Seu corpo – a carne ainda sobre os ossos – foi descoberto mais ou menos 5 mil anos depois de ele ter saído para uma caminhada arriscada pelos Alpes tiroleses, próximo à atual fronteira entre Áustria e Itália. Ele atravessava um desfiladeiro a 3.200 metros de altura, muito acima das mais altas estradas que cruzam essas montanhas atualmente. A estação era provavelmente o outono, e ele usava roupas quentes. Para cobrir a cabeça, usava um chapéu que consistia de vários retalhos de peles de animais costurados juntos. Seus ombros estavam protegidos da neve e do frio por uma capa cuidadosamente tecida com junco ou uma gramínea resistente; seu casaco, feito de pele de veado, provavelmente mantinha parte de seu corpo aquecido enquanto caminhava, mas não é certo que tivesse mangas. Certamente, suas pernas estavam protegidas por meias de couro, enquanto os pés vestiam calçados feitos de couro de bezerro.

A julgar pelo equipamento que o homem carregava, não se tratava de uma caminhada, mas de uma longa viagem: um machado com lâmina de cobre, uma faca de gume feita de pedra resistente e com cabo de madeira, uma aljava com 14 flechas quebradas ou usadas, um arco rudimentar para atirar as flechas. Imprescindível para um homem das montanhas, numa área onde combustíveis e fogo para as fogueiras tão necessárias nas noites frias não eram encontrados facilmente, ele carregava um recipiente inteligente, feito com casca de vidoeiro, capaz de manter acesa a brasa de um fogo extinto; desse modo, ele podia acender o próprio fogo sem maiores problemas.

Ele desapareceu na neve. É possível que, passado longo tempo da época prevista para seu retorno, seus amigos e sua família o tenham procurado. Poderia ser facilmente identificado, pois sua pele apresentava várias tatuagens e seu precioso machado de cobre devia ser conhecido dos amigos. As buscas terminaram, e o tapete de gelo o cobriu, século após século. Somente em 1991, o derretimento da neve conseguiu expor seu corpo.

CAPÍTULO 4

A CÚPULA DA NOITE

N as grandes cidades iluminadas, o centro das atividades do mundo de hoje, a força do céu noturno mal pode ser apreciada por causa do ofuscamento que as luzes artificiais provocam no céu. Além disso, novas explicações para os fenômenos humanos, tanto profanos quanto religiosos, têm praticamente suplantado as explicações baseadas nas estrelas, na Lua e no Sol. No entanto, durante a maior parte dos anos da experiência humana, com registros históricos ou não, o céu noturno conteve um certo esplendor e uma certa magia. Quando as primeiras civilizações começaram a evoluir, os "objetos celestes" passaram cada vez mais a ganhar um poderoso simbolismo.

O MISTÉRIO DOS RAIOS E DAS ESTRELAS CADENTES

Nas tribos nômades e nos vilarejos rurais, os fenômenos meteorológicos causavam grande medo. Na Tasmânia, muitos aborígines ficavam amedrontados com as grandes tempestades. "Chuva forte durante a noite", escreveu um observador branco em 1831, "seguida de trovoadas ensurdecedoras e o lampejo vívido de raios, dos quais os nativos demonstravam um enorme medo". Na noite seguinte, a visão de uma "faísca elétrica" no céu escuro inspirou sentimentos de aflição. Talvez só o pensamento de ser atingido por um raio aumentasse o medo. Lançando um olhar de nervosismo para uma árvore que havia sido despedaçada por um raio, eles se recusavam – como os alemães do outro lado do mundo, nas áreas rurais – a tocar a madeira exposta.

O céu noturno foi um teto em forma de cúpula durante todos aqueles anos em que as pessoas praticamente dormiam sob as estrelas. As crianças eram ensinadas a observar a marcha regular das estrelas pelo céu noturno. Em raras ocasiões, eles viam o céu escuro ser cruzado por luzes que passavam com grande velocidade. Algumas dessas luzes eram estrelas cadentes visíveis por um ou dois segundos somente e outras mostravam uma impressionante cauda de fogo. Os nômades caçadores e que viviam da coleta de alimentos eram grandes observadores do céu noturno e, assim, possivelmente aprenderam por meio da observação constante que as estrelas cadentes eram em número duas vezes maior durante as primeiras horas da manhã do que nas primeiras horas da noite. Quando um fenômeno estranho acontecia e era visível, acreditava-se que o céu noturno estivesse falando.

Em todo o mundo, as pessoas se preocupavam com os cometas e as estrelas. Poucos fenômenos eram mais excitantes para eles do que a visão noturna de um meteoro em chamas. A maioria dos meteoros se desintegrava ao cair, e grande parte dos que atingiam o globo caía no mar; somente alguns deles alcançaram a terra. Um meteorito é um meteoro que chega a seu destino geralmente em forma de um pedaço negro de rocha, e tais rochas, aparentemente caindo da morada dos deuses, eram tratadas com assombro quando encontradas. No México, a pedra preciosa da pirâmide de Cholula e, na Síria, a pedra adorada de Ermesa provavelmente eram meteoritos. No santuário de Meca, havia uma pedra sagrada que, segundo dizem, caiu dos céus. Era adorada por tribos árabes e até por Maomé.

A idéia de que um meteorito ou uma estrela cadente era uma mensagem dos deuses parecia confirmar-se por seu estrondo – bem como por seu brilho incandescente – quando mergulhava na terra. Soava para alguns com o estrondo de um trovão; para outros, na era do vapor, parecia a passagem de um trem barulhento. Em algumas sociedades, uma estrela cadente era vista como sorte; em outras, como azar.

Os povos nômades, que viviam sob as estrelas, e os povos já estabelecidos em lugares fixos, que viviam sob os céus sem nuvens das primeiras civilizações do Oriente Médio, tinham toda a razão em observar o céu noturno. Numa noite sem lua, o céu era um tapete maravilhoso estendido sobre eles. Seu aspecto mudava de hora em hora, e os padrões das alterações eram observados e comentados. No clima seco da Austrália Central, onde não existiam rios permanentes, alguns grupos aborígines viam a Via Láctea como um grande rio correndo pelo céu. Aos olhos de muitos povos, criaturas poderosas viviam no firmamento. Para outros, um buraco escuro na Via Láctea era a casa do demônio.

As primeiras civilizações a florescerem ao longo dos Rios Tigre e Eufrates prosseguiram no endeusamento das estrelas. Com prática em astronomia, seus povos conseguiam prever muitos dos movimentos dos principais planetas e constelações e, por sua vez, acreditavam que tais movimentos lhes possibilitavam prever fenômenos humanos. Os babilônios chegaram até mesmo a aprender como prever um eclipse lunar bem antes de o eclipse acontecer.

O avanço da astrologia e o estudo da possível influência das estrelas e dos planetas sobre os fenômenos humanos são hoje em dia repudiados nos círculos intelectuais como uma simulação, mas havia uma lógica experimental nessa disciplina intelectual que acabou atraindo as melhores mentes das primeiras civilizações da China e do Oriente Médio. Se o Sol podia moldar o verão e o inverno, e se a Lua podia determinar as altas marés e moldar o calendário, por que todas essas forças tão poderosas não poderiam também moldar os destinos dos seres humanos? Essa pergunta intrigou os estudiosos durante milhares de anos. Os médicos também seguiram essa linha e, até o século 20, as pessoas que sofriam de doenças mentais eram chamadas de lunáticas, o que significava que sua doença era influenciada pela Lua.

A Lua, pequena ou grande, era uma presença dominadora. O maior objeto do céu noturno, aparecendo e sumindo mais ou menos 50 minutos mais tarde em dias sucessivos, ela se movia majestosamente. A Lua nova era invisível, pois marchava pelo céu diurno, em compasso com o Sol.

Já a Lua cheia podia ser vista a noite toda. Viva, poderosa e pessoal, a Lua era uma figura feminina para alguns povos e uma figura masculina, para outros; era um símbolo de vida e de morte, e muitos diziam que determinava quando as chuvas cairiam. Acreditava-se que influenciava o crescimento da vegetação e por milhares de anos foi uma regra, na área rural, os fazendeiros fazerem o plantio sempre durante a lua nova. Mais tarde, na Índia, no Irã e na Grécia, acreditava-se que, após a morte, as pessoas viajavam para a Lua. Os ciclos lunares acabaram constituindo os primeiros calendários, depois do surgimento da arte da astronomia.

"Tive um sonho?"

A noite era o período em que as pessoas tinham sonhos – cheios de alegria, apavorantes, calmos, familiares ou estranhos. A noite era vista por várias tribos como um reino misterioso ao qual os humanos eram admitidos enquanto dormiam. O sonho era a evidência dessa visita. Os povos nativos do norte do Canadá, próximo à Baía de Hudson, acreditavam que, quando dormiam, suas almas saíam de seus corpos e temporariamente entravam em outro mundo. Na Austrália Central, os arrerntes acreditavam que cada pessoa tinha duas almas e que, durante o sono, a segunda alma de fato deixava o corpo. Entendiam que seus sonhos eram, na verdade, eles próprios observando as atividades simultâneas dessa segunda alma, que aconteciam fora do corpo. O sonho era quase uma forma sobrenatural de televisão. Se um fenômeno terrível acontecesse com a alma que havia deixado o corpo, o terror era imediatamente transferido para a pessoa que estava dormindo e sonhando.

A NOITE ERA VISTA POR VÁRIAS TRIBOS COMO UM REINO MISTERIOSO AO QUAL OS HUMANOS ERAM ADMITIDOS ENQUANTO DORMIAM. O SONHO ERA A EVIDÊNCIA DESSA VISITA.

46

Dezenas de milhares de anos antes do surgimento dos sacerdotes e dos videntes, os sonhos vívidos devem ter sido recontados com admiração. A importância dos sonhos era um reflexo da importância da noite, quando os sonhos aconteciam. Em um acampamento simples, numa sociedade nômade, a presença da noite e a intensidade da escuridão praticamente dominavam. Hoje, uma grande cidade iluminada com muitas luzes brilhantes praticamente domina a noite.

Na era moderna, o sonho silenciosamente mudou de significado e deixou de ser interpretado simplesmente como uma antecipação dos acontecimentos. O médico e psicanalista austríaco Sigmund Freud via o sonho não como uma visão do futuro, mas como um espelho da personalidade e do passado do sonhador.

É impossível dizer quando os seres humanos viram, pela primeira vez, significado na Lua, no Sol, nas estrelas e nos cometas. Mas ignorar a noite e o céu noturno porque os registros existentes são escassos e transitórios seria negligenciar uma parte fundamental e intrigante da história humana.

47

Os MONUMENTOS ESCONDIDOS

Os nômades não construíam grandes monumentos, não tinham pirâmides, nem colunas de pedra imponentes, nem templos e nem faróis perto do mar. Eram incapazes de cortar blocos pesados de pedra e carregá-los para longe, mas, de certa forma, eles não precisavam de monumentos. Um monumento é uma proclamação do que é importante e, para as pessoas que viveram há 15 mil anos, o céu e a terra estavam repletos de monumentos, alguns visíveis somente para aqueles com olhos treinados.

Para algumas sociedades nômades, o céu era um monumento criado por seus ancestrais, e sua terra tinha sido criada da mesma forma. Cada colina e serra rochosa, cada detalhe da paisagem tinham sido criados por esses seres quando começaram a viver na Terra. Aos olhos dos primeiros australianos, as colinas, os penhascos, os animais e tudo o mais que fosse fundamental no próprio território da tribo eram quase monumentos sagrados para o culto aos ancestrais, e o ato original da criação tinha de ser repetido periodicamente através das danças, das cerimônias e dos rituais religiosos herdados desses criadores. Assim, as pessoas vivas mantinham seu contato com aqueles que há muito tinham criado essa paisagem terrestre e celeste responsável pela vida.

Mesmo adiantando um pouco a história, deve-se dizer que as religiões posteriores foram também profundamente afetadas pelo céu noturno. O calendário judeu era baseado na Lua; o início do ano religioso era determinado pela justaposição de dois fenômenos distintos – o sinal das espigas aparecendo nas plantações de cevada e o primeiro sinal da nova meia-lua. Buda nasceu num ponto especial do ciclo da Lua, enquanto uma estrela brilhante no céu apontou para onde Jesus tinha nascido. No hinduísmo e no jainismo, um dos fenômenos sagrados é um festival de lampiões que acontece no dia de Lua cheia de um determinado mês. O dia mais santo do calendário cristão é determinado pela Lua. No Islã, o calendário ainda é baseado na Lua, e o ramadã, o mês do jejum, oficialmente começa no momento em que a Lua nova é visível a olho nu. A civilização chinesa venerava a Lua e as estrelas. Até mesmo as primeiras universidades, que surgiram na Idade Média, davam ênfase à astrologia. Ser professor de astrologia em uma dessas universidades ou ser um consultor em astrologia de um rei cristão ou de um general do século 12 era possuir poder de verdade. Foi Copérnico quem, 4 séculos mais tarde, acabou fazendo a astrologia cair dos céus acadêmicos – mas não do céu particular de cada pessoa, onde permanece com bastante força.

CAPÍTULO 5

AS CIDADES DOS VALES

S e um viajante incansável tivesse vivido no Oriente Médio em 4000 a.C. e tivesse realizado o feito pouco comum – e talvez impossível – de cruzar por terra toda a extensão que vai das margens do Mar Negro ao alto Rio Nilo, não teria encontrado nenhum monumento de maior vulto. Não teria encontrado nenhuma cidade, não teria encontrado nenhum templo do conhecimento e nenhum palácio real de grande luxo. Se, aproximadamente 1.500 anos mais tarde, suas pegadas tivessem sido rastreadas por outro viajante, visões deslumbrantes teriam sido relativamente comuns, principalmente ao longo dos grandes rios da região. Quatro volumosos rios desse canto do mundo e vários outros importantes rios de outras terras mais afastadas tiveram um papel fundamental no despertar da civilização.

Os grandes rios do Oriente Médio atravessavam planícies secas cujo solo era enriquecido pelas enchentes anuais. Dezenas de milhões de toneladas de sedimentos eram carregados corrente abaixo e espalhados em camadas finas por sobre o solo empobrecido, como se fossem um novo fertilizante. Nas estações secas, os canais carregavam a água dos rios para irrigar as terras aráveis queimadas pelo sol. Nas planícies alagadas, as pessoas e as cidades podiam receber mais alimentos, dentro da mesma área, do que em qualquer outro lugar do mundo naquela época. Em um tempo em que o transporte por terra era primitivo, os rios largos eram também uma estrada, ao longo da qual os barcos podiam

49

EUROPA

Grécia

Suberde

Creta — Chipre

ÁSIA

• Nínive

Assíria

Herat •

Sumer

Mesopotâmia

Babilônia

Palestina

Uruk • Ur

Heliópolis •
Grande Pirâmide

Mohenjo-daro •

Egito

Índia

• Teba

Aswan •

•Lothal

ÁFRICA

Etiópia

2 AS CIVILIZAÇÕES DOS VALES

transportar a partes longínquas do reino e a baixo custo grãos e pedras para construção.

A VISTA DAS PIRÂMIDES

As margens do Nilo nutriram a civilização do Egito. O rio, que abria seu caminho ao longo de vales estreitos, tinha somente dois quilômetros de largura nas proximidades de Assuã, no alto Egito. A areia do deserto, na verdade, escorria para dentro do rio em vários pontos. Mais abaixo, o vale, não raro, chegava a ter 30 ou mais quilômetros de largura, enquanto, no delta, o mosaico de terras ricas em terrenos baixos e canais de rios tinha mais de 200 quilômetros de largura. Na época das enchentes, o delta do interior, a principal fonte de riqueza egípcia, tornava-se um enorme lago que se sobrepunha às margens dos vilarejos permanentes, empoleirados em seus pequenos morros. Na verdade, os vilarejos do delta eram conhecidos como "ilhas". A terra, coberta recentemente com uma nova camada de solo trazido pela enchente, estaria pronta para uma nova colheita de cevada e trigo depois que as águas baixassem.

O rio nem sempre era um patrimônio tão maravilhoso. Se a enchente fosse muito alta ou a vazão fosse muito rápida, todos os terrenos situados nas margens de arrecadação e os canais de água eram destruídos; além disso, não era raro ver as águas invadindo os campos mais altos. À medida que as técnicas de agricultura se desenvolviam, pessoas ou animais amarrados com cordas tinham de ser empregados para levar água, em baldes ou cestos, da parte mais baixa para a parte mais alta.

O Egito teve uma longa linhagem de monarcas poderosos, cidades impressionantes, uma vida econômica e religiosa de grande vigor, celeiros abarrotados de grãos nos anos de safras fartas e túmulos reais nos quais grandes tesouros permaneciam na escuridão. Lá viveram generais de exército, burocratas e sacerdotes que apresentavam considerável poder de organização e de manutenção de registros. Seus registros pictográficos, uma forma inicial de escrita, serviam como um método de comunicação ao longo do rio.

Havia ali arquitetos começando a trabalhar em seus esboços requintados, construtores capacitados para a implementação de projetos em pedra maciça e milhares de artistas trabalhando com metais preciosos, cobre, madeira, tecidos e pedras preciosas. Havia também projetistas de canais para transporte e irrigação. Um desses canais ligava o Nilo ao Mar Vermelho. Viviam ali cientistas que aumentaram o conhecimento sobre a Lua e as estrelas e inventaram o calendário pioneiro que dividia o ano em 365 dias. Ali desfilavam sacerdotes de grande influência que formularam uma visão da vida após a morte na qual princesas continuavam a ser veneradas como princesas e na qual até os homens do povo poderiam "sentir o gostinho" da eternidade. O rei, por ser um deus escondido dentro de um corpo humano, merecia um túmulo à altura.

As enchentes anuais do Nilo não eram dadas por certas. Em todos os lugares, mesmo entre os oásis do deserto, templos suntuosos eram construídos em honra ao governante divino, sem cuja bênção as águas do Nilo não poderiam subir anualmente. Em troca, os tributos e impostos eram pagos ao templo na forma de cevada e trigo ou mesmo em terras.

Com o tempo, os templos chegaram a possuir cerca de um terço de todas as terras aráveis ao longo do Nilo.

O junco, que crescia alto, balançando ao vento, era uma imagem comum em diversas partes do Egito e também da Mesopotâmia, onde os rios transbordavam em brejos ou se espalhavam por um delta. Grupos de trabalhadores colhiam o junco para fazer os telhados de sapê das casas. A extremidade pontiaguda do junco servia também como caneta ou buril, com os quais os pictogramas e as sílabas eram entalhados em placas de barro úmido. Por fim, o barro foi ameaçado por outro material de escrita vindo dos rios. A planta do papiro crescia nos brejos do Nilo – ou como coloca o Livro de Jó: "É possível que o papiro cresça onde não haja brejo?" Logo em 2700 a.C., os egípcios, com seu talento, estavam convertendo papiro em uma forma de papel grosso, ou pergaminho, pronto para receber as marcas da caneta feita de junco. O papel, que é quase uma essência da burocracia, foi uma invenção própria do Egito.

Talvez os egípcios tenham sido os primeiros a tratar os cães e os gatos como animais domésticos. Os gatos eram pintados em túmulos; na morte, seus corpos eram mumificados, preparando-os para a vida após a morte, e eram até velados pelas famílias, que demonstravam seu sofrimento raspando as próprias sobrancelhas. Já em 2 a.C., criava-se um tipo de cão, chamado de galgo, cuja principal tarefa era participar do esporte de caça à lebre.

Na medicina, os antigos egípcios provavelmente lideraram o mundo conhecido então. A mágica e o conhecimento se mesclavam: uma mistura poderosa na mente dos que acreditavam. Boa parte do conhecimento do corpo humano vinha do costume de prepará-lo para a mumificação. Em anatomia, cirurgia e farmácia, os antigos egípcios tiveram seus triunfos e, possivelmente, foram os primeiros a usar ataduras e talas. Em suas curas, usavam a gordura de criaturas como ratos e cobras, ervas e vegetais, pesando e medindo cada ingrediente cuidadosamente. O clássico grego escrito por Homero, *A odisséia*, faz referência aos médicos do Egito como sendo os melhores e, já naquela época, sua reputação pela habilidade, perspicácia e desafio tinha aproximadamente 2 mil anos.

Em 2600 a.C., os egípcios foram os primeiros padeiros conhecidos a fazer um tipo moderno de pão com fermento. Em sua forma, o pão que faziam parecia mais com uma omelete fina do que com o pão mais fofo, feito nos tempos da Grécia. Outra invenção dos egípcios foi o forno de assar com uma fornalha para a lenha embaixo e um forno no alto.

A planície alagada do Nilo normalmente produzia um excedente de alimentos que alimentava os que trabalhavam no campo e também àquele décimo da população que morava nas cidades e servia ao monarca, aos seus súditos e aos sacerdotes. Foi esse excedente de alimentos, esse pequeno excesso de riqueza, que possibilitou a uma sucessão de reis planejarem cerca de 80 pirâmides como túmulos reais.

Como o terreno ao longo do Nilo era margeado só por escarpas e pequenas montanhas no sopé de outras maiores, as pirâmides atingiram um domínio que seria impossível numa paisagem montanhosa. A primeira pirâmide foi construída por volta de 2700 a.C. A Grande Pirâmide, 200 anos mais tarde, foi projetada para ter 146 metros de altura,

> A GRANDE PIRÂMIDE FOI PROJETADA PARA TER 146 METROS DE ALTURA, O QUE EQUIVALE A UM MODERNO ARRANHA-CÉU DE 50 ANDARES.

equivalente moderno de um arranha-céu de 50 andares. Exigiu o esforço de aproximadamente 100 mil trabalhadores, incluindo escravos e os agricultores que ficavam sem trabalho quando as enchentes anuais estavam em seu ápice. Enormes blocos de calcário e granito tinham de ser cortados nas pedreiras e transportados ao local da obra sem a ajuda de roldanas ou de veículos com rodas. Era a estrutura mais impressionante até então construída no mundo e, por ter sido construída num reino onde a população total mal passava de um milhão, tornava-se ainda mais impressionante. A população do Egito acabou crescendo e, na época do Novo Reinado, aproximadamente 1.500 anos mais tarde, chegou a atingir talvez 4 milhões.

O Egito, mais que qualquer outra das civilizações do rio, contou com longos períodos de estabilidade. Sua continuidade na língua e cultura foi surpreendente. Sua monarquia durou aproximadamente 3 mil anos, uma das instituições de maior duração nos registros da história. Embora os defeitos do Egito fossem evidentes, assim também eram as suas virtudes.

Onde a roda rolou pela primeira vez

Uma civilização rival floresceu na Mesopotâmia. Lá, a par de sua burocracia religiosa e profana, surgiu, em 3700 a.C., o primeiro Estado conhecido do mundo. O Estado ocupava uma planície quente entre dois rios, o Tigre e o Eufrates. Na verdade, era um fruto do vale fértil.

Alimentados pelo derretimento da neve nas montanhas da Turquia, antes de chegarem ao limite da planície e se aproximarem do mar (onde finalmente se uniam e formavam um só), os rios gêmeos já tinham coberto quase dois terços de sua viagem até o mar. Às vezes, mudavam de curso ou se enchiam de sedimentos, mas, durante séculos, foram usados por pequenos barcos ou botes feitos de pele, que transportavam rio abaixo a tão necessária madeira originária das árvores do interior. Os vales mais baixos dos rios gêmeos eram abundantes quando plantados com cevada e trigo. Enquanto, na maioria das regiões, os agricultores cavavam com pedaços de pau afiados e pás rudimentares; eles realmente aravam a terra, possibilitando, assim, que uma grande área fosse cultivada por um número pequeno de servos. Parte da cevada era fermentada e transformada em cerveja, possivelmente a primeira cerveja do mundo.

No sul da Mesopotâmia, conhecido como Suméria, belas cidades surgiram às margens dos rios e canais, e várias delas ficavam à vista umas das outras. Por volta do ano 3000 a.C., dezoito cidades floresciam numa área não muito maior do que a atual República da Irlanda. Diz-se que Uruk, localizada no atual Iraque, chegou a ter 50 mil pessoas, todas tirando seus alimentos das terras aráveis das redondezas. As cidades tendiam a ser a capital de um pequeno território ou Estado a seu redor, mas as guerras reduziram o número de Estados. Ser conquistado era uma experiência comum para os povos do sul da Mesopotâmia.

Nessas cidades, o templo era tão fundamental quanto a catedral veio a ser na Europa, mais de 3 mil anos depois. Os sacerdotes com seus rituais, sacrifícios e orações pediam que os ventos que traziam as chuvas soprassem na direção certa e molhassem o chão ressecado; imploravam também, quando suas orações eram atendidas prontamente, que a água das enchentes baixasse. Proclamavam, assim, as maravilhas do universo.

Se essas cidades da Mesopotâmia eram mais inovadoras que as do Egito, é uma questão de difícil resposta. Quase com certeza, a roda sólida, feita de madeira, foi inventada ali. Uma carroça com rodas sólidas podia, se puxada por um boi, exceder a capacidade de carga de uma pequena procissão de homens. Mais tarde, a invenção de uma roda mais leve, com aros, transformou o transporte dos tempos de paz e levou ao uso extensivo de carroças puxadas a cavalo durante as guerras. O veículo de rodas, na guerra ou na paz, era perfeito para as planícies.

As artes da escrita e da leitura surgiram em uma das cidades da Mesopotâmia por volta de 3400 a.C., embora o Egito também seja um candidato a essa honra. A escrita inicial tinha a forma pictográfica; essas figuras de escrita eram desenhadas com um instrumento pontiagudo sobre barro úmido, que era posto para secar e endurecer. Um pomar era retratado como duas árvores dentro de um barril, um recipiente de grãos era simbolizado com uma espiga de cevada, a cabeça de um boi acompanhada do numeral 3 significava 3 reses. Um dos propósitos da escrita era registrar gêneros alimentícios e os tecidos levados aos templos, que também serviam como armazém.

A arte de contar também trouxe progresso. A mais avançada das cidades ao longo dos dois rios inventou dois sistemas numéricos distintos, um usando o 60 e outro usando o 10 como bases. O método decimal acabou prevalecendo, mas o método que usava o 60 teve uma vitória duradoura. Como resultado dos cálculos dos matemáticos da Babilônia, o 60 sobrevive na contagem dos 60 segundo que constituem o minuto e nos 60 minutos que constituem a hora.

Nessas terras dos rios gêmeos, as cidades e os impérios rivais lutavam pelo direito de existir. Com o tempo, os impérios próximos ao

Golfo Pérsico foram suplantados por aqueles cujas bases ficavam nas montanhas menores. Um dos impérios dessas montanhas foi o assírio. Seu nome ecoa na atual nação da Síria, mas sua terra natal ficava no atual Iraque, e a primeira capital, a cidade de Assur, situava-se nas planícies férteis do sinuoso Rio Tigre. Já tarde no curso de uma longa história, os assírios foram fortes o suficiente para capturar seus rivais, os babilônios, e audazes o suficiente para tentar conquistar o Egito. Sendo o império mais poderoso do mundo ocidental, seu domínio se estendia à distância de alguns dias a cavalo do Mar Cáspio e do Golfo Pérsico.

Membros da família real eram caçadores entusiastas, tanto nas regiões selvagens quanto nos parques de caça e jardins zoológicos mantidos para seu bel-prazer. O rei ia à caça em carruagens puxadas por três cavalos, os quais usavam antolhos para evitar que se distraíssem durante a corrida. O condutor ficava numa cabine sem teto e um ou dois caçadores ficavam atrás dele, prontos para atirar flechas.

O leão da Mesopotâmia, que era menor que o leão africano, era alvo de inúmeras caçadas. É fácil adivinhar por que essa espécie de leão tornou-se extinta. Uma placa de barro cozido datada de 11000 a.C. registra que um caçador da realeza, a pé, matou um total de 120 leões. Quando caçava com relativa segurança, de dentro da carruagem, matou mais 800 leões.

Na Assíria, as ciências, principalmente a astronomia, e as artes visuais floresceram juntamente com a engenharia. Lá, os mestres da irrigação projetaram canais para levar água pelas planícies até as grandes cidades para, assim, criar um tapete verde de campos irrigados. Havia belos palácios e templos em suas cidades. Na arte da guerra, também não ficavam para trás.

Os primeiros vidreiros trabalharam ali por volta de 1500 a.C. Durante séculos, fizeram vasilhas de vidro envolvendo com líquido derretido uma peça central, de superfície lisa, e removendo-a depois, resultando no vidro moldado. No Museu Britânico, o delicado vaso de Sargon, de cor verde-clara, ainda responde a diferentes tipos de luz. Se foi criado na Assíria ou se chegou lá por meio do comércio ou de conquistas, não se sabe. O vidro era só para os ricos.

As casas, as campinas e os pomares de Nínive, a mais deslumbrante das capitais da Assíria, eram abastecidas com água que corria por um canal vindo das cadeias de montanhas. Como o canal tinha de atravessar um vale, uma ponte de cinco arcos pontiagudos foi projetada para sustentá-lo. Equipes, provavelmente formadas por milhares de prisioneiros de guerra, foram montadas e começaram a extrair pedras de calcário e, com muito capricho, moldá-las em grandes e pesados blocos. Dois milhões de blocos foram cortados e levados por carroças até o local da extensa ponte ou aqueduto. Se essa ponte, construída por volta de 700 a.C., tivesse durado até a época das ferrovias, teria permitido que três trens passassem por ela, lado a lado, tal era sua largura.

Nas vastas planícies que os dois rios gigantescos atravessavam, várias cidades nasceram durante um período de 2 mil anos, deixando placas oblongas feitas de barro, nas quais foram registradas listas com os nomes de seus reis e os primeiros dicionários. Deixaram para trás pequenos barris cozidos ao sol ou ao forno, contendo à sua volta vários escritos, dispostos em linhas, umas sobre as outras. O texto é surpreendentemente feito com grande capricho, com linhas retas levemente marcadas no barro molhado para guiar a escrita.

Com que avidez muitas dessas mensagens, em caligrafia minúscula, devem ter sido lidas! Havia uma placa, escrita por um astrônomo ou astrólogo, advertindo o rei de que a aproximação, ao nascer do Sol, de uma Lua crescente significava que seus soldados estavam em luta longe de casa. Foi achada ali uma previsão de eclipse lunar feita em barro queimado e cozido em 667 a.C. Os assírios acreditavam que os movimentos no céu afetavam profundamente os fenômenos humanos; até as atividades dos ladrões eram afetadas dessa forma.

O império rival da Babilônia não era menos avançado em astronomia. Seu calendário era baseado na Lua, estando a deusa-lua encarregada da noite, assim como o deus-sol era encarregado do dia e de todos os seus fenômenos. Desses deuses concorrentes, a Lua era a mais poderosa. Acreditava-se que a Lua nova fosse um barco no qual a deusa-lua viajava, de forma vagarosa e imponente, pela imensidão do céu noturno. Essa mesma Lua crescente acabou sendo ressuscitada muitos séculos mais tarde pela nova religião do Islã.

A Lua determinava o calendário; a Lua nova marcava o início do mês. Com o passar do tempo, os astrônomos da Babilônia conseguiram prever, com precisão de minutos, quando a Lua nova seria vista no horizonte. Essa previsão era muito importante, porque o mês do calendário começava formalmente não à meia-noite, mas no momento em que a Lua nova apontava no horizonte. No calendário babilônico, doze meses lunares equivaliam a 354 dias, faltando, portanto, onze dias e um quarto para cada ano; essa falta foi solucionada adicionando-se um décimo terceiro mês ao calendário a cada três anos.

Passos ousados no avanço do conhecimento foram dados nesses grandes vales de rios e suas regiões mais elevadas, às vezes chamados de Crescente Fértil. Com o tempo, esses mesmos vales vieram a conhecer a decadência. O desenvolvimento e o declínio são processos normais na história humana e, nesse caso, o ambiente ferido também acelerou o declínio.

É um milagre que a terra verde arável da parte baixa do Rio Eufrates e do Rio Tigre tenha durado tanto tempo assim. Em seu interior montanhoso, cada vez mais árvores eram cortadas para fornecer lenha e material de construção. Enquanto isso, o solo sofria erosão, os vales se enchiam de sedimentos e os rios tendiam a transbordar.

Em partes das planícies, a irrigação constante do solo e a destruição das árvores com sua rede profunda de raízes forçavam o sal subjacente a subir até a superfície. Lagos de água doce tornaram-se salgados. Observou-se que as plantações de trigo, ao contrário das de cevada, não podiam tolerar o sal no solo e, em algumas regiões, o trigo tornou-se uma raridade. As planícies eram uma prova antecipada do que acabaria acontecendo nas zonas irrigadas de várias terras áridas, estendendo-se da Austrália à Califórnia. Nos doze ou mais séculos após 2000 a.C., a população de certas regiões da Mesopotâmia, aos poucos, começou a diminuir.

As cidades-estado, tão poderosas em seus dias, também enfraqueceram com as guerras periódicas. Com arcos, lanças e dardos, elas transformaram a guerra em uma forma de arte. Muitos dos soldados traziam consigo estilingues, talvez tão compridos quanto seus braços, e os usavam para arremessar pedras ao inimigo a cem metros de distância. Para se protegerem, usavam capacetes que vinham até as orelhas e uma armadura leve na parte superior do corpo.

Os assírios tornaram-se mestres em uma poderosa arma chamada terror. Quando finalmente entravam numa cidade que havia recusado a oportunidade de render-se pacificamente, eles assassinavam, torturavam e mutilavam as pessoas em larga escala como advertência para outras cidades. Ser derrotado na guerra era uma experiência dolorosa em praticamente todas as primeiras civilizações, mas era principalmente doloroso para aqueles derrotados pela Assíria. Ainda assim, a Assíria também podia ser construtiva; mandou grandes quantidades de povos rebeldes e derrotados para regiões distantes para lá cultivarem o solo, construírem monumentos e desenvolverem trabalhos públicos.

59

DA ABUNDÂNCIA DE ÁRVORES À EXAUSTÃO DO SOLO

O Egito e a Mesopotâmia vinham florescendo há mil anos quando outra civilização do vale surgiu no lado leste, não muito longe dali. O grande Vale do Indo era banhado por rios que desciam das neves do Himalaia e deslizavam até o Mar das Arábias. Praticamente todo o vale ficava fora da zona tropical. Embora o Rio Indo tenha dado à Índia o seu nome, a maior parte de suas águas ficam hoje dentro da República do Paquistão.

O Vale do Indo era generosamente privilegiado pela natureza. Uma floresta brotava ao longo de suas margens férteis e, quando desmatada, revelou um solo rico. O rio era excelente para a agricultura, pois as enchentes anuais, maiores que as do Nilo, inundavam as áreas mais baixas, desde junho até setembro. A cada ano, elas espalhavam uma camada de sedimento que enriquecia o solo. As evidências sugerem que a monção, ou estação chuvosa, avançava mais para o interior e que o clima era extraordinariamente úmido pelos padrões de hoje. Tão grande era a vazão das águas barrentas que, hoje, alguns dos locais dessa civilização são cobertos por 10 metros de sedimentos.

Os agricultores já trabalhavam no vale em 6000 a.C. De tempos em tempos, este era invadido por pessoas que, vindas do Irã, tinham visto ou ouvido falar sobre uma ou outra das civilizações do vale. Começaram a criar uma civilização única, que, surgindo por volta de 2500 a.C., acabou florescendo por 7 séculos ou mais. Cobrindo uma área de talvez cinco vezes o tamanho da Grã-Bretanha e governada por sacerdotes-reis, deu início a grandes cidades. Uma dessas cidades, Mohenjo-Daro, possivelmente tinha 40 mil pessoas e era, portanto, uma das maiores cidades do mundo. Dominada por uma cidadela em uma das extremidades e distribuída por ruas retangulares, era muito bem drenada e amplamente abastecida com água fresca; até as casas particulares eram providas de banheiros com chão de tijolos.

Com prática em artes, o povo das cidades do Indo deixaram para trás imagens de sua vida cotidiana. Muitos dos habitantes, assim representados, tinham um porte alto e distinto, cabeça grande e cupuliforme e nariz bastante largo. As mulheres usavam um tipo de minissaia com um cinto ao redor da cintura e o busto nu. Gostavam de ver o próprio rosto em espelhos de cobre, de modelar os cabelos em forma de coque com a ajuda de um pente feito de marfim e de decorar os lábios e os olhos com pigmentos vermelhos. À noite, lampiões ou velas de óleo vegetal iluminavam as casas.

Cultivavam trigo e cevada de diferentes variedades, ervilhas-do-campo e sementes de gergelim e de mostarda. As frutas incluíam tâmaras e melancias. É provável que a cana-de-açúcar e o algodão tenham sido inicialmente cultivados ali, mais tarde espalhando-se pelo Oriente Médio e, por fim, pelas Américas. Dois produtos tão notáveis dessa civilização demonstram a importância dos hindus.

Entre os animais que pastavam ao longo do vale estavam porcos, ovelhas, cabras, camelos, asnos e animais com corcovas. Alguns deles eram usados para transporte, e carroças puxadas por novilhos carregavam uma capota para proporcionar sombra aos passageiros. Criavam-se cães e gatos e possivelmente também as galinhas ali foram domesticadas. A cerâmica era produzida em larga escala e os brinquedos feitos para as crianças incluíam vacas e bois que balançavam a cabeça.

O rio e suas enchentes anuais serviam como artéria dessa civilização, mas essas mesmas artérias acabaram obstruídas. Aos poucos, as florestas foram eliminadas pelos agricultores e, mais tarde, árvores isoladas eram cortadas para fornecer lenha para os fornos que coziam tijolos de barro. As enchentes provocaram erosão em algumas áreas e encheram outras com sedimentos; as grandes cidades tinham de se erguer sobre montes para escapar das enchentes que, conforme o vale se sedimentava, subiam cada vez mais. A cidade de Mohenjo-Daro foi reconstruída aproximadamente nove vezes, geralmente após os danos e perigos trazidos pelas enchentes.

A vida do Indo, como um centro de poder, foi muito mais curta que a do Nilo ou dos rios da Mesopotâmia. Por volta de 1000 a.C., muito antes da chegada das novas técnicas de trabalho em bronze e ferro, suas cidades estavam começando a decair. O clima se tornava cada vez mais seco no vale, e mais determinantes foram as invasões pelos povos arianos que, durante séculos, vinham aumentando seu domínio no noroeste da Índia.

A criação de grandes vilarejos e a domesticação de plantas e animais tinham sido um passo fundamental na história da raça humana. As primeiras civilizações dos vales deram outro passo. Situadas nos vales ricos em sedimentos do Oriente Médio e do Indo, elas trocavam experiências e serviam de estímulo umas às outras. Uma vantagem geográfica óbvia, executando o rio e os sedimentos, foi que uma das fronteiras de cada civilização era protegida em parte pelo deserto, proporcionando assim uma segurança contra os atacantes. O clima dos vales dos rios era outro patrimônio, pois ali se podiam plantar cereais que, por sua vez, eram fáceis de preservar por longos períodos. O cultivo eficaz de grãos era fundamental para a sobrevivência das suas cidades – as maiores que o mundo havia conhecido. O fato de outra civilização asiática ter surgido nos vales quentes e sedimentados da China é mais uma evidência da influência que os grandes rios alimentados pela neve tiveram sobre a história humana.

CAPÍTULO 6
MARAVILHOSO MAR

Nenhum outro mar exerceu uma influência tão grande na ascensão do mundo que hoje conhecemos quanto o Mediterrâneo. Sem esse mar, suas qualidades peculiares e posição incomum, a vida política, econômica, social e cultural do mundo teria tomado outro rumo.

Em uma época em que o mar, desde que fosse calmo, era menos dispendioso e mais rápido do que a terra para o transporte de carga e de passageiros, o Mediterrâneo oferecia muitas vantagens. Estendia-se desde o Oceano Atlântico, a oeste, até quase duas enseadas do Oceano Índico, a leste: o proeminente Mar Vermelho e o Golfo Pérsico. O grande braço do Mediterrâneo, o Mar Negro, avançava para o interior da Ásia. Dois braços menores, ladeando a península itálica, chegavam até quase o sopé das montanhas cobertas de neve dos Alpes europeus.

O mar unia África, Europa e Ásia. Uma via marítima que ligava regiões diversas, cada uma produzindo algo diferente – cobre, estanho, ouro, prata, chumbo, vinho, azeite de oliva, grãos, madeira, gado, corantes, roupas, armas, especiarias, pedras de obsidiana e outros luxos. Esse mar era um condutor veloz de idéias e de crenças religiosas. Se a Ásia e a África tivessem possuído um mar tão vasto e central, a história desses continentes teria sido profundamente diferente. Em essência, esse mar era um lago estratégico, com a vantagem de que, no Estreito de Gibraltar, sua garganta estreita abria-se ao imenso oceano.

O Mediterrâneo, sendo quase todo cercado por terra, podia permanecer surpreendentemente calmo por longos períodos; em alguns dias, era um espelho plano e, no verão, era praticamente livre de tempestades. Aqui, os grandes barcos a remo, conhecidos como galeras, eram privilegiados em parte pela ausência de vento em certas épocas do ano. Sob tempo calmo, os remos eram as únicas forças motoras e possibilitavam às galeras entrarem nos portos estreitos que, sob vento contrário, eram muito arriscados para a aproximação de qualquer barco. Quando as raras tempestades chegavam e ondas de cristas brancas solapavam as praias de cascalho, essas galeras podiam afundar em questão de minutos, esquadras inteiras podiam desaparecer, e poucas vidas seriam poupadas. Em 480 a.C., quando os persas atacavam Atenas, o resultado da guerra foi parcialmente determinado pelo surgimento de um vento que jogou os navios persas contra a costa rochosa da Grécia. Século após século, vidas famosas acabaram influenciadas por essas tempestades ocasionais do Mediterrâneo.

O Mediterrâneo não apresentava grandes variações de maré. O nível de suas águas mudava pouco durante o curso de 24 horas e, assim, os navios podiam atracar no cais e nas docas e ser descarregados com relativa facilidade. Só em alguns portos rasos, os navios tinham de esperar pela maré

63

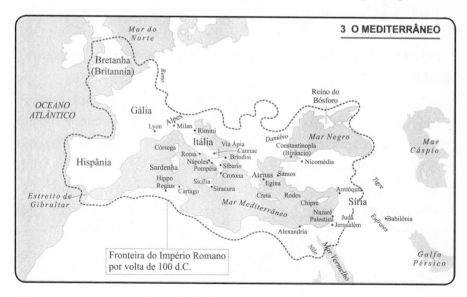

alta antes de poder entrar ou partir. A cidade de Veneza, com canais em vez de ruas, só era praticável porque a variação das marés era mínima.

As vantagens de um grande mar calmo e seus golfos profundos eram que uma grande potência militar poderia comandar uma grande área. Sucessivamente, fenícios, gregos, cartagineses e romanos fizeram uso dele, e ali foi vista pela primeira vez uma singular invenção: o barco a vela. O registro mais antigo de uma embarcação a vela é uma decoração feita num vaso egípcio, por volta de 3100 a.C. A vela quadrada assemelhava-se a um grande quadro-negro suspenso em um cavalete e, sem dúvida, foi empregada num navio que navegava pelo tumultuado Rio Nilo. Couro ou pele bem podem ter sido usados para confeccionar as primeiras velas, mas já em 2000 a.C. estavam sendo substituídos por linho, extraído das fortes fibras da planta de mesmo nome. O abastecimento garantido de linho continuou sendo um ingrediente essencial da força naval até o surgimento do barco a vapor.

O hasteamento das velas em mastros e o uso mais hábil das cordas andavam lado a lado com um conhecimento cada vez maior dos ventos. Na época do poeta Homero, os gregos já sabiam muito sobre os ventos e suas direções prevalecentes; de fato, quando ao mar, o conhecimento dos ventos e das estrelas era praticamente a única bússola existente. Assim, os marinheiros em alto-mar, numa noite escura, podiam verificar seu rumo, em parte, observando a direção da qual vinham os ventos úmidos, frios e sibilantes. Conhecido como zéfiro, a origem desse vento geralmente apontava o ocidente.

As galeras eram dotadas de velas. Quando o vento soprava de um quadrante favorável, uma vela quadrada era levantada, porém, se o vento era brando, a tripulação usava os remos. Com o tempo, as pequenas galeras deram espaço às galeras maiores, que eram especialmente feitas para combates no mar. Os remadores ficavam agora posicionados em dois conveses, em vez de em um só. Mais tarde, o trirreme surgiu com três conveses e, talvez, 170 remadores. Os remadores, sentados no convés superior, tinham de manejar remos muito longos para que as pás pudessem alcançar a água bem mais abaixo.

A combinação de velas e remos permitiu que os navios atingissem uma velocidade que as velas sozinhas ou apenas os remos não teriam conseguido. Assim sendo, um leve vento de popa permitia que a galera, quando totalmente tripulada, aumentasse sua velocidade de 4 para 6 nós, tornando desnecessários os remos; se as velas fossem levantadas

A COMBINAÇÃO DE VELAS E REMOS PERMITIU QUE OS NAVIOS ATINGISSEM UMA VELOCIDADE QUE AS VELAS SOZINHAS OU APENAS OS REMOS NÃO TERIAM CONSEGUIDO.

em dois mastros, o navio às vezes se inclinava tanto que o uso de remos se tornava impossível.

Em Atenas, as galeras navais dependiam principalmente do esforço de homens livres, mas as galeras que transportavam carga dependiam mais de escravos. Em um dia calmo qualquer, dezenas de milhares de escravos devem ter sido vistos trabalhando nos remos de navios de propriedade das cidades e colônias gregas. Seus tornozelos eram presos por grilhões que os impediam de sair da posição ao lado do remo; se o navio em que estavam de repente afundasse durante uma batalha ou tempestade, eles tinham pouca esperança de escapar.

A região mediterrânea, principalmente sua margem norte, acabou se tornando o centro do poder e da criatividade. Sua crescente influência foi ajudada pelo lento e paulatino domínio dos homens de terra sobre os navios e por outro fenômeno que aos poucos se acercava: o advento do ferro barato.

Os artefatos de ferro sempre tinham sido um luxo. O ferro, a princípio, não vinha das rochas, onde era abundante, mas como uma dádiva dos céus. Por muito tempo, o meteorito era a única fonte de ferro em uso; tendo origem celeste, freqüentemente era reservado para rituais sagrados. Com o passar do tempo, o minério de ferro foi encontrado nas rochas, cujos pedaços mais pesados e mais ricos eram explorados de forma primitiva, fazendo-se tentativas de separar o ferro dos materiais improdutivos que permeavam as rochas. A fundição de cobre funcionou como diretriz. Por volta de 1500 a.C., metalurgistas desconhecidos, mas de

65

grande inteligência, aprenderam a fundir minério de ferro aumentando a temperatura do forno para mais de 1.500 graus centígrados, que era 400 vezes mais alta que a temperatura necessária para a fundição do minério de cobre. Rapidamente, o ferro vindo da terra se tornou mais barato que o ferro vindo do céu; não obstante, o ferro metálico ainda era tão caro que a maioria dos europeus nem mesmo possuía um fragmento sequer desse metal, que seria capaz de revolucionar o cultivo da terra e o corte de árvores.

Por volta de 1000 a.C., na parte central da Grécia, o ferro concorria com o bronze como metal precioso a ser enterrado com os mortos. Dois séculos depois, artefatos e armas feitas de ferro estavam sendo amplamente usados ao longo do Mar Egeu. Embora a madeira permanecesse mais importante, mesmo para a produção de ferramentas, a resistência e o poder de corte do ferro estavam mudando os conflitos de guerra, a agricultura e algumas outras artes.

66

A LUZ BRILHANTE DE ATENAS

Em tempos mais recentes, períodos de alguns poucos séculos têm sido marcados por breves ciclos de vitalidade que, mesmo depois de superados, parecem continuar brilhando como uma luz ao longo de uma costa solitária. Tais eras geralmente têm sido confinadas a uma pequena parte do mundo, embora o brilho de sua luz pudesse alcançar muito mais a seu redor. Os gregos acenderam esse tipo de luz: dia e noite, ela brilhava nos altos promontórios, dominando grandes extensões de mar e, por muitos séculos, podia ser vista de longe.

Os colonizadores gregos se disseminaram. Hoje, no Mar Negro, os turistas nos barcos de passeio que contornam a costa do porto russo de Sukhumi são informados de que navegam sobre um colchão de areia que cobre as ruínas de uma antiga cidade grega. Já no século 6? a.C., os colonizadores gregos ocupavam uma faixa de litoral no sul da França e da Espanha. Suas cidades eram espalhadas pelas costas do sul da Itália, da Sicília, do norte da África, das ilhas de Creta e de Chipre, bem como um grande cinturão do que hoje é a costa da Turquia. Essas cidades eram pequenas, mas a maioria fervilhava de vitalidade. Parte dessa vitalidade se refletia nas brigas violentas que travavam entre si; se tivessem se unido, em vez de terem entrado em conflito, teriam conquistado a maior parte do mundo ocidental.

Atenas emergiu como a mais impressionante das cidades-estado gregas. Seu território de colinas secas, conhecido como Ática, não era maior que a atual área urbana da grande Los Angeles. Sua população total mal passava dos 300 mil habitantes e, ainda assim, era o pedaço de terra mais influente que o mundo havia visto até então. Depois de ter sido queimada e saqueada pelos invasores persas em 480 a.C., seus moradores revidaram e venceram o inimigo. A derrota e a humilhação lhes deram oportunidade e incentivo; sonhos ousados foram erguidos sobre pedra. O Parthenon, cuja construção teve início por volta de 447 a.C. e terminou em menos de 10 anos, abrigava a elegante estátua da deusa Atena, esculpida por Fídias e adornada com ouro e marfim.

67

Atenas e outras cidades-república da Grécia lideraram um grande florescimento na história da arte. Aprendendo com os egípcios, os artistas gregos também lucraram com seu clima intelectual confiante e de grande empolgação. Possivelmente, o período mais fértil foi entre 520 e 420 a.C., quando a graça e a fluência marcaram tantas de suas construções, pinturas e esculturas.

A expansão do comércio exigiu algo mais organizado e menos incômodo que o escambo de um conjunto de mercadorias por outro. Em 670 a.C., a ilha grega de Egina foi uma das primeiras a cunhar moedas. Feitas de prata, eram reconhecíveis pela figura de uma tartaruga marinha cunhada em uma das faces. O dinheiro facilitou o comércio de bens, já que os mercadores aceitavam as moedas quando não havia outro artigo que eles desejassem.

De minúsculos objetos a templos majestosos, não havia limites para a habilidade dos artistas gregos. Dois diminutos amuletos escarabeídeos, esculpidos em cristal de rocha no fim do século 6.º, podem ser vistos no

Getty Museum, na Califórnia. Um representa um cavalo balançando o rabo enquanto é conduzido por um jovem; o outro é um pequeno anel, quase da cor de groselha madura, representando um jovem nu raspando óleo, sujeira e suor de sua perna com uma lâmina curva.

Na arte de viver luxuosamente, a elite das cidades gregas, especialmente na Sicília e no sul da Itália, era perfeccionista. As iguarias vinham de longe; peixes frescos, incluindo espécies pequenas, como a ascídia, eram um espetáculo e um cheiro comuns nos mercados. As aves foram introduzidas por volta de 600 a.C., vindas da Índia, mas a ave popular dos terreiros de fazenda gregos era a pequena codorna.

Para os escravos e cidadãos mais pobres, os principais alimentos eram o trigo, a cevada, o feijão e os frutos do carvalho que caíam no chão. A carne bovina era uma raridade. Às vezes, até o azeite de oliva, usado como "manteiga" no pão e como óleo para cozinhar, tornava-se muito caro para os lares de nível médio e, na verdade, a maioria das olivas cultivadas nas cercanias de Atenas era amassada, espremida e seu óleo despachado para portos distantes em grandes jarros de cerâmica. Para os pobres, beber vinho, sempre diluído em água, não era um prazer do dia-a-dia.

O LUTADOR DE CROTONA

Os gregos foram os primeiros a se tornar obcecados por uma atividade muito característica da atual era: esportes competitivos. Seus Jogos Olímpicos, abertos somente a cidadãos do mundo grego, tornaram-se um evento e data especial do calendário a cada quatro anos. Segundo se diz, começaram em 776 a.C. e, de início, eram uma festa de menores proporções. Competindo como corredores, arremessadores, lutadores ou condutores de carruagens, os atletas gregos inicialmente usavam roupas; mais tarde, porém, quase todos preferiam ficar nus na arena abarrotada de gente.

Algumas cidades mais ambiciosas recrutavam atletas e lhes pagavam bem se ganhassem. Silenciosamente, o profissionalismo permeou um festival que, mais tarde, foi aclamado pelos europeus como o coração do amadorismo, ao ressuscitarem os Jogos Olímpicos, em 1896. Uma cidade grega chamada Crotona, no extremo sul da Itália, criou o desejo atual de ganhar a qualquer custo. Rica e gigantesca – andar em torno de sua muralha requeria uma jornada de quase duas horas –, Crotona conseguiu atrair atletas de outras cidades. Nos cem anos que começaram em 588 a.C., os corredores de Crotona foram várias vezes vitoriosos.

Um de seus atletas, Milo, trouxe ainda mais glória a Crotona ao ganhar a luta livre olímpica por seis vezes consecutivas. Seus ombros maciços eram fortes o suficiente para carregar um boi vivo ao redor do estádio. Certa vez, devorou um boi inteiro num único dia. Quando caminhava pela cidade, respirando o ar do fim de tarde, sua presença deve ter sido um foco de orgulho cívico muito maior que o de outro dos imortais dessa cidade, o eminente matemático Pitágoras.

A inveja e a rivalidade enfraqueceram as cidades gregas. Às vezes, vaticina-se que o esporte internacional se tornará um substituto das guerras internacionais, mas a experiência das cidades gregas de Crotona e Síbaris, que eram rivais, deixa dúvidas quanto a essa previsão. Síbaris, com ciúmes da proeza de Crotona nos esportes, criou a própria festa esportiva por volta de 512 a.C. Crotona não se impressionou. Por fim, despachou para Síbaris um exército sob o comando de ninguém menos que Milo, o lutador. Gregos lutaram contra gregos, derramando sangue pelo piso dos templos e pela grama das arenas. A cidade da sensualidade ficou praticamente destruída.

As cidades-estado gregas aprenderam também a excelência do esporte da política popular. Dando seus primeiros passos na democracia, levaram-na mais adiante que talvez qualquer outra das primeiras sociedades. Em Atenas, os proprietários de terras, reunindo-se quase toda semana, faziam discursos e davam instruções àqueles que brevemente assumiam o poder acima deles. Ninguém durava muito no poder; mesmo o influente conselho, consistindo de 500 homens, todos de mais de 30 anos, estava em constante mudança. Seus membros eram escolhidos por sorteio ou loteria, e nenhum membro podia servir por mais de dois anos. Acima do conselho ficava outro grupo, sendo um de seus membros escolhido por loteria para presidir formalmente a cidade e seu interior. Sua permanência no poder era surpreendentemente curta. Ele governava simplesmente do nascer do sol até o nascer do sol do dia seguinte. Na verdade, a assembléia de cidadãos arrendava seu poder aos oficiais superiores, dividindo-o em pequenos pedaços e, depois, juntava os pedacinhos e os inspecionava.

Como poderia um estado pequeno, freqüentemente envolvido em guerras, ser governado com eficiência dessa forma? O chefe das forças armadas era parcialmente isento do governo de curta duração. No século 5º, no auge da democracia de Atenas, o chefe militar era eleito diretamente, não mais por sorteio.

A democracia grega era vulnerável em tempos de crise ou guerra. Era lenta na tomada de decisões e, como a maioria das democracias dos tempos modernos, relutante na imposição dos impostos necessários. Aristóteles, uma das notáveis mentes da Grécia, detectou as virtudes e falhas desse modo raro de governo. Ele lamentava o fato de que, se muitos proprietários de terra mais pobres freqüentassem a assembléia, suas

> A DEMOCRACIA GREGA ERA VULNERÁVEL EM TEMPOS DE CRISE OU GUERRA E LENTA NA TOMADA DE DECISÕES.

reivindicações por subsídios para si mesmos sugariam todas as forças do país. Em sua opinião, "os pobres estão sempre recebendo e querendo mais e mais". Ainda assim, ele defendia a idéia de que todos que possuíam terra deveriam partilhar o direito de governar seu país e o dever de pagar impostos.

Em Atenas, as decisões públicas eram tomadas diretamente pelas pessoas, e não a distância, como é hoje a prática em todas as grandes democracias. Mas a democracia de Atenas, como a estrada que ia da cidade ao porto de Pireu, era enclausurada por paredes. Somente aqueles classificados formalmente como cidadãos tinham direito de falar e votar e, a partir do ano 451 a.C., um cidadão ateniense que se casasse com uma estrangeira privava, conseqüentemente, todos os filhos desse casamento do direito de votar. Os pobres não votavam, as mulheres e os inúmeros escravos não votavam; somente os proprietários de terras podiam votar, mas muitos fazendeiros eram muito pobres ou moravam muito longe de Atenas para poderem parar o trabalho e estar presentes aos barulhentos debates.

Os atenienses acreditavam na democracia, embora não acreditassem na igualdade. Na opinião deles, as pessoas nasciam desiguais e nunca conquistariam a igualdade. Num discurso de confronto, em 330 a.C., o orador Demóstenes demonstrou desdém a um orador rival, Ésquines, acusando-o de provir de uma família humilde: "Quando menino, você foi criado em extrema pobreza, servindo com seu pai em sua escola, moendo tinta, limpando os bancos, varrendo as salas, fazendo as obrigações de um criado, ao contrário de um homem nascido livre." Era como se o passado humilde de uma pessoa nunca pudesse ser perdoado.

A habilidade de falar e prender a atenção das pessoas, seja como um contador de histórias ou um poeta, um profeta ou um persuasor, tinha sido estimada por mais de mil sociedades tribais e analfabetas diferentes no espaço de inúmeros anos. Os gregos a chamavam de oratória e a transformaram numa forma de arte. A oratória também era uma ferramenta de poder, porque as assembléias ao ar livre, compostas de eleitores violentos e temperamentais, às vezes chegando a seis mil, podiam ser facilmente envolvidas por um orador eficaz.

71

Mestras do debate, as cidades gregas que pontilhavam as margens do Mediterrâneo também eram mestras da violência, quando necessário. Enquanto Atenas ouvia as doces palavras dos oradores, os gregos na Sicília estavam se massacrando e se torturando. Agátocles, governante da poderosa cidade-Estado de Siracusa, matou quatro mil homens em um dia. Os romanos acabariam batendo esse recorde.

As notáveis cidades portuárias da Grécia, mesmo após a morte da democracia, fervilhavam com energia intelectual. Hoje, muitos estudiosos renomados sugerem que Platão de Atenas foi o mais talentoso de todos os filósofos, enquanto Aristóteles é reverenciado no que hoje é chamado de ciência política. Na arquitetura e nas artes, as cidades gregas, embora gratas ao Egito, abriram novos caminhos. Na medicina, um médico na pequena Ilha de Cós foi o primeiro no mundo ocidental e seu nome continua vivo no juramento de Hipócrates, o juramento ético da medicina moderna. Na física, na ética, na lingüística, na biologia, na lógica e na matemática, os melhores dos pensadores e pesquisadores gregos eram como uma sucessão de luzes piscando na escuridão. A história, derivada de uma palavra grega, foi outra área na qual os gregos foram desbravadores de caminhos; sua vitalidade e gênio também se estenderam ao teatro, esportes e política democrática, bem como idéias abstratas de grande complexidade.

A engenharia foi outra potência dos gregos. Na Ilha de Samos, no século 6° a.C., um túnel de um quilômetro foi escavado através de um morro de calcário para drenar uma fonte de abastecimento de água doce. Mais ou menos na mesma época, os pedreiros gregos foram os primeiros a usar o formão dentado, tão útil nos trabalhos com mármore; seus construtores provavelmente foram os primeiros a usar o guindaste para içar materiais até os muros elevados, ainda que os escravos fossem preferidos ao uso de guindastes.

Como um todo, os gregos se sobressaíram mais na ciência do que na tecnologia. Até suas armas mais engenhosas exigiam trabalho físico em larga escala. Durante o cerco de Rodes, em 304 a.C., uma torre portátil e um arremessador de pedras que se movia sobre rodas foram construídos para auxiliar no ataque, mas vários milhares de homens foram necessários para rebocá-lo até o local.

Uma nova cidade do Egito, chamada Alexandria, acabou se tornando a principal herdeira da tradição ateniense. Fundada em 331 a.C., a cidade ascendente tornou-se a máquina intelectual do mundo ocidental. Uma notável biblioteca e museu foram construídos. Grandes estudiosos gregos, tais como Euclides, chegaram para enriquecê-la com suas idéias; as pesquisas médicas avançaram com o anatomista Herófilo, que dissecou o cérebro e o olho humanos no ano 285 a.C.; um quarto de século depois, nascia uma escola médica de grande fama. Os judeus vieram para a cidade em grande número para comerciar, e os estudiosos judeus os acompanharam e traduziram seu Antigo Testamento do hebraico para o grego. Essa versão era conhecida como Septuaginta, por ter sido o trabalho de 72 tradutores.

Se houvesse o Prêmio Nobel para ciência, medicina e literatura naquela época, Alexandria teria sido o lar de ganhadores do prêmio, mais que qualquer outra cidade. Ainda assim, toda essa engenhosidade não transformou o trabalho diário de uma civilização na qual os escravos serviam como máquina para todos os propósitos. Alexandria e outras cidades gregas provavelmente foram capazes de dar vários passos que constituíram, mais de dois mil anos depois, a revolução industrial, porém eles não precisavam de uma revolução industrial.

A poderosa civilização helenística, agora concentrada em Alexandria e nas antigas terras gregas, na Europa e na Ásia Menor, não tinha carência de auto-estima; era freqüentemente imitada. Mais de 2 mil anos depois, o mapa do mundo, incluindo terras nunca conhecidas pelos gregos, foi regado com vozes e lembranças da Grécia. Nos Estados Unidos, a primeira capital, Filadélfia, trazia consigo um nome grego. No norte do Estado de Nova York, surgiu Syracuse (Siracusa), Ithaca (Ítaca) e um conglomerado de cidades com nomes em homenagem à Grécia Antiga. Na Austrália, na década de 1850, os garimpeiros de ouro que saíam de Melbourne em direção às novas minas de ouro passaram por duas montanhas, Monte Macedônio e Monte Alexandre.

Um arquipélago no Alasca e uma ilha em frente à Antártida têm ambos o nome de Alexandre. No século 19, os três maiores impérios do mundo foram, por muito tempo, presididos por monarcas que tinham nomes gregos: a rainha Alexandrina Vitória, da Inglaterra; Alexandre II, da Rússia, e Luís Felipe, da França.

Talvez a maior influência exercida pela civilização helenística tenha sido o Império Romano. Os romanos, principalmente após 200 a.C., imitavam com alegria tudo que era grego. Admiravam a literatura, o teatro, a comida, a política, as artes visuais, a oratória e uma boa parte do estilo e da cultura que havia florescido e se moldado inicialmente em Atenas. Esse processo de imitação foi comparado à imitação mundial da América na cultura popular de hoje.

Atenas conseguia persuadir com as formas mais imprevisíveis. Muito tempo havia passado desde sua iniciação na política quando, finalmente, ela se tornou a silenciosa mestra dos romanos.

73

CAPÍTULO 7
SENHOR DO AMARELO – REI DO GANGES

Uma estrada de campinas cobria praticamente toda a área, às vezes interrompida por montanhas e lagos, desde o centro da Europa até o leste da Ásia. Seguia desde as margens do Rio Danúbio às florestas da Manchúria. Medida de costa a costa, essa estrada de grama ia quase do Mar Adriático ao Mar Amarelo. As terras ao longo desse corredor abrangiam solos ricos e pobres; no sul da Rússia, onde o solo era rico e o clima mais ameno, eram chamadas de estepe. Ali, logo após o ano 2000 a.C., as pessoas começavam a conseguir uma importante conquista: estavam domando, ou domesticando, o cavalo que até então havia sido caçado simplesmente pela carne.

Não tão altos quanto o pônei típico de hoje, esses pequenos cavalos nativos eram um patrimônio. Quando treinados, eram aliados fiéis e inteligentes; se perdiam seu cavaleiro, conseguiam achar o caminho de volta para casa. Forneciam leite para as crianças e, assim, permitiam que as mães parassem de amamentar os bebês ainda cedo. Com o tempo, o espaço entre uma gravidez e outra se tornou menor e, com isso, a população das estepes teve a chance de crescer mais rapidamente. O cavalo podia fornecer carne, principalmente no inverno, quando a comida era escassa, e seu esterco, quando seco, servia de adubo naquelas estepes cobertas de grama onde as árvores eram poucas. Graças ao cavalo, as campinas esparsamente povoadas acabaram abrigando mais pessoas do que antes: talvez até demais.

Muitos séculos mais tarde, principalmente depois de 700 a.C., os cavaleiros aprenderam a montar os cavalos para a guerra. Cavalgando longas distâncias, eles podiam pegar um inimigo de surpresa ou recuar rapidamente, quando necessário. Por volta de 500 a.C., a invenção do estribo, de fato um descanso para os pés feito de metal suspenso por uma cinta de couro, permitiu que os cavaleiros ficassem em pé num cavalo que se movia velozmente e usassem toda a sua força para arremessar lanças contra os soldados inimigos em terra.

Os cavalos compensavam a falta de companheiros quando os saqueadores da estepe tinham de enfrentar um inimigo mais numeroso. Um cavalo de guerra freqüentemente valia por dez soldados em terra, lutando no lado do inimigo.

Vista Panorâmica da China

Por volta de 1500 a.C., de certa forma a China estava atrasada em relação à população dos vales dos rios do Oriente Médio em organização política, na arte da produção de metais, na escrita e, provavelmente, na agricultura e na astronomia. Contudo, como fabricantes de cerâmica em fornos, a China e o Japão estavam muito avançados. Essa habilidade com o fogo abriu caminho para avanços na metalurgia. A fundição do bronze tornou-se uma especialidade dos chineses, e suas carruagens de caça eram decoradas com bronze, quase como o cromo nos grandes carros americanos do pós-guerra. Em seguida, os chineses começaram a fazer ferro fundido e, por volta de 400 a.C., aprenderam a se especializar na manufatura de relhas de arado, a forte lâmina cortante que revirava o solo. A produção do alto calor necessário nos fornos era conseguida através de uma explosão vinda de foles sofisticados de dois cilindros. Alguns dos foles seriam, mais tarde, movidos pela força vinda da água que jorrava dos riachos estreitos.

Nos 500 anos ou mais que antecederam o primeiro milênio cristão, os chineses foram o mais criativo dos povos dos quais se tem registro.

Em metalurgia, eram imbatíveis. Na manipulação da água para irrigação, inventaram novos métodos. Na matemática e na astronomia, procuraram novos conhecimentos. Com teares, produziram seda para confeccionar belas peças de roupa. Tornaram-se hábeis em transportes puxados a animais e força humana, usando carrinhos de mão empurrados por homens, carroças e arados puxados por bois, e carruagens puxadas por cavalos.

Os governantes dos maiores Estados dentro da China viviam no luxo e serviam-se de generosas parcelas da riqueza produzida pelos camponeses e artesãos que trabalhavam duro. Embora muitos chineses possuíssem os próprios lotes de terra, tinham de dedicar parte de seu tempo às necessidades de seu governante, em obras públicas ou lutando em guerras locais. Na morte, os governantes também se serviam dos camponeses. Quando morria um rei, até 40 pessoas podiam ser enterradas com ele. Nos séculos anteriores, eram enterrados com a crença de que poderiam servi-lo na vida após a morte com a ajuda de alguns dos milhares de artigos de jade e bronze que eram enterrados com eles. Mais tarde, porém, os trabalhadores que construíam os elaborados túmulos eram enterrados para que não revelassem a ninguém o segredo da entrada nas câmaras, cuidadosamente trancadas, e roubassem os tesouros.

A China era constituída por mais de cem pequenos Estados independentes, porém, entre cerca de 700 e 464 a.C., a maior parte deles foi eliminada, principalmente como resultado de conflitos de guerra. Sete reinos mais importantes passaram a governar a China. A sucessão de guerras reduziu o número de reinos a dois e, mais tarde, a um só. Por isso, em 221 a.C., a China estava unificada.

A maior influência no treinamento da nova burocracia chinesa foi Confúcio. Ele era um estudioso do tipo mais provável de ser encontrado em Atenas do que, talvez, em qualquer outro Estado ao longo do Mediterrâneo; chegou à visão de que a vida bem vivida era mais importante do que qualquer vida após a morte. Nascido em 551 a.C., no coração da China, num principado de menor importância, próximo ao Rio Amarelo, ele pertencia a uma ala pobre e antiga da aristocracia. A princípio ocupou postos rurais, tais como administrar estábulos de cavalos e manter registros dos celeiros de grãos: o tipo de tarefas de menor importância que jovens ambiciosos, hoje, citam em seus currículos na esperança de convencer futuros empregadores de que não eram ociosos. Com o passar do tempo, Confúcio tornou-se professor em tempo integral, uma profissão à qual, na época, não era dada grande importância. Ele acreditava que a nobreza deveria governar de forma sábia e humana. Acreditava numa hierarquia mais do que na igualdade, tendia a acreditar no velho mais do que no novo e pensava que os ancestrais tinham muito que ensinar aos mais novos. Exaltava a cortesia e a lealdade, a humildade e a delicadeza. Uma vez, em resposta a uma pergunta sobre o tipo de pessoa que ele era, descreveu-se com charme na terceira pessoa: "ele é o tipo de homem que se esquece de comer quando se engaja numa busca vigorosa do saber, que tem tanta alegria que esquece suas preocupações e não nota que a velhice está chegando". Morreu aos 73 anos, não tendo criado nenhuma igreja ou instituição, mas suas idéias continuaram vivas, sendo reinterpretadas por diferentes gerações. Nenhum outro pensador secular, ainda hoje respeitado, exerceu tamanha influência, que soma hoje um total de 2.500 anos.

A GRANDE MURALHA

A China tinha uma unidade lingüística e cultural notável, mas sua unidade política era precária. Sentia-se muito mais próxima das campinas, que nutriam os cavaleiros tão hábeis nas lutas, e acabou sofrendo ainda mais que a Europa com suas invasões. Estranhamente, o Império Romano nunca construiu uma grande muralha para se defender dos invasores que se aproximavam por terra; mas a China, ainda num período inicial, teve de planejar uma imensa muralha para manter sob vigilância seus inimigos, que habitavam as terras secas e esparsamente povoadas do noroeste.

A Grande Muralha da China foi concluída em 214 a.C., embora, por outro lado, nunca tenha sido finalizada, porque tinha de ser constantemente prolongada ou ampliada. Refletia a capacidade de organização dos gover-

> A MURALHA REFLETIA
> A CAPACIDADE DE
> ORGANIZAÇÃO DOS
> GOVERNANTES E A
> FORÇA E RESISTÊNCIA
> DOS TRABALHADORES
> DESIGNADOS
> COMPULSORIAMENTE
> PARA AS TAREFAS
> NACIONAIS.

nantes e a força e resistência das centenas de milhares de trabalhadores que foram designados compulsoriamente para as tarefas nacionais. Estes tinham menos motivos que seus governantes para admirar a muralha; tinham sido levados para longe de casa, talvez nunca mais voltando a ver suas famílias, para trabalhar longas horas nas pedreiras e fábricas de tijolos que alimentavam a muralha. Logo perceberam que o terreno próximo à muralha era acidentado e, em determinado trecho, a muralha teve de fazer um enorme desvio para evitar a grande curva do Rio Amarelo (Huang He). No total, a muralha e suas voltas se estenderam por 6.300 quilômetros. Se uma muralha semelhante tivesse sido construída na parte mais selvagem da Austrália, de leste a oeste, não teria sido maior que a Grande Muralha da China. Em tempos de perigo, o exército chinês que guardava a muralha deve ter sido muito numeroso pelos padrões da época. Para manter vigilância constante na maioria das torres, quando um invasor era esperado, devem ter sido necessárias dezenas de milhares de olhos. Além disso, a muralha requeria um grande número de soldados cuja principal tarefa era lutar, em vez de vigiar.

Com o passar do tempo, outro fator ajudou a promover a unidade política da China. Enquanto a Europa era recortada por grandes reentrâncias de mares e longas penínsulas, a costa da China era mais regular em sua forma. Muitos Estados europeus podiam se manter independentes por longos períodos porque eram ilhas ou penínsulas e, assim, o mar os defendia. O mar, em toda a sua imprevisibilidade, com certeza oferece uma defesa contra os inimigos que navegam águas desconhecidas. Com bastante freqüência, na história da Inglaterra e da Grécia, por exemplo, as invasões foram frustradas por tempestades. Um estreito oferece uma defesa natural mais forte do que uma margem de terra.

A população chinesa era comparável à da Europa. Nos seis séculos entre 300 a.C. e 300 da nossa era, há dúvidas de que a população da

Europa tenha suplantado a da China por mais de alguns poucos anos. A maioria dos chineses vivia na bacia do imponente Rio Amarelo. Nessa época, ele era o Nilo da China, porém menos domável que o Nilo. O Rio Amarelo despencava em quedas-d'água, corria suavemente e se revolvia em ondas durante dias antes de atingir as planícies mais baixas da China. Incapaz de decidir para onde ir, ele corria para o norte por cerca de 800 quilômetros e, então, corria para o sul – como se não tivesse nenhuma intenção de jamais se voltar para o leste e desaguar no Mar da China. Os que sobrevoam essa parte irregular do rio podem ver um veio marrom nos desfiladeiros, com florestas de um lado e fazendas secas distribuídas do outro lado, sem ponte alguma interligando as duas margens.

As árvores já foram um dia mais numerosas que hoje. Com o crescimento da população, o corte de árvores para lenha ou para a produção de carvão levou à erosão maciça dos terrenos escarpados. O Rio Amarelo, cheio de sedimentos, tornou-se uma torrente de uma grossa sopa de cor marrom. O povo da China não tinha meios de saber que esse rio era o maior carregador de sedimentos do mundo, com o qual o Amazonas e o Nilo não chegavam nem a ser comparáveis.

O rio era tão fundamental, porém tão tempestuoso, que tinha de ser cortejado com sacrifício humano. Por volta de 400 a.C., era costume acalmar o invisível Senhor do Rio Amarelo oferecendo-lhe anualmente um presente humano. Uma bela menina era vestida de noiva e colocada num bote de madeira, em forma de cama de núpcias, que era empurrado para dentro do rio impetuoso, onde a noiva rapidamente sumia de vista.

Para domar o rio, era preciso engenhosidade e, para construir e reconstruir os aterros e os muros de contenção, o recrutamento de um exército de trabalhadores. Em 109 a.C., o imperador ergueu um pavilhão em homenagem a todas as pessoas que taparam buracos nos diques e, assim, salvaram os vilarejos das águas furiosas. A cada década, o leito do rio continuava a subir e, por essa razão, os aterros tinham de ser ainda mais elevados; em vários lugares, o fundo do rio estava bem acima do nível das planícies adjacentes. Em séculos diferentes, o Rio Amarelo correu impetuosamente para o mar, ora ao norte, ora ao sul das montanhas da

Península Shandong (Shantung), o que nos dá uma medida do poder e da flexibilidade desse rio.

Enquanto o Nilo era confinado a planícies estreitas, o Rio Amarelo se recusava a ficar confinado. Seu vale era possivelmente o lugar mais densamente povoado do mundo durante os cinco séculos que precederam a era cristã. Mesmo em 500 a.C., época em que as cidades portuárias da Grécia e o Império Persa estavam ambos florescendo, uma linha de grandes cidades prosperava ao longo do vale do Rio Amarelo. Seu vale ou planície era o eixo central da China e contava com bem mais de metade da população: a migração de pessoas em direção ao Yang-tse-kiang, na parte central da China, e ao sul do país, de clima quente, começou mais tarde.

À medida que a produção de milho-miúdo e de arroz se tornava mais eficiente e surgiam os canais de irrigação, as fazendas podiam sustentar cidades maiores. Algumas eram defendidas por longas muralhas feitas de terra socada. Uma dessas muralhas era um maciço de 36 metros de largura na base e se estendia por uma área tão extensa que cercava toda uma pequena cidade. A movimentação de terra para a construção dessas muralhas teria ocupado aproximadamente 12 mil pessoas por mais ou menos 10 anos e, por sua vez, essas construções eram abastecidas por uma procissão de carroças carregando agregados. Ao longo do Rio Amarelo, várias cidades cresceram a um tamanho tal que deve ter impressionado todos os viajantes que passavam por seus portões. A nova capital Loyang (atualmente Luoyang), fundada em 25, tinha uma população de aproximadamente meio milhão: talvez só Roma fosse maior.

A China tinha algumas das características do Império Romano e uma delas era a extrema importância do exército de fronteiras. Espaçadas ao longo das estradas chinesas ficavam centenas de casas de repouso oficiais, com camas, lugares para lavar roupa e preparar comida e estábulos para os cavalos. Mensageiros vinham montados a cavalo, trazendo mensagens secretas escritas em pedaços de madeira e acondicionadas em tubos de bambu, que eram então lacrados, proporcionando assim segurança máxima. Em pontos bem espaçados ao longo das estradas, havia postos de advertência que, em tempos de emergência, podiam transmitir sinais de fumaça ao próximo posto que, por sua vez, acendia o fogo e retransmitia o sinal. No ano de 74, a notícia da morte do imperador foi repassada por aproximadamente 1.300 quilômetros no espaço de 30 horas, principalmente com a fumaça proveniente dos postos de advertência.

A China era parecida com os Estados Unidos no século 19, quando uma abundância de floresta virgem e pântanos podia ser ocupada para agricultura, servindo, assim, como uma válvula de escape para a pressão da população. No sul da China, as imensas áreas de floresta, de bosques espalhados e de planícies de rios tropicais sustentavam poucas pessoas. Mas centenas de milhares de camponeses vindos do norte estavam migrando para o sul à procura de terra; o arroz estava sendo plantado como o principal produto do sul e era grande sua demanda por água. Aqui, também, a árvore do chá foi cultivada pela primeira vez, dando à China um produto que, mais de mil anos depois, acabou brilhando mais que a seda aos olhos da Europa.

A Coréia e o Japão ficavam à sombra da China e suas novas idéias e técnicas, mas a luz também brilhou na direção deles. A nova metalurgia chegou e o ferro começou a substituir a pedra nas pontas dos machados e nas extremidades afiadas das foices que ceifavam os grãos. Um novo tipo de cerâmica foi feito com a roda de tornear e colocado em um forno para ser aquecido a altas temperaturas. Antes de 500 a.C., um novo produto alimentício, o arroz, atravessou da China para a Coréia e o Japão e começou a transformar as refeições diárias.

A ILHA DA ÍNDIA

Na Ásia, nessa época, o único rival potencial da China era a Índia. Na verdade, ficavam muito longe uma da outra para serem verdadeiras rivais e sabiam muito pouco uma da outra. O fato de as duas estarem na Ásia não significava nada para elas; a Ásia era um conceito europeu em geografia e, por muito tempo, o conceito foi desconhecido dos mais cultos

81

dos chineses, que pensavam que a China era muito importante para ser parte de qualquer outra unidade geográfica.

A Índia, ao contrário da China, era praticamente uma ilha. Isolada da maior parte da Ásia pelas montanhas do Himalaia, que se voltavam para o leste por mais de 2.500 quilômetros, podia-se chegar à Índia mais facilmente pelo noroeste. Nesse local, as passagens das montanhas incentivavam o tráfego. A Índia ficava mais próxima das civilizações do Oriente Médio e da Grécia do que do coração da China, e a posição exata das passagens das montanhas aumentava a probabilidade de suas ligações privilegiarem o mundo mediterrâneo. A principal língua da Índia pertencia à família indo-europeia, não à chinesa. A maioria de seus invasores veio da Europa; seu comércio externo, por mar ou por terra, também privilegiava essa direção.

Dentre os países dos trópicos e de zonas temperadas do mundo, a Índia possui uma área de picos gelados maior que qualquer outra; abrange também uma grande área de clima quente. Felizmente, as altas montanhas, com o derretimento da neve e do gelo, forneciam uma grande vazão de água às planícies secas durante o verão. A água derretida das montanhas ajudava a compensar as deficiências e irregularidades das chuvas que vinham principalmente com a monção de sudoeste, proveniente do Oceano Índico.

O Rio Ganges era um filho dessas montanhas cobertas de neve. Normalmente, corria o ano todo, carregando água através de uma enorme planície. Depois de 1000 a.C., a região do Ganges substituiu a do Indo como a parte populosa do subcontinente indiano. As cidades se multiplicaram ao longo do vale e as fazendas tiveram de se multiplicar para conseguir alimentar as cidades. Antes de 400 a.C., a Índia provavelmente já tinha 30 milhões de pessoas. No mundo inteiro, somente a China moderna pôde suplantar essa multidão de pessoas.

Nessa época, é provável que a China e a Índia, juntas, tivessem um terço da população mundial, talvez mais. As planícies cheias de sedimentos e os rios alimentados pela neve eram o segredo de sua capacidade de sustentar tão grandes populações. O Rio Amarelo traz consigo, num ano típico, uma carga de mais ou menos 2,1 milhões de toneladas de solo, muito mais que qualquer outro rio do mundo. Em segundo lugar vem o Ganges, com mais ou menos 1,6 milhão de toneladas. Aproximadamente metade dos sedimentos desses rios é depositada no delta e nos estuários dos afluentes, embora uma boa parte venha a se depositar em fazendas e canais de irrigação. Esses poderosos rios cheios de lama da Índia e da China não têm rivais; sem o enorme volume de sedimentos, a população tanto da China quanto da Índia teriam sido bem menores.

Enquanto o talento especial da China nessa época era a tecnologia, o da Índia era a religião. O hinduísmo, que chegou com os migrantes indo-europeus, venerava seus sacerdotes, ou brâmanes, quase como deuses. Era uma religião flexível, voltada para a criação de ramificações e segmentos. Seus devotos iam desde ricos sacerdotes e andarilhos esfarrapados a multidões que combinavam um hinduísmo mais moderno com seus antigos ídolos. A religião nunca foi estática; numa fase inicial, sacrificava animais em ocasiões importantes e, mais tarde, tendia a santificar a maioria das coisas vivas. Ia desde uma crença em muitos deuses especialistas a uma crença no deus supremo, Brahma.

Os hindus acreditavam que todas as criaturas tinham uma alma e que, após a morte, ela migrava para outro corpo. A idéia hoje é vista essencialmente como se um ser humano pudesse renascer numa variedade de espécies de animais ou de insetos; assim sendo, vacas e cabras, ácaros e insetos tinham de ser tratados com respeito. Por que a vaca, o único dentre os animais fornecedores de carne, era venerada de forma especial na Índia é um mistério.

O hinduísmo não dependia de que seus seguidores se reunissem em grande número num templo: seus templos feitos de madeira não eram salões de reunião, mas afirmações de fé. O credo era cheio de regras para a vida diária e para a vida eterna. Também enfatizava a reciclagem de vidas. Essa idéia implantava um pouco de esperança, enquanto abençoava as misérias do *status quo*. A consolação de viver na pobreza e ser humilde em seu *estrato* era que a vida de uma pessoa, se vivida virtuosamente, poderia ser recompensada na morte pela passagem da alma a um ser mais

83

digno. Por outro lado, havia a possibilidade de a alma da pessoa morta, ao retornar à terra, passar a um animal inferior.

É impressionante que a Índia tenha se tornado uma democracia nos tempos modernos, porque a duradoura civilização hindu, à primeira vista, era naturalmente hostil às idéias de que todos os adultos deveriam ter voto igual, independentemente de sua casta, e de que todos os adultos deveriam poder compartilhar da mobilidade social que era parte do espírito democrático. Mas o enxerto de árvores mais novas naquelas mais velhas, quando parece haver pouca esperança de sucesso e de vê-las crescer com vigor, não é uma experiência rara de se ver nas instituições humanas.

O FILHO PRÓDIGO TORNA-SE O BUDA

No século 6º a.C., o hinduísmo, tolerante de diversidades, deu origem a novas religiões. Deu início ao jainismo e ao budismo, mais influente. A história de Sidarta Gautama, o fundador do budismo, tinha semelhanças com a de Cristo. Nascido na fase da Lua cheia, sua chegada foi recebida não por três reis magos e sábios, mas por um só.

O pai de Gautama era um príncipe nepalês que vivia próximo à fronteira da Índia, nas planícies quentes que eram uma nascente do Rio Ganges. Possuía três palácios onde Gautama, quando mais velho, aproveitava os entretenimentos que eles proporcionavam. Não apresentando nenhum sinal inicial daquele senso de dever que mais tarde pregaria, era constantemente entretido por mulheres e música; vivia de regalias, um tipo de filho pródigo. Casou-se com sua prima e tiveram um filho, mas isso não trouxe nenhum senso de responsabilidade a Gautama.

Um dia, para surpresa de seus amigos, ele procurou a salvação. Saiu de casa à noite, montando seu cavalo, e sua vida mudou para sempre. Seguindo a forte tradição indiana do ascetismo, ele tentou punir o próprio corpo; por fim, perdeu tanto peso que suas costelas projetavam-se para fora "como ripas de um telhado". Após resistir a muita dor e passar longo tempo retirado, ele encontrou a luz. Tornou-se "O Iluminado", ou Buda.

Daí em diante, Buda procurava a santidade. Achava essencial aniquilar o eu: a meta final era o nirvana, uma condição ideal em que ele praticamente se extinguiria. Buscando a meta da auto-extinção silenciosa, ele foi recompensado com uma felicidade inexprimível. Ganhou a admiração de muitos dos pobres, pois não aceitava a idéia hindu de castas. Atraiu também os ricos, que estabeleceram em cidades e vilas ao longo do Ganges mosteiros budistas para os homens que desejassem se aperfeiçoar. Montou uma ordem religiosa para as mulheres, e sua tia foi a primeira a entrar para o convento.

Na estação seca, Buda deslocava-se de um local para outro, pedindo comida e ensinando a palavra. Os que lhe davam comida sentiam que compartilhavam um pouco de sua santidade. Como Francisco de Assis, que veio a domar um lobo selvagem na parte central da Itália na era cristã, Buda conseguiu domar, com sua calma presença, um elefante enfurecido. Seus ensinamentos foram mais tarde resumidos pelo político indiano Mahatma Gandhi nas palavras: "A vida não é feita de prazeres, mas de responsabilidades."

Nessa época, as partes dinâmicas do globo eram a Índia, o leste do Mediterrâneo e a China. Muito distantes umas das outras, tinham poucas ligações entre si e, ainda assim, cada uma vivia simultaneamente uma época frutífera. Por volta de 480 a.C., Buda, já idoso, pregava sua palavra ao longo do Ganges, Confúcio escrevia seus preceitos no norte da China, e os atenienses, tendo acabado de derrotar os persas na Batalha de Maratona, cultivavam as artes e a democracia sobre as quais sua fama veio a firmar-se.

> GANDHI RESUMIU OS ENSINAMENTOS DE BUDA: "A VIDA NÃO É FEITA DE PRAZERES, MAS DE RESPONSABILIDADES."

Buda morreu em cerca de 486 a.C., quando estava perto dos 80 anos de idade. Sua morte foi muito sentida na região, mas seu credo não parecia provável de ganhar adeptos além das margens do Ganges. Pouco mais de dois séculos após sua morte, houve uma mudança de sorte. Aconteceu que o rei Asoka tornou-se o primeiro governante de quase toda uma região que, na época de Buda, havia sido fragmentada em muitos reinos.

Governando a partir de uma cidade no Ganges, esse poderoso rei – talvez o mais poderoso do mundo – tornou-se devoto do budismo e até erigiu santuários em honra às cinzas de Buda. Numa época em que o budismo poderia, ao contrário, ter sido deixado de lado pelo credo mais básico e versátil do hinduísmo, o rei silenciosamente espalhou sua mensagem religiosa. Um rei com poder absoluto é o mais persuasivo de todos os missionários, e em curto prazo.

A princípio, era o hinduísmo que atraía os estrangeiros; renovando-se de tempos em tempos, espalhou-se ao longo da costa do Sudeste Asiático e por várias ilhas. A fase da forte influência hindu no Sudeste Asiático durou séculos e, então, por toda parte, os deuses hindus recuaram. A pequena Ilha de Bali, bem longe da desembocadura do Ganges, continua sendo um posto hindu solitário.

Na história das religiões do mundo, o norte da Índia compete com o Oriente Médio como o local mais fértil de nascimento de religiões. Curiosamente, as religiões indianas pouco avançaram em direção ao ocidente. Seus centros de recrutamento ficavam a leste. O budismo provou ser o recrutador mais bem-sucedido, e suas vitórias vieram a ser ganhas em terras onde a Índia não havia tido quase nenhuma influência comercial ou cultural durante a vida de Buda.

CAPÍTULO 8
A ASCENSÃO DE ROMA

Roma foi construída, como seus historiadores e escritores de fábulas gostavam de proclamar, sobre sete colinas; nem todas as colinas, no entanto, eram povoadas nessa jovem Roma. A cidade era muito pequena para que um tal espaço fosse necessário. Atrás da cidade murada, corria o Rio Tibre, que desaguava no Mediterrâneo, a menos de 40 quilômetros de distância. Às vezes amarelado em decorrência da lama arrastada pelas águas desde as colinas íngremes após chuva forte, o rio era usado por pequenos barcos que transportavam carga para cima e para baixo de sua desembocadura. Inicialmente, um monarca governava a cidade e o pequeno território ao redor, mas, em 509 a.C., as famílias proprietárias de terras foram vitoriosas, e sua república veio a durar quase cinco séculos.

A pequena cidade de Roma ainda lutava para sobreviver. Em 390 a.C., foi sitiada durante sete meses por um exército de gauleses que, finalmente, entrou e destruiu metade da cidade. Roma ainda não comandava nem metade da Península Itálica. Em 300 a.C., nem mesmo controlava Milão e a região de Veneza, que ainda não era uma vila. Roma governava algumas das ilhas do lado oeste do Mediterrâneo, quase todas elas do lado rival e sob influência de Cartago, a poderosa cidade na costa norte da África.

O talento de Roma estava na produção de generais e soldados, almirantes e marinheiros. Esses guerreiros, tendo subjugado os vizinhos sabinos, etruscos e os picentinos, começaram a desafiar o império terrestre e marítimo baseado em Cartago. Em 240 a.C., os romanos controlavam a rica ilha da Sicília, outrora parte da civilização grega; no ano seguinte, capturaram a ilha cartaginesa de Sardenha. Em seguida, Aníbal, o grande general de Cartago, pareceu por algum tempo ter grande chance de vencer Roma, pois havia conduzido um exército vitorioso pela Espanha e pelos Alpes franceses, avançando Itália adentro. Suas forças, porém, foram finalmente derrotadas em 207 a.C. Eram os romanos que agora expandiam seu império no estrangeiro, facilmente penetrando no domínio de Cartago, no norte da África. Dessas novas posses no norte da África e na Sicília, vinha uma procissão de navios cujas cargas de grãos eram necessárias para alimentar a cidade de Roma, em franca expansão.

Para os gregos, o mar era uma estrada natural, mas os romanos construíram as próprias estradas. Em 312 a.C., engenheiros romanos começaram a construir a primeira de suas artérias, a Via Ápia, que ia desde Roma ao porto de Tarento, no sul da costa italiana, região cujo litoral tem o formato do salto de uma bota. Em pouco tempo, a estrada foi ampliada até a parte posterior desse salto, o porto de Brindisi, no Mar Adriático, onde hoje pode ser vista a antiga coluna de pedra que celebra esse feito de engenharia. Por fim, estradas romanas muito bem construídas estendiam-se ao longo da costa do norte da África, contornando boa parte da costa norte do Mediterrâneo até os distantes Rios Danúbio e Eufrates. Não eram meras estradas; onde ainda sobrevivem, são conhecidas como "estradas romanas", uma espécie distinta, como na verdade o são. Rasgando colinas, atravessando pântanos sobre pedras ou caminhos elevados, foram descritas pelo novelista inglês Thomas Hardy como uma linha fina e contínua, que divide o cabelo em duas partes.

As estradas romanas, para sua época, eram mais notáveis que as auto-estradas construídas na Europa, na era dos automóveis. Os mensageiros velozes podiam viajar por essas estradas e, como na China, podiam estar seguros de que, a não ser que as enchentes ou a neve atrapalhassem, seus veículos puxados a cavalo seguiriam os horários previstos. Em muitas partes do Império Romano, uma mensagem enviada por estrada chegava bem antes de uma mensagem enviada por mar. Nas estradas romanas passavam cavaleiros velozes, soldados em marcha, mercadores, escravos e bebês carregados ao colo.

A ponte romana era um trabalho de arte, embora os romanos tivessem predecessores talentosos na construção de estradas e pontes. Ver uma ponte romana hoje ainda resistindo ao tráfego é ter uma sensação de estupefação; os engenheiros, os cortadores de pedras e os pedreiros que construíram essas pontes há muito tempo silenciaram, mas sua ponte resiste em toda a sua força e elegância. A ponte romana de Rimini, num braço do Mar Adriático, é feita de blocos de calcário esbranquiçado, com conchas e restos de alguns peixes ainda cravados na pedra branca; construída por volta do ano 5 a.C., consiste de cinco arcos semicirculares sob os quais um rio, hoje mais estreito, fluía com força na época das enchentes. Usada por carros e lambretas e realçada por uma saliência onde os pedestres podem passar com uma margem mínima de segurança, a ponte, até hoje, tem travessia em uma só direção.

89

DENTRO DA CIDADE DE MÁRMORE

Todos os caminhos realmente levavam a Roma e cresceram em uma proporção quase incontrolável. Provavelmente, foi a primeira cidade do mundo, embora a China também tivesse cidades grandes, a ter uma população de quase um milhão de habitantes. Era a meta dos andarilhos e dos indigentes sem lugar para ir, dos que queriam trabalho e diversão e dos extremamente ambiciosos, que queriam as melhores oportunidades. As ruas de Roma, pavimentadas com pedra, ficavam abarrotadas de veículos de roda e de gente, muitos chegando das terras aráveis italianas e outros chegando como prisioneiros da última guerra. A cidade em expansão dependia de aquedutos, e as pontes de grandes arcos transportavam das colinas o fluxo contínuo de água que abastecia os banhos públicos e os potes e jarros de água em inúmeras casas, eliminando também o esgoto ali produzido. Alguns balneários públicos eram enormes salões de mármore com inúmeras salas menores e muitas banheiras, tanto quentes quanto frias; lugar de conversas sobre coisas alheias e de prazer, eles se multiplicavam. A cidade de Roma sozinha tinha cerca de 800 balneários públicos.

Muitos dos navios que carregavam pedra, madeira e grãos para Roma eram maiores do que os que seriam construídos no mundo ocidental nos mil anos seguintes ou mais. Podiam ter mais de 50 metros de comprimento e chegar a 15 metros de largura, fazendo com que parecessem um tonel, um pouco desajeitados para os atuais padrões de projeto. Uma esquadra de navios, quase como os atuais navios graneleiros, foi construída especialmente para o transporte de pedras para construção. Esses grandes navios romanos dependiam do vento, em vez de remos; sua tarefa era transportar cargas a baixo custo. A rapidez era de somenos importância, ainda que, ocasionalmente, fizessem travessias rápidas. Há relatos de um navio de carga que viajou do porto italiano de Nápoles ao porto egípcio de Alexandria em apenas nove dias.

Se acaso os marinheiros europeus, na época de Colombo, tivessem visto os destroços de um dos grandes navios romanos de madeira, revelados pelo deslocamento das areias, teriam ficado surpresos com o comprimento dele. A nau capitânia de Colombo, Santa Maria, tinha aproximadamente 30 metros de comprimento, muito menor do que os navios romanos vindos do Egito, envolvidos no transporte de grãos ou de pedras para construção. Mesmo o impressionante barco a vapor de 1843, o Great Britain, com sua única chaminé e seis mastros, não era tão largo, nem duas vezes mais comprido que os grandes navios de carga romanos que haviam navegado os mares, 2 mil anos antes.

Os escritores romanos deixaram para as futuras gerações uma visão detalhada da vida cotidiana e de sua diversão, de suas angústias, de seus prazeres e de suas dores. Praticamente, podemos sentir o gosto das refeições das pessoas comuns: o pão integral, o queijo fresco prensado à mão, os figos verdes de segunda safra e, é claro, o pequeno peixe de grande popularidade, o arenque. Podemos caminhar pelas fazendas romanas, graças à poesia de Virgílio, e ouvir conselhos de como trabalhar a terra.

Assim, considerava-se que o sétimo dia da Lua trazia sorte para laçar e domar o gado selvagem e, no verão, o feno de um prado seco deveria ser cortado depois do anoitecer, para melhores resultados, uma das regras da produção de feno que era seguida com freqüência na Itália e que persiste na lembrança de muitos.

Em quase todas as fases da história de Roma, houve crises. Assim, no século que precedeu a era cristã, aconteceram graves impactos. Em 84 a.C., muitos membros das famílias patrícias, outrora tão poderosas, foram massacrados por seus rivais. Na década seguinte, Espártaco, o escravo, liderou uma rebelião, atraindo escravos rurais para sua bandeira às dezenas de milhares. Quando foi finalmente derrotado na Itália, em 71 a.C., aproximadamente 6 mil de seus seguidores foram capturados e crucificados ao longo da Via Ápia.

Períodos civilizados se entrelaçavam com períodos de violência. Até mesmo com escravos podia haver civilidade e compaixão. No início do segundo século, o filho de um escravo morreu, e seus donos encomendaram a escultura da cabeça do menino morto em bloco de mármore, acrescentando a simples mensagem em latim:

91

Ao querido Marcial
Um pequeno escravo,
Que viveu dois anos, dez meses e oito dias.

A criança tem um olhar inocente, orelhas longas e elegantes, boca pequena, cabelo aparado penteado até a metade da testa e – logo acima da orelha direita – um amuleto da sorte egípcio. A insígnia não denotava que a criança vivesse no Egito, que na época era uma colônia romana. O império de Roma era cosmopolita e as idéias, religiões e modas fluíam com facilidade: a cabeça dessa criança pode ser vista ainda hoje num museu de Los Angeles.

Roma começou como uma república na qual um pequeno número de famílias dividia o poder. Mais tarde, o eleitorado de cidadãos que viviam na Itália e com direito a voto aumentou para centenas de milhares;

no final, chegava a mais de um milhão. Obviamente, não fazia sentido Roma imitar a democracia grega e as reuniões públicas de cidadãos que votavam ali na hora; assim, a urna secreta foi a alternativa romana. Por vários séculos, Roma teve uma forma de governo representativo que praticamente todos os líderes europeus, 300 anos depois, teriam condenado por ser democraticamente perigosa, de acordo com seus próprios padrões. Os chefes de estado eram eleitos, e nenhum político ou general podia segurar as rédeas do poder por muito tempo. A maior parte das decisões a serem tomadas ficava com as assembléias representativas.

O distante império de Roma, em constante expansão, não era fácil de governar. Onde poderiam ser criados novos impostos? Os exércitos de cidadãos não podiam mais carregar o peso do serviço militar e, como conseqüência, mercenários e até escravos estavam sendo recrutados, alguns com mais probabilidade de serem mais fiéis a seus generais do que a Roma. Até os generais que lutavam em fronteiras distantes não eram fáceis de manter sob vigilância; eles precisavam de alguma independência para lutar com sucesso, mas, se saíssem muito vitoriosos e se fossem muito populares com o público romano, representavam indiretamente um desafio aos líderes cívicos que detinham o poder em Roma.

A eterna tensão em Roma parecia encontrar uma solução. Para as pessoas orgulhosas de sua república, um imperador era impensável, mas o impensável era agora dito em voz alta. Em 63 a.C., Augusto tornou-se imperador, enquanto afirmava ser simplesmente primeiro cidadão da velha república; tinha controle militar e mantinha um pulso firme no senado. Aos poucos, o imperador romano tornou-se todo-poderoso em vida e venerado como um deus na morte. Cada imperador agora nomeava seu próprio sucessor.

A transição de república para monarquia, embora drástica, deu um novo sopro de estabilidade ao Império Romano, que continuou a se expandir e a segurar o que já tinha conquistado. Como os cidadãos não mais votavam naqueles que deveriam conduzir o império, a cidadania pôde ser facilmente ampliada. O clímax veio no ano de 212, quando todos os homens livres podiam tornar-se cidadãos romanos, desfrutar da proteção do notável sistema em evolução da lei romana e fingir desfrutar aquele outro privilégio dos cidadãos: o direito de pagar impostos para um império que, freqüentemente, estava desprovido de receitas. Roma foi um império tão bem-sucedido, sua história política e seus modos de governo foram tão bem registrados que, quando Londres tornou-se a outra Roma, no século 18, seus líderes políticos e culturais ficaram obcecados pela história romana.

AO LONGO DA ROTA DA SEDA

Entre as duas civilizações mais importantes do mundo, os romanos e os chineses, havia um grande espaço geográfico. A rota por terra entre o oeste da China e os portos mais próximos do Mar Negro, mesmo antes da era cristã, era a mais longa do mundo. Atravessava montanhas e planaltos, planícies rochosas e desertos salgados, correntezas fortes, desfiladeiros e imensas pastagens. A rota era mais como uma corrida de revezamento do que uma procissão, pois os bens comercializados eram passados de mercador para mercador, de bazar para bazar e, assim, eles lentamente cruzavam seu caminho pelo continente em carroças, a cavalo e em camelos que se moviam em longos comboios.

A principal carga transportada do Oriente era a seda. Os ricos de Roma e Alexandria veneravam artigos de vestuário feitos de seda e, por muito tempo, a China foi o único fornecedor desses artigos. Os humildes bichos-da-seda, alimentando-se das folhas cortadas de milhões de amoreiras da China, viviam apenas 45 dias, mas, durante essa curta vida, cada bicho-da-seda produzia um casulo esbelto de fios que, quando desemaranhados, podiam chegar a 900 metros. Os finos filamentos eram combinados formando um fio com o qual a seda era manufaturada à mão em muitas cidades chinesas.

Um rolo de seda era uma fibra mágica. Leve, capaz de ser esticada sem arrebentar, facilmente tingida com cores fortes, tais como a púrpura de Tiro, e macia quando em contato com a pele, a seda era apreciada pelos

93

poucos romanos que tinham a chance de usá-la. Por ser cara, não era usada pelas pessoas comuns na China e, por ser bem mais cara ao chegar ao Mediterrâneo, era vista como um luxo quando desembarcava em Roma.

Como o bicho-da-seda era uma máquina viva de fiar e com energia inesgotável, era certo que mercadores de outras nações o capturassem. Os bichos-da-seda foram contrabandeados para a Índia, onde o tecido de seda, de qualidade inferior, era produzido. Os bichos-da-seda acabaram chegando à Sicília e à França, mas a habilidade dos fiandeiros e tecelãos chineses permaneceu em casa. A China continuava a manufaturar uma seda de qualidade inigualável.

A vida econômica da China era tão avançada e tão versátil que desejava pouco do Ocidente. A China sentia-se satisfeita por adquirir pequenas quantias do ótimo vidro que era feito no Líbano e no Egito e transportado ao longo da rota comercial pela Ásia: uma carga frágil que vinha pendurada e balançando no lombo de camelos. A China aceitava também, ocasionalmente, volumes de madeira e de outros tecidos e metais preciosos.

Ao longo da rota da seda, em direção ao pôr-do-sol, vinham não só a seda, mas outros itens altamente valorizados no Ocidente: remédios de grande valor, como ruibarbo em conserva e canela em casca, bem como plantas vivas e sementes de importância ainda maior. A China era um jardim botânico do qual o mundo externo, século após século, tomava emprestadas sementes e mudas; os chineses foram, provavelmente, os primeiros a cultivar o pêssego e a pêra que, com o tempo, chegaram à Índia em torno do século 2º.

Na China, a laranja foi cultivada pela primeira vez, trazendo riqueza aos donos de pomares. A laranjeira era valorizada não só como fonte de frutas, mas também por sua madeira, que freqüentemente era escolhida para fazer os arcos que lançavam as flechas. Um pouco antes da Era Cristã, as primeiras laranjas e limões da China chegaram ao Oriente Médio, tendo feito parte do trajeto em navios que usavam a rota da Índia para o Mar Vermelho. Na cidade de Pompéia, que veio a ser soterrada por cinzas vulcânicas em 79, há um mosaico com a representação nítida de uma laranja.

Os chineses e romanos tinham uma visão em comum: cada um dos povos acreditava que sua civilização era superior a qualquer outra. Embora a China possuísse uma extensão de território que disputava com a de Roma, seu imperador não tinha domínio sobre tantas línguas, culturas e povos quanto o imperador de Roma.

> CHINESES E ROMANOS TINHAM ALGO EM COMUM: AMBOS ACREDITAVAM QUE A SUA CIVILIZAÇÃO ERA SUPERIOR A QUALQUER OUTRA.

No século 1º, os navios romanos estavam no comando de quase todos os portos de importância no Mediterrâneo. Qualquer cidade litorânea da Grécia que houvesse prosperado, fosse na Sicília ou no Egito, estava agora sob o poder de Roma. A marcha de soldados romanos, as batidas sistemáticas dos remos das galeras na água podiam ser ouvidas da margem leste à margem oeste do Mediterrâneo e até mesmo além do Estreito de Gibraltar, uma região à qual a influência grega nunca havia chegado. As moedas romanas eram o dinheiro corrente na costa oeste, no Atlântico, desde a Espanha até a Bretanha, e no norte se estendiam até as dunas e pântanos salgados que constituem hoje a Holanda.

O governo de Roma se estendia desde o Mar Negro até o norte da Inglaterra. Os regimentos romanos eram instalados no Rio Reno, descendo até a cidade de Colônia, onde esse majestoso rio era atravessado por uma ponte romana. Da mesma forma, o Rio Danúbio, na atual Hungria, era atravessado por uma ponte romana, cujos pilares de pedra e arcos semicirculares de madeira foram projetados pelo notável construtor Apolodoro de Damasco.

Essas cidades, portos, vilas de guarnição e províncias afastadas eram cruciais para Roma, pois os postos fronteiriços protegiam o império interno. Contribuíam também com alimentos, soldados, escravos, matérias-primas e, não menos importante, forneciam receita. De tempos em tempos, também traziam inquietação para os governadores romanos. Uma das fontes dessa inquietação era um novo credo que duraria muito mais que os exércitos romanos.

CAPÍTULO 9
ISRAEL E "O UNGIDO"

A costa do que hoje é Israel era margeada por dunas de areia e não parecia muito acolhedora a um navio desconhecido. Poucas eram as enseadas e portos naturais onde navios podiam lançar âncoras. Na verdade, a cidade de Jerusalém, comparada à maioria das outras cidades famosas do Mediterrâneo, era desprovida de acesso fácil a um porto natural. Os hebreus, ou israelitas, ou judeus originalmente possuíam rebanhos em vez de navios, pois eram um povo de pastagens, e não do mar. Contudo, o Líbano, ao norte, possuía portos naturais e lá os fenícios comercializaram e floresceram.

A palavra hebreu significava andarilho ou "aquele que atravessa para o outro lado". Durante a maior parte de sua história – provavelmente foram originários das cabeceiras dos rios do Golfo Pérsico ou dos desertos próximos –, os hebreus não tiveram um lar seguro. Esse povo andarilho conheceu tempos de prosperidade, quando seus rebanhos e suas barracas ocupavam belas pastagens, mas também lembrava-se dos tempos de humilhação, cativeiro e exílio.

Escravizados no Egito, eles acabaram escapando com seu líder, Moisés, em direção a uma terra que acreditavam ter-lhes sido prometida por Deus: onde hoje é Israel. De acordo com uma versão de sua história, preservada em escritura sagrada, eles foram quase capturados por seus perseguidores na margem oeste do Mar Vermelho; então, o mar se abriu, permitindo-lhes que prosseguissem. O fenômeno parece milagroso, mas talvez não tenha sido; o nome inicial do Mar Vermelho era mar dos juncos ou mar pantanoso e, em muitos lugares, era bastante raso. O formato da costa é tal que marés incomuns podem ocorrer. De fato, em 1993, um grupo de oceanógrafos observou que, quando um vento muito forte sopra a 70 quilômetros por hora por 10 horas contínuas, o mar praticamente recua. É possível imaginar que os hebreus, com os egípcios não muito atrás, tenham atravessado o mar num desses dias atípicos; em seguida, o mar subiu, afogando os perseguidores egípcios.

Por volta de 1000 a.C., os hebreus, sob o comando do rei Davi, tiveram seus anos de glória, pois ele havia tomado Jerusalém. Seu filho e sucessor, o rei Salomão, construiu um magnífico templo no topo da colina e, nesse prédio de esplendor quase inigualável, seu povo adorava a Deus, que os havia guiado a essa terra prometida.

Após a morte do rei Salomão, em cerca de 935 a.C., seu reino foi dividido em dois Estados, Israel e Judá; deste último, os judeus herdaram seu nome. Com o tempo, esses dois reinos, minúsculos em tamanho, tornaram-se muito fracos para conter os invasores cheios de ambição. Em 587 a.C., os soldados do Novo Império Babilônico saquearam e destruíram o nobre templo de Jerusalém, e os líderes judeus partiram para o exílio por quase um século. Ao voltarem para casa, eles viveram sob uma sucessão de governantes estrangeiros: os persas; Alexandre, o Grande; e os selêucidas, povo de língua grega. Durante boa parte desse tempo, a vida espiritual dos judeus floresceu; ouviam-se os profetas, incentivavam-se os estudiosos da teologia, e a idéia de sobrevivência espiritual após a morte criou raiz.

OS DEZ MANDAMENTOS E CEM REGRAS MENORES

O deus judeu era todo-poderoso e eterno. Seu nome raramente era pronunciado, tamanho o temor e a majestade que o cercavam. Dois mil anos mais tarde, ele veio a ser chamado de "Javé" pelos reformadores protestantes. Javé protegia os judeus sob a condição de que eles obedecessem a seus preceitos e seus mandamentos.

O primeiro dos Dez Mandamentos proclamava que havia somente um deus em todo o mundo. Numa época em que a religião típica tinha muitos deuses e os templos do Oriente Médio eram repletos de deuses para cada estação e para cada propósito, a religião dos judeus era diferente. Seus membros eram instruídos a não se curvar em sinal de reverência diante de nenhum outro deus.

Os Dez Mandamentos instruíam os judeus sobre como conduzir a própria vida. Segundo uma das regras, eles deveriam respeitar seus vizinhos e mostrar-lhes solidariedade. Deveriam honrar os pais. Não deveriam matar nem cometer adultério. Não deveriam mentir sobre seu vizinho, nem mesmo pensar em roubar os bois ou os burros dele. Pode-se observar que o boi e o burro, mas não as ovelhas, eram mencionados. Fundamentais como animais de carga e muito caros, o boi e o burro eram amplamente usados para arar os campos e para carregar e arrastar cargas muito pesadas.

A prática rígida dos judeus era trabalhar seis dias na semana e, no sétimo dia, praticar sua religião e descansar. Esse sétimo dia, de acordo com sua crença, era o sábado. Uma das primeiras leis de bem-estar social de grande alcance no mundo, o dia de descanso do sábado dos judeus se estendia não só aos donos da casa, mas também aos serviçais, fossem mulheres ou homens. Mais de vinte séculos depois, a mais avançada das democracias mundiais veio a introduzir, para muitos empregados, um dia de trabalho limitado a oito horas. Mas essa experiência recente com o bem-estar social foi bem menos importante que a semana de trabalho de seis dias religiosamente seguida por esses filhos de Israel.

Os judeus eram mais obcecados com a própria história do que qualquer outro povo que o mundo havia conhecido. Eles registravam diligentemente suas provações e tribulações, suas derrotas e suas vitórias. Com o senso de história, havia uma ênfase na justiça e no comportamento ético na vida cotidiana. Às vezes, eram quase dominados pelas regras e orientações.

Constantemente investigando a natureza e a missão dos seres humanos, os líderes espirituais judeus acabaram tornando-se tão influentes

SRAEL E "O UNGIDO"

quanto os europeus, que, nas revoluções científica e industrial, aproximadamente dois mil anos mais tarde, imergiriam na tarefa de dominar o mundo material. Mas, se uma história do mundo tivesse sido escrita em 200 a.C., os judeus não teriam merecido muitas linhas. Até então, eles não haviam sido mais influentes do que centenas de outros Estados e monarquias, povos e tribos da África, da Ásia, da Europa e das Américas.

> CONSTANTEMENTE INVESTIGANDO A NATUREZA E A MISSÃO DOS SERES HUMANOS, OS LÍDERES ESPIRITUAIS JUDEUS ACABARAM TORNANDO-SE TÃO INFLUENTES QUANTO OS EUROPEUS.

Israel, após séculos de vicissitudes e poucas vitórias, viveu um milagre no século 2º a.C.: desfrutou de 80 anos de quase total independência. O milagre não durou muito e o Império Romano, em constante expansão, chegou em 63 a.C. Mas muitos dos judeus que ainda viviam na própria terra natal tomaram bastante cuidado com o domínio romano; sua intuição era que Javé interviria e salvaria seu povo protegido. Jesus estava em primeiro lugar entre esses profetas.

Jesus nasceu por volta de 6 a.C., de acordo com o calendário gregoriano usado hoje no Ocidente. Crescendo num vilarejo encravado nas colinas, ele seguiu os negócios de seu pai como carpinteiro ou construtor. Por ser um trabalho especializado, provavelmente proporcionava uma renda bem maior que a da maioria dos trabalhadores da Palestina; contava ainda com a vantagem de saber ler e escrever numa época em que poucas pessoas tinham esse tipo de privilégio.

Absorvendo a atmosfera intensamente religiosa e política de Israel, na época sob ocupação romana, ele dominava os ensinamentos do Antigo Testamento. Era principalmente inspirado pela pregação insistente de João Batista, um pregador que viajava por toda parte, afastando-se de todos os confortos materiais das cidades, mostrando seu desdém por esse conforto, comendo das comidas mais simples e vestindo-se com uma túnica feita de pele de camelo. Sua mensagem para todos os que o ouviam era "Arrependei-vos". Seu gesto simbólico era o batismo, ou imersão em água, daqueles que profundamente se arrependiam de seus pecados. Jesus veio a ser batizado por João nas águas do Rio Jordão.

Com pouco mais de 30 anos de idade, Jesus abandonou seu martelo, seu serrote e seu formão e deixou o vilarejo – não tinha mulher – recebendo o mesmo chamado de João Batista. Começou a pregar e a ensinar em vilarejos, no interior e até em sinagogas. Ele podia, assim, argumentar, pregar e convencer com o que se pode seguramente chamar de genialidade. Os doentes eram trazidos até ele e, para o espanto de todos, parecia curá-los com um toque de suas mãos ou com uma força silenciosa e confiante.

Não era de surpreender que esse homem jovem e extraordinário tivesse vindo de um vilarejo na área rural. Na verdade, ele era simplesmente conhecido como o Nazareno, o que significava que era um nativo de Nazaré. Mais tarde, veio a ser chamado de Cristo, que em grego quer dizer "o ungido". Hoje, poderíamos dizer que ele curava pela fé.

Suas palavras arrastavam multidões. Sua pregação podia ser misteriosa, mas também era sensível e prática; ele contava uma história simples sobre a vida diária, dando a ela um fundo moral e concluía com um apelo a seus ouvintes à beira da estrada para que adotassem seu novo modo de pensar. Na verdade, seus ensinamentos e suas parábolas deixaram como legado um maravilhoso registro da vida diária. Ele falava sobre a contratação de trabalhadores para as vinhas a um centavo por dia, e falava do dono das vinhas que estava perplexo porque sua figueira não havia dado frutos, e discutia, de passagem, a maneira sensata de engarrafar o vinho da nova estação: "Não se põe vinho novo em odres velhos", dizia ele. Sem dúvida, seus ouvintes rurais balançavam a cabeça em concordância.

Grandes multidões se reuniam quando se anunciava que ele se aproximava para pregar e curar. Ele deve ter sido um excelente orador, com voz clara, que podia sair flutuando até o membro mais distante da multidão, mas, no decorrer de um mês de grande agitação, sua voz atingia mais que uma fração do povo de Israel. Como ele precisava da ajuda de outros homens para pregar em todos aqueles vilarejos que não podiam ser encaixados em seu tempo, já todo tomado, ele reuniu voluntários em tempo integral, ou discípulos; os primeiros eram pescadores de um lago próximo. Em pouco tempo, havia 12 discípulos tomados por seu magnetismo. Ainda mais discípulos eram necessários. Como explicava ele com seus lembretes simples e rústicos: "A messe é grande, mas os trabalhadores são poucos."

Jesus demonstrava um profundo sentimento pelos oprimidos: pelos que eram pobres, pelos que eram doentes e pelos que sofriam. Ele parecia defender os antigos valores judeus e a autoridade do Antigo Testamento, mas também tinha uma veia revolucionária. Anunciava que chegaria o dia em que "os últimos serão os primeiros" e os humildes seriam os mais poderosos. Essas não eram notícias tranqüilizadoras para os que ocupavam posições de poder religioso e civil em Jerusalém.

As principais seitas e sinagogas judias não tinham certeza de como julgar esse profeta. Alguns se sentiam ameaçados por sua influência cada vez maior sobre as multidões; outros estavam compreensivelmente alarmados, porque ele contestava a rigidez dos ensinamentos e o forte apego que tinham às centenas de antigas regras e rituais judeus. Havia ainda uma ameaça adicional: a de que ele levasse essa luta para dentro das sinagogas e desafiasse a credibilidade moral deles. Ele não temia críticas e era visto pelos governadores romanos como um subversor em potencial.

101

Sua vida de pregações e curas foi curta. Por volta do ano 30, ainda na faixa dos 30 anos de idade, ele praticamente acenou a seus inimigos para que pusessem as mãos sobre ele. Resolveu vir a Jerusalém com seus seguidores numa época santa do ano. Celebrou a última ceia com os discípulos e, na presença deles, previu a própria morte. Preso por exigência de seus inúmeros inimigos, foi condenado por blasfêmia num tribunal judeu e, então, sentenciado pelos governadores romanos a morrer de forma humilhante da qual os cidadãos romanos se isentaram. Foi chicoteado e seu corpo pregado a uma grande estrutura de madeira em forma de cruz, com dois criminosos comuns colocados em cruzes semelhantes, mas de menor tamanho, um de cada lado dele. Uma placa escrita em três línguas – latim, grego e hebraico – proclamava o que foi visto como sua perigosa pretensão: "Jesus de Nazaré, Rei dos Judeus". Ele morreu lentamente, em grande sofrimento.

Dizem que um eclipse do Sol então ocorreu, como se os céus soubessem que um evento de magnitude estivesse acontecendo. Naquela tarde, foi retirado da cruz e enterrado por amigos fiéis. No terceiro dia, seu corpo desapareceu do sepulcro. Nos dias que se seguiram, seus discípulos acreditaram tê-lo visto ou ouvido em alguns lugares. Estavam convencidos, além de qualquer sombra de dúvida, de que ele era o filho de Deus, a cuja presença ele havia agora retornado.

Nada contribuiu mais decisivamente para sua vida se tornar tão importante do que o fato de sua ascensão aos céus. Lá, diziam, ele esperaria até o dia do julgamento, quando apareceria na terra novamente para punir os maus e recompensar os justos.

CAPÍTULO 10
DEPOIS DE CRISTO

S e a mensagem de Cristo deveria permanecer viva, isso só poderia acontecer com a ajuda dos judeus. Eles eram um povo disperso, vivendo principalmente longe de sua terra natal e, portanto, propiciando uma rede através da qual a mensagem cristã poderia se espalhar.

No fim desse período hoje conhecido como a.C. ou "antes de Cristo", a maioria dos judeus nunca tinha posto os olhos na terra de seus antepassados. Muitas famílias judias, tendo ido para o exílio como cativos, haviam se tornado parte de sua nova terra. Outros judeus haviam partido como comerciantes ou soldados para portos distantes e lá vivido, geração após geração. Um censo, conduzido pelos romanos em 48, indicou que 7 milhões de judeus viviam no vasto Império Romano. Talvez até 9% da população do império fosse judia, uma proporção de judeus maior que a que habitava a Europa às vésperas da Segunda Guerra Mundial. Outros 5 milhões de judeus viviam em partes da Ásia Menor e da África, que ficavam além do império. À medida que as condições políticas se deterioravam na Palestina e à medida que cada vez mais judeus decidiam partir, a cidade da Babilônia tornou-se o lar de vivazes teólogos judeus.

As sinagogas dos judeus podiam ser encontradas desde a Sicília até o Mar Negro, no sul da Arábia e na Etiópia. Apenas as sinagogas em Roma serviam a cerca de 50 mil judeus. Em muitos povoamentos judeus afastados, a sinagoga permanecia o centro da vida social, abrigando uma biblioteca e, às vezes, até um hospício. Essas sinagogas distantes eram um testemunho da generosidade das congregações, às quais muitos dos membros doavam um décimo de sua renda anual.

A religião dos judeus, embora inicialmente só para os judeus, há muito tempo havia aumentado seu poder de atração. Muitos pagãos e outros não-judeus freqüentavam a sinagoga e aceitavam seu código de ética e sua visão de mundo, embora não necessariamente se submetessem à pequena cirurgia e importante ritual da circuncisão. Em muitas sinagogas nas partes orientais do Império Romano durante o século 1º a.C., a língua hebraica fora substituída; a congregação orava e ouvia as escrituras lidas em voz alta em grego.

O conjunto de sinagogas no Mediterrâneo e no interior da Ásia Menor tornou-se um foro inicial para a disseminação dos ensinamentos de Cristo. São Paulo foi o primeiro convertido de maior expressão. Ele não havia falado com Cristo nem ouvido suas pregações e, de início, opunha-se ao seguimento de seu culto, vendo-o como um perigo à tradicional religião dos judeus. A atitude de Paulo foi transformada, entretanto, por uma experiência mística na estrada de Damasco, e ele tornou-se um fervoroso missionário cristão. Mais ou menos 14 anos depois da morte de Cristo, ele começou a remodelar a Igreja que nascia. Paulo possuía qualidades pouco comuns: sentia-se em casa dentro de uma sinagoga – seus pais eram judeus e ele mesmo havia sido treinado para ser um rabino; tinha cidadania romana, o que lhe dava um passaporte aos círculos oficiais, e falava grego, a língua dos homens cultos.

Embora os primeiros a se converterem ao cristianismo tenham sido principalmente judeus, outros foram igualmente atraídos. Em pouco tempo, muitas pessoas que não tinham nenhuma ligação com as sinagogas escutaram a mensagem cristã e começaram a se reunir em casas particulares ou em salões públicos. A questão de quem podia se tornar cristão era cada vez mais debatida dentro das novas congregações. Muitos judeo-cristãos faziam objeção aos que vinham de fora, pois viam o cristianismo como simplesmente uma ramificação da própria religião. Foi na cidade de Antioquia, no sul da atual Turquia, que esse dilema foi debatido pela primeira vez com vigor.

Em Antioquia, uma ou duas décadas depois da morte de Cristo, a questão de a quem se deveria permitir tornar-se membro integral da Igreja Cristã foi resolvida a favor dos internacionalistas, em vez dos judeus. Todos que se aproximassem em estado de arrependimento podiam tornar-se cristãos. Isso inevitavelmente levou a uma divisão cada vez maior entre as sinagogas e as novas igrejas cristãs; cada uma competia pelos mesmos devotos, fossem eles judeus ou pagãos. Enquanto muitas das congregações cristãs consistiam exclusivamente de judeus, cada vez mais as novas congregações atraíam pessoas de todas as raças e formações. São Paulo enfatizou esse segmento totalmente acolhedor quando escreveu sua carta de grande influência aos gálatas: "Não há judeu nem grego, não há escravo nem homem livre, não há homem nem mulher, pois vós sois todos um só em Cristo Jesus."

No primeiro século após a crucificação de Cristo, seus seguidores viviam principalmente nas cidades, em vez de nos vilarejos e no interior. As mulheres provavelmente eram a maioria dos cristãos. Aqueles que se apegavam à Igreja nesses anos difíceis tinham de ser corajosos. Os imperadores, em Roma, ocasionalmente se voltavam contra os cristãos. O imperador Nero Cláudio os culpou pelo famoso incêndio de Roma, em 64. Em um tipo de competição comum naqueles dias, muitos cristãos levavam chifradas de animais selvagens até morrerem na presença de uma multidão de espectadores.

105

Em suas contendas interiores sobre a questão de até que ponto seguir as regras da sinagoga, os primeiros cristãos não tinham certeza se deviam descartar as rígidas regras dos judeus em relação à alimentação. Muitos dos primeiros a se converterem ao cristianismo, sem dúvida, seguiram as proibições dos judeus de ingerir carne de porco, mariscos e outras comidas. Paulo, embora fosse judeu, era mais flexível nesse ponto; em resposta ao argumento de que algumas comidas eram naturalmente impuras, ele decretou que "nada é impuro em si". Paulo era visto por inúmeros judeus como um traidor de sua fé; por isso, foi atormentado e perseguido por eles.

Por fim, a maioria dos primeiros cristãos, sabendo que a última ceia de Cristo na presença de seus discípulos tinha sido um momento de grande importância, adotou uma atitude positiva em relação à comida. Como o vinho tinha sido parte da última ceia, foi coroado junto com o pão na cerimônia especial conhecida como o sacramento da eucaristia. Fazer uma refeição com os dois juntos tornou-se o costume simbólico nas primeiras cerimônias religiosas.

Aqueles que tinham conhecido Cristo tornaram-se os primeiros líderes da Igreja e, obviamente, eram judeus. Pedro, antes um pescador, era o discípulo mais velho após a morte de Cristo e, segundo dizem, foi quem liderou inicialmente a Igreja em Roma. Com o passar do tempo, os nativos italianos tomaram a dianteira. Linus, provavelmente um nativo da Toscana, tornou-se o bispo de Roma, ou papa, não muito tempo depois da perseguição de Nero aos cristãos.

Em Roma e nas cidades mais afastadas e de difícil acesso do Império Romano, multidões – com a presença de alguns judeus, às vezes – atacavam com violência os cristãos. A lista de mártires crescia cada vez mais. Como era raro que os cristãos fossem a maioria da população em qualquer cidade ou vila maior do império, eles dependiam da tolerância que lhes era concedida pelos outros. Teriam sido mais tolerados se tivessem sido mais afirmativos. Às vezes, não prestavam homenagem suficiente àqueles imperadores romanos que, cada vez mais, viam-se como semelhantes aos deuses.

O cristianismo tornou-se como um sapato nas mãos de cem sapateiros, assumindo muitas formas diferentes até o ano 300. De província para província, a Igreja em expansão diferia em suas crenças e rituais. Um mercador e sua esposa que se transferissem de uma congregação na Ásia Menor para uma na Itália provavelmente teriam um choque quando vissem pela primeira vez seu novo pastor executar os rituais ou explicar sua teologia.

O DOMINGO, O SAL E AS ESCRITURAS

A atual forma do cristianismo, as observâncias e os dias santos apareceram aos poucos. A princípio, o domingo não era necessariamente o dia do Senhor. Os judeus haviam reverenciado o sábado como seu dia e, de início, os cristãos tendiam a reverenciar esse dia como o coração da semana. São Paulo começou a conferir ao domingo o dia de reverência, uma vez que era o dia da ressurreição de Cristo. Quando o imperador Constantino tornou-se cristão e fez com que o Império Romano entrasse em conformidade com sua nova fé, sua lei de 321 declarou o domingo como sendo o dia de adoração na cidade, porém, não no interior. Lá, as vacas e cabras tinham de ser ordenhadas, a colheita feita e a terra arada, independentemente do dia da semana.

A Páscoa logo se tornou a época especial do calendário dos cristãos, mas sua data exata não foi escolhida facilmente. Ao longo da costa da Ásia Menor, o coração inicial da Cristandade, a princípio o dia de Páscoa não era no domingo. Durante anos, os teólogos cristãos discutiram sobre o dia ideal em que a Páscoa deveria cair. Seu desacordo foi mais estridente em 387; naquele ano, na Gália, o Domingo de Páscoa foi celebrado em 18 de março. Na Itália, aconteceu exatamente um mês depois e, em Alexandria, foi ainda mais tarde, sendo celebrado em 25 de abril. No século 7.º, uma região da Inglaterra celebrava o Domingo de Ramos no mesmo dia em que outra parte celebrava a Páscoa. A unidade da cristandade era freqüentemente muito precária.

Muitos dos dias especiais do ano cristão vieram bem mais tarde. Durante três séculos, as primeiras igrejas ao redor das margens do Mediterrâneo não celebraram o nascimento de Cristo. Com o tempo, os cristãos, com bastante sensatez, aproveitaram a oportunidade dos festivais populares, que há muito tempo tinham sido reservados para marcar o dia mais curto do ano no Hemisfério Norte. Assim, em Roma, o dia 17 de dezembro, um dia de festividades pagãs conhecido como Saturnália, acabou sendo tomado à força pelos cristãos e mudado para 25 de dezembro, quando foi proclamado como o dia do nascimento de Cristo. Mesmo quando Roma decidiu de uma vez por todas celebrar o atual dia de Natal, os cristãos em Jerusalém aderiram, ao contrário, ao dia 6 de janeiro.

Como o dia do nascimento de Cristo, o dia especial reservado a Maria, a mãe de Cristo, demorou a achar um lugar no calendário cristão. Em 431, o Conselho de Éfeso deu a Maria um papel de honra, e o seu dia, 25 de março, cada vez mais se tornou conhecido como o Dia da Anunciação. À medida que crescia o culto a Maria, um culto de menos vulto se desenvolveu em torno da mãe dela, Ana, e um dia chamado de "a concepção de Sant'Ana" acabou sendo reverenciado na cidade italiana de Nápoles. Por centenas de anos, Maria recebeu mais veneração nas igrejas do Oriente do que nas do Ocidente.

O cristianismo lentamente adaptou alguns de seus rituais vindos da vida cotidiana dos romanos. Por exemplo, quando um bebê romano chegava ao seu oitavo dia, alguns grãos de sal eram colocados em seus pequeninos lábios, na crença de que o sal afastaria os demônios que, do contrário, poderiam prejudicar a criança. Quando a Igreja Cristã, em seu início, batizava seus novos seguidores, ela benzia um bocado de sal e, imitando o costume romano, dava-o aos batizados. Isso era para manter o ensinamento de Jesus que, sabendo como os pobres desperdiçavam no uso do sal, escolheu o sal como símbolo para o que era precioso e raro. Quando subiu às montanhas, Jesus dissera a seus discípulos: "Vós sois o sal da terra."

Em muitos dos lugares em que grandes quantidades de cristãos se reuniam, eles se envolviam em debates animados entre si. Discutiam porque vinham de várias partes do Império Romano, discutiam porque Cristo às vezes falava em parábolas e não deixava muito claro seu significado para aqueles que ouviam sua mensagem em segunda mão, discutiam porque confiavam naqueles que, depois da morte de Cristo, escreveram seus ensinamentos e ofereceram visões conflitantes do mesmo sermão ou milagre. E, às vezes, os cristãos discutiam entre si, porque cada um lia nas palavras de Cristo o que eles próprios queriam ler. Ainda assim, um sinal de unidade era inegável; os viajantes geralmente se sentiam em casa, pelo menos em espírito, quando entravam numa igreja cristã longe de sua terra natal.

Por pelo menos quatro séculos, o cristianismo foi como um metal quente despejado de fornos em moldes de formatos variados. Às vezes, um forno quase explodia ou o fogo era apagado. Freqüentemente, os fornos eram remodelados e, muitas vezes, eram ampliados. Os moldes eram mudados repetidas vezes, de forma que, se os primeiros seguidores de Cristo tivessem voltado a viver, não teriam reconhecido muitas das crenças e rituais da Igreja que eles tinham ajudado a fundar. Teriam ficado mistificados por outro fato: o fim do mundo, tão iminente a seus olhos e um estímulo tão insistente em suas crenças profundas, ainda aguardava no futuro.

Enquanto isso, a cidade de Roma estava deixando de ser o coração do vasto império. Os exércitos e sua procissão de generais famosos começaram a substituir as velhas instituições de Roma como centros do poder. Além disso, a capital situava-se na extremidade ocidental de um império cuja verdadeira riqueza e equilíbrio populacional se encontrava na extremidade oposta do Mar Mediterrâneo. Conseqüentemente, no ano 285, o império foi dividido, por facilidade administrativa, em dois: o Império do Ocidente, governado a partir de Milão, e o Império do Oriente, ou principal, governado a partir da cidade de Nicomédia, localizada no Mar de Mármara, a cerca de cem quilômetros a leste da atual cidade de Istambul, florescendo, em pouco tempo, com majestosos edifícios.

109

Na história, muitos acontecimentos fundamentais são moldados por forças, movimentos e fatores escondidos, mas, ocasionalmente, uma pessoa quase sozinha muda a direção do mundo. Um menino que vivia na cidade de Nicomédia, em seus anos de maior orgulho, quando batalhões de pedreiros praticamente se atropelavam, veio a ser um desses moldadores de grandes acontecimentos. Constantino era filho de um oficial de exército que subiu de cargo rapidamente e tornou-se o imperador da metade ocidental do império. Quando o imperador Constantino foi morto em batalha em York, na Inglaterra, em 306, o filho, com pouco mais de 20 anos, foi aclamado pelo exército como sucessor de seu pai. Constantino provou ser um grande general. Para surpresa de muitos, ele era extremamente solidário com o cristianismo. Na França, 6 anos depois, ele se converteu. Em suas campanhas militares daí em diante, trazia consigo uma capela portátil, que seus serviçais podiam rapidamente instalar dentro de uma barraca, possibilitando, assim, que os serviços religiosos fossem realizados para ele e seus companheiros em questão de poucos minutos.

Constantino acreditava que o cristianismo era intrinsecamente adequado a ser seu aliado. Não desejava dominar o Estado, por estar há muito tempo acostumado a um papel mais humilde. Com a tendência de ser internacionalista, não mostrava o fervoroso sinal nacionalista às vezes visível no judaísmo. Podia se encaixar perfeitamente num império multirracial. Por tratar a todos de forma igual, o cristianismo parecia bastante adequado a um império composto por gregos, judeus, persas, eslavos, germanos, ibéricos, romanos, egípcios e muitos outros. Seu único defeito era que nem sempre demonstrava respeito ao imperador e sua pretensão à divindade, mas, uma vez que Constantino se tornou cristão, esse defeito foi automaticamente eliminado.

Na história do cristianismo, nenhum outro acontecimento desde a crucificação de seu fundador foi tão influente quanto a mudança de atitude do jovem imperador Constantino no ano 312. Ele ofereceu tolerância cívica aos cristãos e restaurou propriedades que lhes tinham sido confiscadas. Com sua mãe, começou a construir grandiosas igrejas, uma das quais em local tão distante quanto Jerusalém.

Até então, os cristãos provavelmente não haviam constituído mais do que um em cada 12 habitantes do vasto Império Romano. Mas agora, de repente, sentados em posição privilegiada ao lado do imperador, seus adeptos rapidamente se multiplicaram. Pela primeira vez, havia mais pessoas dentro do império freqüentando os cultos cristãos de adoração, aos domingos, do que as sinagogas, aos sábados. Os residentes das cidades que um dia poderiam ter escarnecido dos cristãos viam-se perguntando se, no novo clima religioso, eles poderiam ganhar promoção ou favores seculares se fossem vistos freqüentando um local de adoração cristão.

Em contrapartida, as sinagogas, que por vezes tinham estado a favor dos governadores romanos, eram agora desprezadas. Em menos de um século, os judeus perderam seu direito de casar-se com cristãos, a não ser que mudassem de religião, e perderam seu direito de servir o exército. Não podiam tentar converter outras pessoas à sua religião; em vários lugares, as multidões destruíam sinagogas. Os padrinhos do cristianismo foram, na verdade, declarados ilegítimos. Na era anterior, alguns judeus em algumas cidades tinham tentado prejudicar os cristãos, voltando as autoridades romanas contra eles. Mas agora a banda tocava do outro lado, e tocava mais alto, e cada vez mais.

Constantino não era um cristão muito ortodoxo (ele colaborou para que seu filho fosse morto), mas não se desviou de sua crença de que Deus estava a seu lado. A seus olhos, havia uma só religião e aqueles que não aderissem a ela eram uma ameaça ao império. Tornou-se ainda mais fervoroso em sua fé.

Constantino morreu em 337 e foi enterrado na ainda pequena cidade de Constantinopla, que ele havia planejado. O auge de Roma havia nitidamente passado e perdido sua supremacia para essa nova cidade do Oriente.

Nenhum dos impérios, do Ocidente ou do Oriente, estava sob controle total. Os guerrilheiros avançando das estepes eram cada vez mais capazes de vitória. Os hunos, que provavelmente falavam turco, haviam chegado pela primeira vez ao Rio Don, na Ucrânia, em 370. Dezoito anos depois, estavam acampados próximos ao Mediterrâneo. Roma, acostumada a esses ataques sucessivos de "bárbaros", acumulara uma longa história de sucessos contra eles, mas agora se via incapaz de repeli-los. Inimigos vindos do centro da Europa não encontravam dificuldades para entrar na Itália, nem mesmo para se aproximar de Roma. A famosa cidade fora semidestruída em 410 e, novamente, em 455. As pessoas fugiram da cidade que, por tanto tempo, tinha sido a meca de migrantes. Roma decaiu com velocidade alarmante.

A civilização romana era poderosa, mas até que ponto? Herdou muito dos gregos, mas não foi tão criativa quanto a Grécia. Roma tinha mais preparo em conflitos de guerra do que os gregos e teve mais sucesso ao impor o primeiro ingrediente fundamental de uma civilização: a lei e a ordem. Roma criou a vasta área livre de comércio ou mercado comum e, por um longo período, manteve suas fronteiras em relativa paz, medida pelos padrões de guerra da história humana. Os romanos moldaram o que ainda é chamado de direito romano, o sistema legal adotado pela maioria dos povos da Europa e da América do Sul. Foram, provavelmente, os melhores engenheiros do mundo até aquela época, construindo aquedutos impressionantes, que forneciam um abastecimento seguro de água para as cidades, e construindo estradas que duraram séculos.

Os romanos deixaram para trás uma literatura esplêndida. Eles a transmitiram em latim, que foi a língua compartilhada pela Europa por aproximadamente 2 mil anos. Mesmo no início do século 20, o latim continuou sendo a língua das orações e dos rituais para o principal domínio cristão do mundo e uma segunda língua em terras européias. Além disso, o latim permanece vivo e eloqüente através das línguas neolatinas que dominam a América Central e do Sul, cuja existência era desconhecida dos romanos. Mesmo no Leste Europeu, a língua romena usa uma gramática baseada no latim. Acima de tudo, a última fase da história romana deu a bênção oficial ao cristianismo. Estava aí uma plataforma de lançamento mais poderosa que a de qualquer outra religião na história do mundo.

Por que o Império Romano veio a decair? Essa é uma das questões fascinantes da história e aberta a uma combinação de respostas que vão do envenenamento por chumbo na capital e exaustão do solo no interior até a ascensão do cristianismo. Os hunos e outros invasores externos foram importantes, mas suas invasões foram bem-sucedidas em parte porque encontravam menos resistência. O império praticamente decaiu a partir de um desses pontos. Quase certamente a questão mais importante – e de difícil compreensão – é por que o império durou tanto tempo. A ascensão e a decadência constituem o padrão normal das instituições humanas; é mais fácil ascender do que permanecer no topo.

É extraordinário que uma cidade que em 200 a.C. estava se tornando o mais poderoso dos Estados do Mediterrâneo tenha ainda dominado a civilização ocidental por mais de 5 séculos. A extensão de seu domínio pode ser avaliada mais facilmente se transposta para uma cronologia moderna; é o equivalente a uma nação que tenha dominado a maior parte da Europa durante o auge de Colombo e ainda mantenha a supremacia na presidência de Bush e Fidel Castro.

O RIVAL

Constantinopla era uma cidade nova surgindo no meio da velha cidade de Bizâncio. Fundada pelos colonizadores gregos no século 8º a. C., a velha cidade tinha sido tomada por inimigos e, às vezes, saqueada, mas sempre era reconstruída. Situava-se num triângulo de terra suntuoso, banhada pelo mar por dois lados. Comandando uma rota comercial vital e a única entrada para o Mar Negro, sua posição era simbólica e estratégica ao mesmo tempo, pois estava bem na borda da Europa e a uma distância de poucas remadas da Ásia.

Para ampliar o espaço de vivência e de construção dessa nova cidade, muros externos foram construídos a alguma distância dos muros anteriores e, mais tarde, o perímetro desses muros se abriu ainda mais, tão rápido era o crescimento da cidade. Muros largos eram necessários, pois a cidade veio a ser sitiada nove vezes entre os anos 600 e 1100. Nesse meio-tempo, tornou-se uma maravilha do mundo ocidental – somente a China possuía cidades maiores.

Constantinopla foi a primeira cidade projetada para proporcionar locais proeminentes para igrejas cristãs. Em pouco tempo, as igrejas tornaram-se numerosas. Os visitantes desejavam de modo especial rezar em um dos prédios mais nobres do mundo, a Hagia Sofia ou "Divina Sabedoria". Sua cúpula foi reconstruída após o terremoto de 559, e a igreja foi convertida, quase um milênio depois, em uma mesquita encimada por minaretes.

> CONSTANTINOPLA TORNOU-SE UMA MARAVILHA DO MUNDO OCIDENTAL; SOMENTE A CHINA POSSUÍA CIDADES MAIORES.

Quando um bispo ou patriarca era consagrado na nova cidade, em pouco tempo seu *status* espiritual disputava com o do papa, em Roma. Como Constantinopla contava com o palácio do imperador romano, esse fato aumentava o *status* do bispo. Mesmo na questão do idioma, as Igrejas do Ocidente e do Oriente eram separadas. O grego era a língua da Igreja

113

Oriental e o latim, a da Igreja de Roma. Como Roma e Constantinopla eram separadas por um tempo de viagem que podia levar até um mês quando os mares estavam revoltos ou os ventos inóspitos, elas nem sempre mantinham contato. Além disso, Constantinopla agora tinha mais de 500 mil habitantes, enquanto Roma, à mercê dos invasores bárbaros, havia definhado tanto que não tinha mais de um décimo dessa população.

No decorrer de muitos séculos, as Igrejas do Ocidente e do Oriente, ou a católica e a ortodoxa, separaram-se em sua teologia e em sua organização. Assim, os católicos, mas não seus rivais, acreditavam no purgatório, uma morada no meio do caminho para o céu, onde os mais merecedores dos mortos recebiam punições conforme adequado. Na Igreja Ortodoxa, a divisão entre os leigos e o sacerdote não era tão pronunciada como na Igreja Católica e, além disso, um homem casado podia ser ordenado padre. Em suas congregações, os leigos também podiam pregar, mas aos católicos não era dado tal privilégio. Nesse sentido, a Igreja Protestante, que veio a aparecer no norte da Europa, tem bastante semelhança com a Ortodoxa.

Assim, o cristianismo perdeu sua unidade. Mas a diversidade, com o passar do tempo, talvez tenha sido uma de suas forças. O cristianismo, por ser facilmente compreendido e adaptável a novas culturas, trouxe esperança e, às vezes, medo a centenas de milhões de pessoas. Seu novo rival, o Islã, apresentava essas mesmas qualidades.

CAPÍTULO 11
O SINAL DA LUA CRESCENTE

O Islã é geralmente um enigma. O Ocidente tende a envolver suas origens em mistério. Presume-se que o Islã, originário de terras de camelos e de pastores nômades, deva ser um espelho das idéias de um povo simples para o qual qualquer coisa maior que uma barraca era uma visão desconhecida. Na verdade, o Islã surgiu mais de cidades muradas do que do deserto. Surgiu mais de mercadores que estavam em contato semanal com o mundo externo do que de pastores de rebanhos. Mais de cidades à sombra de montanhas pontiagudas e acidentadas e de cidades próximas ao mar ou no centro de oásis irrigados do que das areias vermelhas sopradas pelo vento e da solidão árida do interior. Algumas das cidades da Arábia eram portos movimentados, e muitos árabes podiam pilotar um navio rumo ao mar com a mesma facilidade com que outros conduziam uma caravana de camelos. Comercializavam com a Índia e o leste da África por mar, e com a Ásia Menor, por terra.

Meca, que se tornou o local de nascimento do Islã, situava-se a pouco mais de 60 quilômetros do Mar Vermelho. Dependia do comércio de longa distância, situada que estava dos dois lados da rota terrestre que ia desde o sudoeste mais fértil da Arábia, cruzando o deserto, até o Mediterrâneo. Essa rota, servida por fileiras de camelos que transportavam carga, foi um estágio fundamental em uma das rotas comerciais que ligavam terras tão distantes entre si, como a Índia e a Itália. Dois dos produtos comercializados ao sul da Arábia eram a mirra, que custava muito caro, e o olíbano, ambos usados para fazer incenso, perfume, fluidos embalsamantes e os óleos de ungir usados pelos sacerdotes judeus. Há grande probabilidade de que os valiosos presentes de mirra e incenso apresentados ao menino Jesus tenham, na verdade, sido transportados em camelos por essa rota comercial do deserto, atravessando Meca. Às vésperas da fundação do Islã, a rota terrestre florescia, talvez porque fosse uma alternativa segura durante as longas guerras entre a Pérsia e Bizâncio.

Maomé, o fundador do Islã, nasceu em Meca em 570. Quando jovem, perdeu o pai e a mãe. Os árabes, por serem marinheiros do deserto, às vezes enviavam suas crianças ou jovens como aprendizes com as caravanas de camelos que mantinham comércio em cidades distantes, e Maomé partiu em uma dessas caravanas. À noite, o menino órfão aprendeu a identificar muitas das estrelas do brilhante céu noturno e a saber a hora em que a Lua apareceria acima da linha do deserto: a Lua veio a ser o símbolo de sua fé.

Maomé era extremamente inteligente e impressionou sua rica empregadora, uma viúva. Eles se casaram quando ela estava com 40 anos e ele, 25. Ela lhe deu dois filhos, que morreram ainda crianças, e quatro filhas. É curioso observar que o fundador de uma religião, hoje reconhecida por sua sujeição de mulheres, deva tanto a uma mulher. Maomé provavelmente não poderia ter lançado uma nova religião, não fosse o apoio financeiro da esposa, numa época em que ele era atacado por oponentes.

Como comerciante e mensageiro, Maomé viajou a cidades distantes onde aprendeu muito sobre as idéias desse mundo externo. Absorveu idéias do judaísmo e do cristianismo, não em apenas um suspiro profundo, mas em pequenos suspiros. Em 610, ele viveu um despertar religioso intenso durante o qual recebeu a mensagem de que havia somente um deus, uma idéia não defendida pelas religiões tribais de sua terra.

Maomé sentiu que estava cheio do espírito de Deus. Pregou suas idéias com fervor: era um poderoso persuasor. Fez inimigos, também: quando começou a criticar os peregrinos pagãos que idolatravam a pedra negra sagrada de Meca. Meca era uma cidade de peregrinos, bem como de mercadores, e sua vida econômica dependia do turismo religioso, assim como do comércio. Muitos que vinham como peregrinos ficavam mais tempo para comercializar por alguns dias. O fato de Maomé criticar a idolatria e a adoração da pedra negra pode ser comparado com o atual prefeito de Veneza defendendo uma proibição formal à entrada de turistas.

Maomé sabia que suas perspectivas em Meca eram pequenas. Em 622, depois de fazer cuidadosos planos, ele fugiu pelas montanhas da costa e pelos cursos de água secos até Medina, uma cidade a menos de 400 quilômetros ao norte. Situada no meio de um oásis de tamareiras e campos irrigados de cereais, Medina se tornou seu lar. O dia de sua chegada, 24 de setembro de 622, veio a tornar-se o primeiro dia do novo calendário islâmico. Em Medina, tornou-se o governante espiritual e secular. Enquanto os primeiros cristãos tinham sido, geração após geração, uma minoria sem nenhum poder político, o islamismo logo se tornou a religião dominante em sua cidade e distrito escolhidos e o detentor de todo o poder político.

A GUERRA SANTA

Maomé silenciosamente declarou guerra aos principais comerciantes de Meca. Enviou forças para atacar suas ricas procissões de camelos carregados que passavam pelas proximidades de Meca, a caminho de cidades distantes ou voltando delas. Em 626, ele planejou atacar uma caravana que supostamente consistia em mil camelos; embora Meca soubesse do plano e movimentasse forças

> MAOMÉ ERA UM GENERAL HÁBIL, FIRMANDO ALIANÇAS COM TRIBOS NÔMADES, MUITAS DAS QUAIS ERAM CRISTÃS.

superiores, sofreu uma derrota surpreendente. Meca, a cidade maior e mais rica, deveria ter sido capaz de vencer Medina, mas Maomé era um general

Área conquistada pelo Islã, 666 d.C.

Área conquistada pelo Islã, por volta de 945 d.C.

4 AS CONQUISTAS DO ISLÃ

118

hábil; muitas de suas tropas eram entusiastas, e ele aumentou sua força militar firmando alianças com tribos nômades, muitas das quais eram cristãs. Em 630, Maomé apropriou-se de Meca sem nenhuma dificuldade.

Sua crença tomou forma com rapidez e precisão. Suas regras eram simples. Os seguidores tinham de orar cinco vezes por dia, voltados em direção a Meca: o primeiro homem a invocar o muezim ou convocar os fiéis para as preces veio a ser um negro. O dia sagrado era sexta-feira, o que distinguia os maometanos dos judeus, com sua adoração aos sábados, e dos cristãos, aos domingos. Os seguidores devotos deviam tentar fazer uma peregrinação a Meca ao menos uma vez na vida. Tinham de dar generosamente aos pobres e tinham de jejuar entre o nascer e o pôr-do-sol no mês lunar chamado ramadã. A regra do jejum hoje parece ser rígida, mas, na época, a maioria dos cristãos também jejuava durante 40 dias no período que antecedia a Páscoa. Outras regras protegiam os seguidores do Islã dos perigos morais, embora as mulheres fossem mais protegidas que os homens. As mulheres usavam véus em público para que seus rostos não pudessem ser vistos. Por outro lado, os homens mais ricos podiam ter quatro esposas cada um, e Maomé, em seus últimos anos, também dormia com Mariya, uma concubina de origem copta.

O Islã reteve, talvez mais que qualquer outra das cinco religiões mais poderosas do mundo, um traço das antigas religiões pagãs. Conservou um senso de admiração pelo universo e pelo céu e, além disso, a Lua tinha um lugar mais destacado no Islã do que em qualquer outra religião. A Lua crescente era freqüentemente vista como um símbolo do Islã e, hoje, aparece nas bandeiras de muitas nações islâmicas. O calendário islâmico era baseado na Lua, e não no Sol, e é por isso que a festa do ramadã é mutável e nunca permanece por muito tempo no mesmo mês. Talvez a Lua também tenha tido um lugar especial na imaginação dos povos que viviam no deserto ou próximos dele. À noite, as nuvens raramente escondiam a Lua e, numa noite típica, ela era o principal espetáculo no céu noturno.

As pregações de Maomé foram reunidas no livro *Alcorão*, que foi escrito em árabe; poético e freqüentemente de grande inspiração, simples e enfático, era a bíblia da nova religião. Era bem menor que o Antigo Testamento dos judeus e um pouco mais longo que o Novo Testamento dos cristãos, chegando a um total de 78 mil palavras. Pintava as alegrias do céu que esperava pelos que verdadeiramente acreditavam nele.

Quando Maomé tomou Meca em 630, ele já estava a caminho da unificação da Arábia, há tanto tempo dividida. Morreu dois anos depois e foi enterrado em Medina. Uma mesquita surgiu sobre seu túmulo que, como local de peregrinação, é o segundo mais visitado, depois de Meca.

Maomé ainda não era visto como o salvador dos países vizinhos, mas seus exércitos começaram a conquistar uma vitória atrás da outra, longe de casa. As primeiras vitórias ressoaram. Os inimigos no exterior começaram a cair tão facilmente quanto os de casa. A cidade de Damasco foi tomada em 635, e Jerusalém, um ano mais tarde. Muitos cristãos esperavam que a perda de Jerusalém para a nova religião militante fosse apenas temporária, mas essa cidade sagrada do cristianismo acabou sendo controlada pelo Islã por aproximadamente 1.100 dos 1.300 anos seguintes.

Menos de vinte anos após a morte de Maomé, sua religião e sua espada dominaram das fronteiras do Afeganistão, no Oriente, até Trípoli, no Ocidente, uma distância de quase 5 mil quilômetros. A forte invocação das preces podia ser ouvida às margens do Mediterrâneo, do Mar Negro, do Mar Cáspio, do Golfo Pérsico e do Mar Vermelho. As lanças do Islã continuavam a ser fincadas em todas as direções. Logo alcançaram o Estreito de Gibraltar, na porta de entrada do Atlântico. Em direção ao Oriente, alcançaram a desembocadura do Rio Indo, no Oceano Índico. As cidades de Multan, no atual Paquistão, e Samarcanda, na Ásia Central, foram tomadas em 712 e, um ano depois, no Ocidente, Sevilha, na Espanha, foi controlada pelo Islã.

No século 9º, quase todas as grandes ilhas do Mediterrâneo tornaram-se cidadelas islâmicas, até mesmo Sicília, Sardenha, Malta e Creta. Por um tempo, a costa sul da França e a costa da Itália, onde esta tem a forma de um salto de bota, tornaram-se islâmicas. Os conquistadores já adentravam o Deserto do Saara. Até a fronteira oeste da China parecia estar sob seu controle. No fim do século 10º, a mensagem penetrou terras longínquas, como a Índia. Depois, com o tempo, a linha do horizonte a noroeste e do vale do Rio Ganges, mas nem tanto o sul, estava pontilhada de mesquitas. A disseminação da crença nas ilhas da Indonésia e da Península da Malásia foi mais lenta e, no ano 1200, ninguém poderia ter previsto o que aconteceria: a Indonésia seria a nação islâmica mais populosa do mundo.

Em triunfo quase contínuo, um golpe devastador atingiu o coração do Islã. No ano 930, Meca foi visitada não pelos fiéis, mas por invasores que levaram consigo a pedra negra sagrada até Bahrein, onde permaneceu em exílio por várias décadas.

O Islã não era um império centralizado dentro dos padrões romanos, mas por toda parte seus seguidores adoravam o mesmo deus e reverenciavam o mesmo livro. Além disso, o árabe era sua língua unificadora praticamente da mesma forma que o latim e o grego haviam sido em grande parte do Império Romano. Considerando-se as comunicações e as armas da época, o império do Islã era muito vasto para ser governado de uma cidade central. Mas sua criação foi uma conquista extraordinária e, vista em seu contexto, faria parecer pequena a notável disseminação do comunismo na primeira metade do século 20.

O TRIUNFO NA ÁFRICA

Adentrando a África, o Islã se estendeu para além das fronteiras externas do Império Romano. Rapidamente, atravessou o Mar Vermelho até a margem oposta da Arábia, enquanto o profeta ainda estava vivo. Na mesma época, alcançou, mas não dominou, o reino cristão de Núbia, que controlava o território nos dois lados do alto Rio Nilo. Já no século 8º, portos do leste da África ressoavam com a invocação das preces vindas das pequenas mesquitas e, ao sul do deserto do Saara, uma longa faixa de terra que se estendia até o Oceano Atlântico recebeu seus primeiros mercadores islâmicos. O *Alcorão* foi difundido na África principalmente por persuasão e exemplo. Na maioria dos portos e nas cidades de comércio do interior, ganhou a conversão de somente uma fração dos cidadãos.

Os povos do deserto com seus rebanhos de camelos e seus acampamentos móveis eram mais solidários com a nova religião que os fazendeiros das terras férteis. Os nômades do deserto achavam que a religião poderia não só dar a suas vidas um novo significado, mas encaixar-se perfeitamente em suas andanças. No Islã, um grupo não precisava necessariamente de uma mesquita para seus serviços de sexta-feira, tampouco precisava de um sacerdote, nem mesmo para os funerais. Para os andarilhos, uma religião que não requeria sacerdotes nem igrejas era extremamente prática.

A difusão da nova religião e da nova forma de vida foi conduzida por uma língua estrangeira; o árabe era a única língua de culto do Islã. Os convertidos aprendiam de cor as passagens principais do *Alcorão*, entendendo-as da melhor forma que podiam, enquanto as recitavam com fervor. Com a religião, vieram novos tabus sobre as comidas; os vilarejos africanos que elegiam o porco assado como uma refeição memorável em breve abandonaram esse prazer, e alguns vilarejos, onde a cerveja feita em casa era muito apreciada, também se viram abandonando o hábito para sempre. Com a religião, veio uma grande quantidade de contatos comerciais; os comerciantes islâmicos faziam negócios em mercados ao ar livre, em lugares tão distantes uns dos outros como Mombasa, Cantão e Timbuktu.

O Islã proclamava o parentesco de todos os povos, mas a idéia não se estendia completamente aos escravos. Os comerciantes islâmicos escoltavam escravos e escravas em longas jornadas até o ponto de venda, embora raramente escravizassem pessoas de sua fé. Muitos dos escravos que, séculos mais tarde, foram despachados em navios para as Américas pertenciam a terras onde o Islã há muito era uma grande força, mas relativamente poucos desses escravos eram islâmicos fervorosos. Assim, nas plantações americanas, o Islã não fincou raízes profundas, deixando o terreno livre para o cristianismo.

> O ISLÃ PROCLAMAVA O PARENTESCO DE TODOS OS POVOS, MAS A IDÉIA NÃO SE ESTENDIA COMPLETAMENTE AOS ESCRAVOS.

CAPÍTULO 12
OS GANSOS SELVAGENS CRUZAM AS MONTANHAS

A China era muito mais um importador do que um exportador de religiões. As novas religiões viajavam pela rota da seda, atravessando a Ásia, mas não na mesma direção que esse produto. Na história do mundo, essa rota raramente transportou na mesma direção, sucessivamente e em pouco espaço de tempo, uma tão longa procissão de missionários de novas religiões. Assim, os monges e missionários sírios levaram para o Oriente a versão do cristianismo conhecida como nestorianismo. Na cidade chinesa de Sião, o ponto final da rota da seda, há uma maravilhosa placa de pedra registrando a chegada de um missionário cristão nestoriano, no ano 635.

Mercadores judeus viajaram ao longo da estrada gramada e, na cidade chinesa de Kaifeng, estabeleceram sua sinagoga, que florescia ainda em 1163, muito tempo depois de as igrejas cristãs na China Ocidental terem desaparecido. Ela foi reconstruída quatro vezes nos 500 anos seguintes. Nessa época, seu pequeno grupo de seguidores deve ter perdido todos os contatos pessoais com a terra descrita de forma tão vívida no Antigo Testamento.

O Islã entrou na rota da seda viajando com caravanas e exércitos. Metade da rota estava sob controle islâmico por volta do início século 7º, quando até a cidade murada de Tashkent era uma posse islâmica. Alguns muçulmanos, em suas caravanas, comercializavam em toda a sua extensão, que ia até a China Ocidental, onde acabaram tendo mais sucesso na conversão de fiéis do que os cristãos, judeus ou as seitas mistas da Pérsia.

Foram os budistas, vindos da Índia, os que mais conseguiram infiltrar-se na China. Alguns subiram a pé os vales dos Rios Ganges e Irrawaddy, passando, então, por regiões montanhosas até chegarem à fronteira da China. Outros provavelmente foram para a China por mar. Muitos caminharam para o norte da Índia e tomaram a rota através de uma passagem no Kush hindu, a uma altura de 4 mil metros, continuando assim até a Báctria, onde tomaram a rota da seda.

A princípio, o budismo não se expandiu com rapidez. Por muito tempo, ficou confinado à Índia e ao Sri Lanka. Mais tarde, no noroeste da Índia, séculos após a morte de Buda, a crença se reciclou. Conhecida como o Grande Veículo ou a versão mahayana do budismo, era mais vendável no exterior e dava ao budismo um apelo missionário: aumentavam as perspectivas de pessoas comuns encontrarem a salvação pela devoção a Buda.

A crença só se expandiu no leste da Ásia quando a jovem crença do cristianismo começou a se expandir na Ásia Menor. Na verdade, o primeiro cristão deve ter chegado à Índia por volta da mesma época em que o primeiro budista chegou às cidades ribeirinhas da China. Já no ano de 65, o budismo havia ganhado uma minúscula base naquele país. Em suas atitudes, o budismo era tão diferente do confucionismo predominante, tão revolucionário em sua crença na reencarnação de seres humanos em outro corpo na hora da morte, que as duas crenças pareciam improváveis de coexistir. Mas a crença indiana acomodou-se silenciosamente, como regra, ao lado das doutrinas mais antigas do confucionismo e do taoísmo. Nos 3 séculos seguintes, milhões de chineses acolheram bem os preceitos ensinados pelos monges budistas, assim como aqueles apresentados pelo confucionismo e pelo popular taoísmo. Era como se o crescimento do budismo fosse simplesmente um novo departamento do supermercado religioso da China.

Os primeiros budistas, na Índia, não desejavam mover montanhas: eles aceitavam as montanhas. Na China, a nova versão do budismo era mais ativista. Os monges chineses usavam escravos em seus novos mosteiros, e a escravidão era uma instituição aceita na China e na Índia para desmatar florestas e cultivar solo novo. O desejo dos monges de ensinar rudimentos de leitura aos habitantes dos vilarejos e, até mesmo, sua inclinação para agir como agiotas e bancos alteraram a vida social e econômica em muitas regiões.

O budismo não só gerava energia econômica, mas também inspirava a contemplação e o misticismo. Os poetas da natureza chineses emergiram. Hsien Ling-Yun, um *playboy* da aristocracia e um burocrata que quase foi mandado para o exílio em 422, estabeleceu-se em sua propriedade rural cercada por rios, a cerca de 500 quilômetros de Nanjing. Estudante do budismo, ele agora tinha tempo para ponderar os problemas na teologia. Começou também a absorver o espírito da área rural conforme ia escalando os rochedos com suas botas especiais. Alternando entre melancolia e júbilo, ele soletrava seus sentimentos em versos. O fato de sua poesia ter sido reverenciada na China aproximadamente 1.400 anos antes de Wordsworth e os poetas da natureza se tornarem famosos na Inglaterra é um sinal de que muitos chineses já viam a paisagem como um tipo de templo místico. O budismo se encaixou nesse ambiente sem nenhuma dificuldade.

Os devotos budistas ergueram grandes monumentos. No grande e turbulento rio, em Luoshan, do lado oposto de perigosas quedas-d'água, chega-se a uma gigantesca estátua de Buda esculpida no rochedo vermelho de um penhasco e elevando-se a 71 metros de altura, tão alta quanto um prédio de 20 andares. A escultura, iniciada em 685, provavelmente tinha a pretensão de ser a maior do mundo conhecido. Vista do rio num dia enevoado de outono, ela parece com o rosto de um grande piloto, pronto a guiar os barcos do rio.

Na cidade de Sião, a oeste, ainda pode ser vista a enorme torre octogonal às vezes conhecida como o Grande Pagode do Ganso Selvagem: na antiga poesia chinesa, a migração de gansos selvagens era tratada como um sinal de presságios. Os comerciantes europeus que chegavam a Sião pela primeira vez devem ter comparado mentalmente o pagode com algumas majestosas colunas que haviam sobrevivido ao Império Romano: em altura e ornamentação, o Grande Pagode do Ganso Selvagem era mais deslumbrante.

Na China, o maior dos pagodes budistas mostrava aquela mesma qualidade que as catedrais góticas viriam a exibir na Europa Ocidental. Era como se os construtores tivessem delicadamente levantado um guarda-chuva, depois aberto um guarda-chuva e colocado este acima do anterior e assim, um andar após outro, a torre se erguia, alcançando a altura de 11 ou até 13 andares. Na verdade, alguns pagodes foram feitos de cima para baixo, tendo sido construída antes uma estrutura de madeira. As vigas autotravantes usadas para sustentar a enorme construção são uma invenção chinesa. Para os devotos que caminhavam de volta para casa após um dia nas plantações de arroz, um pagode, com sua forma cônica, deve ter sido uma grande visão inspiradora.

A crença budista fez mais avanços na China do que qualquer outra crença externa e foi o professor mais influente dos chineses por um período ininterrupto que se estendeu por aproximadamente 800 anos. Buda nem sempre foi bem acolhido, mas sua influência foi duradoura. O último dos imperadores chineses, no início do século 20, era um seguidor do ramo tibetano do budismo.

O BUDISMO EM MARCHA

Em seu primeiro milênio como religião, o budismo alcançou terras mais distantes do seu local original do que o cristianismo, em um mesmo espaço de tempo. O budismo chegou ao sul da Birmânia antes de 300; a Java e à Coréia, antes de 400. Por volta do ano 600, um dos reis de Sumatra era budista, e a cidade de Palembang, um centro de comércio chinês, recebia muita influência de budistas vindos da China e da Índia.

O Japão, um país ainda não unificado, era como uma esponja, absorvendo uma variedade de influências chinesas que incluía arquitetura, pintura, poesia, leis e religião, mas também foi rápido em modificá-las quando conveniente. O budismo floresceu no Japão exatamente na mesma época em que o Islã florescia do outro lado da Ásia. No fim do século 7º, o Japão tornava-se uma terra budista.

Nara, a nova capital, construída nos moldes das cidades chinesas, tornou-se praticamente uma cidade devota de Buda. O imperador Shomu já mostrava apreço pela religião quando, em 737, seu país foi atingido por uma epidemia. A varíola provou ser mais devastadora para os japoneses do que a peste negra viria a ser para os europeus. O imperador, voltando-se ao "Iluminado" à procura de conforto e orientação, ordenou a construção de uma magnífica estátua de bronze: o Grande Buda de Nara, ainda hoje de pé no local.

O imperador também instruiu cada província a construir um mosteiro e um convento. Os templos se espalharam por todos os cantos do território. Em 749, depois de passar o trono à sua filha, o imperador tornou-se um sacerdote. Embora os templos xintoístas locais não tenham facilmente se rendido à dominação budista, por volta de 800, as duas crenças estavam se tornando aliadas e os templos xintoístas até chegaram a ter toques do budismo em sua arquitetura.

No leste da Ásia, o budismo, como qualquer religião importada, dependia da aprovação real. Na China, no Japão e na Coréia, essa aprovação era às vezes cancelada e posteriormente renovada. No século 9º, os budistas da China, que por muito tempo tinham sido os privilegiados, começaram a ser freqüentemente perseguidos. Um século depois, a cidade japonesa de Kyoto, que era agora a capital real, proibiu que qualquer pedaço de terra de sua malha quadriculada de ruas fosse destinado a templos budistas. Mais tarde, a construção de templos foi liberada. Na Coréia, a crença floresceu no século 14, mas, já em 1393, grandes pedaços de terra que pertenciam aos mosteiros foram redistribuídos. Os budistas permaneceram coesos mesmo

> OS BUDISTAS PERMANECERAM COESOS MESMO NAS ADVERSIDADES E, DE TEMPOS EM TEMPOS, TORNAVAM-SE OS FAVORITOS NOVAMENTE.

nas adversidades e, de tempos em tempos, tornavam-se os favoritos novamente.

Em alguns lugares do leste da Ásia, os budistas estabeleceram enormes mosteiros, alguns com mais de 7 mil membros e quase todos servindo como instituições de caridade e locais de repouso para os viajantes. Buda inspirou construções monumentais, tais como o templo erguido de pedra escura no início dos anos 800 em Borobudur, próximo à costa sul de Java, e o templo construído em Angkor, no Camboja, no início dos anos 1100. Inspirou uma devoção religiosa que ele provavelmente teria repudiado, e suas relíquias tornaram-se possessões apreciadíssimas. Na Birmânia, a capital é dominada pela cúpula dourada do templo de Shwedagon e os devotos sobem os degraus até o topo do terraço onde ficam próximos da mais sagrada das relíquias: um cacho de oito fios de cabelo da cabeça de Buda.

Durante séculos, o budismo foi como um bando de gansos selvagens que voou da Índia e, pousando com segurança em quase todas as partes do leste de Ásia, deu frutos e se multiplicou. Mas, quando seu domínio parecia seguro, o Islã atacou com sucesso. Moveu-se em direção à Península da Malásia e tomou a maioria das ilhas da Indonésia: um dos primeiros sinais da presença do Islã no arquipélago indonésio é uma pedra tumular achada na parte leste de Java e esculpida por volta do ano 1082. O Islã se espalhou por toda a parte sul das Filipinas. O sucesso combinado do budismo e do Islã no leste da Ásia, em lugares tão distantes de casa, foi um sinal de como o mundo estava encolhendo consideravelmente mesmo antes de os europeus terem descoberto suas vias marítimas para o mundo externo.

O TRIO TRIUNFANTE

As três religiões universais a terem cruzado fronteiras, capazes de converter uma variedade de terras e povos, nasceram durante uma fase especial da história humana. Buda, Cristo e Maomé surgiram num espaço de tempo pouco superior a mil anos. A primeira crença, o budismo, apareceu por volta do primeiro século antes de Cristo e a última, o Islã, emergiu no sétimo século depois de Cristo. Desde então, nenhuma nova versão de uma religião universal atingiu tamanho sucesso.

Essas religiões mundiais refletiam uma transição da crença de que Deus era predominantemente um símbolo de medo para uma convicção de que o amor é divino. Elas incorporaram um alto senso de humanidade. Nenhuma dessas religiões jamais teve a chance de ser a monopolizadora de uma raça. Pode-se admitir que o judaísmo foi, em parte, uma religião universal, tendo sido a geradora de duas religiões de grande alcance, mas, na maior parte do tempo, ela não procurou ativamente a conversão de pessoas.

Os comerciantes que faziam negócios entre cidades inicialmente tinham mais probabilidade de acolher bem as novas religiões do que a região rural. Essas crenças enfatizavam a confiança, numa época em que os comerciantes em terras estranhas precisavam de um clima de afabilidade, no qual os contratos e os acordos verbais pudessem ser honrados. Em geral, os primeiros seguidores de Buda eram comerciantes, como o próprio Maomé. O cristianismo foi inicialmente disseminado longe de casa pelos judeus, muitos dos quais eram comerciantes em terras estranhas. Embora Cristo tenha afastado os cambistas do templo de Jerusalém, isso aconteceu porque estavam no lugar errado, e não porque seguiam uma ocupação indigna. Muitas de suas parábolas solidárias sobre os dilemas do cotidiano de fazendeiros e de pastores sugerem que ele não era hostil aos empreendimentos de negócios. Como carpinteiro ou filho de carpinteiro, ele conhecia o mundo do comércio.

O grande sucesso dessas religiões em novas terras devia-se principalmente aos devotos generosos que desejavam dar suas vidas, ou perder suas vidas, simplesmente defendendo sua causa. Para que uma religião se espalhe em uma nova terra, depende de o governante querer recebê-la. As religiões universais atraíram de forma especial os imperadores que tentavam governar povos que não tinham uma coesão social. O budismo e o cristianismo, que ainda estavam lutando após vários sécu-

129

> AS RELIGIÕES UNIVERSAIS ATRAÍRAM DE FORMA ESPECIAL OS IMPERADORES QUE TENTAVAM GOVERNAR POVOS QUE NÃO TINHAM UMA COESÃO SOCIAL.

los de pregação de fé, deveram muito de seu sucesso posterior à conversão de dois poderosos imperadores, Asoka, da Índia, e Constantino, de Roma. Um rei de um vasto império achava-se propenso a acolher bem uma religião que fizesse seu povo se sentir contente com sua vida simples e, às vezes, difícil.

Por volta do ano 900, as três religiões universais tinham alcançado, entre si, a maior parte do mundo conhecido. Somente o continente americano, o sul da África, a Nova Guiné, a Austrália e outras ilhas afastadas estavam além de seu alcance. Dessas três religiões, a mais jovem era talvez a mais vigorosa e, com a ajuda de comerciantes árabes, o Islã estava conquistando uma vasta área do Sudeste Asiático. Por outro lado, a mais antiga delas, o budismo, estava influenciando o maior número de vidas por causa de sua força na populosa China, Coréia, Japão e Indochina. Embora tivesse quase esgotado sua influência em sua terra natal; da Índia, continuava a conquistar novas regiões.

O cristianismo era agora a menos viva das três. Contava com partes do nordeste da África e da Ásia Menor, mas conquistou poucas conversões na Ásia propriamente dita. Na Europa, era dominante praticamente desde a Irlanda até a Grécia, mas tinha perdido terreno para o Islã no Mediterrâneo e tinha fracassado ao penetrar no norte gelado do continente. Não converteu a Suécia nem a Dinamarca. Outros evangelizadores fizeram pouquíssimo progresso na Rússia.

Todas as religiões de importância dependiam de apoio de governantes fortes e profanos, mas os governantes da Europa cristã não eram tão poderosos quanto tinham sido na época do Império Romano. Uma religião de importância também dependia, para oportunidades de expansão, daqueles seguidores que eram comerciantes e que, fazendo negócios longe de casa, espalhavam a palavra ou preparavam o terreno para os missionários. No ano 900, no entanto, os comerciantes cristãos da Europa encontraram-se encurralados pelo Islã de um lado e o desconhecido Oceano Atlântico do outro.

Se tivessem existido, no ano 900, alguns sábios observadores com grande noção do mundo conhecido e se tivessem sido questionados sobre qual das principais religiões parecia ter o futuro em suas mãos, eles dificilmente teriam apontado o cristianismo. Este estava principalmente ancorado à civilização estagnante da Europa e, ainda assim, quase que por milagre, suas perspectivas vieram a se transformar seis séculos depois.

CAPÍTULO 13
EM DIREÇÃO À POLINÉSIA

O mundo ainda se encontrava dividido em centenas de minúsculos mundos quase independentes. Enquanto a Europa e a China formavam cada uma grandes mundos, com o tráfego fluindo entre si, a África, as Américas e a Australásia consistiam de vários mundos pequenos e isolados: nesses lugares, um pequeno grupo tinha geralmente muito pouco ou nenhum contato direto com as pessoas que viviam a apenas mil quilômetros de distância. Em partes do globo, um vácuo semelhante, principalmente se fosse um mar, era um verdadeiro abismo.

Às vezes, o abismo era transposto e esses passos tinham conseqüências fundamentais para a raça humana. Em toda a história humana, houve somente três grandes momentos em que se cruzaram os mares para povoar grandes terras desabitadas: um foi a migração, há mais de 50 mil anos, da Ásia para a Nova Guiné e Austrália; outro foi a migração da Ásia para o Alasca, há mais de 20 mil anos, seguido pela lenta ocupação de todo o continente americano; o terceiro, em tempos muito recentes, foi a migração dos povos da Polinésia para uma extensa faixa de ilhas desabitadas dos Oceanos Pacífico e Índico. Uma das marcas de que essa migração é recente é que ela aconteceu na era cristã, embora os migrantes mesmos nunca tivessem ouvido falar no nome de Cristo.

As viagens da Polinésia pelos oceanos rumo a novas terras estão entre as migrações mais notáveis da história humana. Algumas de suas viagens foram mais corajosas que a de Cristóvão Colombo pelo Atlântico, em 1492. De fato, há uma estranha semelhança entre a procissão de nave-gadores polinésios e as viagens de Colombo. Estas saíram da Europa à procura da China e aquelas saíram da China à procura de novas terras.

A lenta migração em direção às ilhas começou no sul da China, país de clima tropical e coberto de florestas. Talvez tenha sido por volta de 4000 a.C. que os colonizadores aventureiros começaram a atravessar os estreitos até a ilha acidentada de Taiwan. Muitos marinheiros provavel-mente morreram enquanto se lançavam em viagens tão perigosas. Uma vez em terra, eles estabeleciam seus modos de vida, presumivelmente como fazendeiros e pescadores; faziam as próprias ferramentas de pedra, sabiam fazer o tipo de cerâmica na época comumente usada na China e, provavelmente, criavam porcos, galinhas e cães. Não há dúvidas de que eram hábeis em navegação. A embarcação escolhida, pelo menos na época em que se aproximaram do Pacífico central, muitos séculos depois, foi a canoa polinésia (espécie de canoa com troncos de madeira paralelos ao casco, firmemente amarrados a ele, formando uma estrutura que impede a embarcação de virar mesmo sob a ação de fortes ondas).

133

Sua sucessão de viagens, lenta e intermitente, dirigia-se para o leste, de ilha em ilha. Nos mil anos que se seguiram, esses povos do mar chegaram às ilhas das Filipinas, das quais pedaços de terra foram limpos para plantações. Viagens posteriores levaram seus descendentes às ilhas de Bornéu, Sulawesi, Timor, Sumatra e Java, todas em vias de serem coloniza-das até o ano 2000 a.C. Muitos desses povoamentos aconteceram em ilhas novas, mas alguns se deram em áreas que há muito haviam sido povoadas. Nesses locais, a população existente foi derrotada em guerra, reduzida por novas doenças, empurrada para as colinas, áreas menos favoráveis, ou simplesmente absorvida pelas classes dos povos invasores.

Ao explicar esse movimento persistente de povos para longe de suas fronteiras, é tentador oferecer explicações simplistas. Talvez estivessem reagindo à superpopulação, talvez tivessem sido levados ocasionalmente a procurar novas casas por causa de vulcões, terremotos, tufões ou outros desastres naturais. Nenhuma explicação é suficiente. Uma variedade de fatores impulsionou esses povos semelhantes aos chineses, assim como muitas influências levaram os colonizadores europeus à América do Norte. Por serem marinheiros, eles provavelmente evitavam o pensamento de viverem em colinas, longe do mar, e, em vez disso, procuraram outras baías e vales do litoral onde pudessem pescar e plantar. Em qualquer localidade, eram poucas as baías e praias com baixa população e, assim, era freqüente o incentivo para emigrar para uma nova ilha ou litoral.

As viagens desses povos, apinhados em suas canoas, seguiam um tipo de lógica. Aventurando-se rumo ao leste, eles tinham a probabilidade de descobrir ilhas, habitadas ou não, de clima tropical e vegetação como a que tinham acabado de deixar para trás. Na fase inicial da migração, os ventos também foram favoráveis. As monções, baseadas na proximidade da região à grande massa de terra da Ásia e em seu resfriamento e aquecimento sazonal, permitiram que os marinheiros viajassem para o sul, norte, leste ou oeste, desde que se contentassem em permanecer próximos ao Equador. A geografia sorria para eles, pois havia colocado ilhas a leste, milhares delas, como um caminho de pedras sobre a água; muitas podiam ser vistas do alto das colinas a olho nu, enquanto outras foram descobertas por viagens ao acaso.

A lenta rota de migração equatorial chegou à ilha de Nova Guiné, há muito povoada, ocupando algumas partes da costa por volta de 1600 a.C. Em seguida, entrou na região de ilhas tropicais, onde nenhum ser humano vivia. Em 1200 a.C., as velas marrons de seus barcos já se encontravam nas vilas costeiras de Nova Caledônia, Tonga, Fiji, Ilhas Salomão e Samoa. Em 500 da Era Cristã, seus barcos foram vistos em torno do Havaí e da Ilha de Páscoa. Em distância percorrida numa linha, de leste a oeste, o total de viagens feitas por uma geração após outra era equivalente a uma viagem por terra da Europa à China, distribuída por mais de 4 mil anos. Mais tarde, esses navegadores fizeram um retorno e descobriram as remotas ilhas da Nova Zelândia.

Ao longo de uma linha de ilhas que formavam um tipo de Via Láctea cruzando o Pacífico, esses marinheiros deixaram para trás evidências eloqüentes de suas origens. Mesmo hoje, desde as partes isoladas

das montanhas de Taiwan até a Ilha de Páscoa e a Ilha Pitcairn, a leste, a família de línguas austronésias sobrevive.

Para os polinésios, encontrar a presença de vulcões na Ilha de Páscoa foi um triunfo especial. Era um mero ponto no oceano, a 1.600 quilômetros da terra habitada mais próxima. Outrora densamente arborizada, tornou-se tão desmatada pelos novos colonizadores que, no final, seus imponentes monumentos não eram antigas árvores, mas estátuas de pedra, em torno de 600 delas no total. Uma das estátuas, nunca acabada, tinha 20 metros de altura. Na língua e na sociedade, os habitantes da Ilha de Páscoa eram polinésios, mas suas estátuas e sua forma de escrita sugerem um antepassado ou uma influência diferente.

> OS HABITANTES DA ILHA DE PÁSCOA ERAM POLINÉSIOS, MAS SUAS ESTÁTUAS E SUA FORMA DE ESCRITA SUGEREM UM ANTEPASSADO OU UMA INFLUÊNCIA DIFERENTE.

Os polinésios abrangiam desde tribos que viviam em conflito entre si a fortes monarquias que governavam muitas ilhas. O Havaí, com talvez 200 mil habitantes ou mais, era praticamente uma monarquia, quando ali chegaram os primeiros europeus. Alguns desses monarcas polinésios, como seus semelhantes na Europa Ocidental, acreditavam ser de descendência divina.

Durante essa longa temporada de migrações, outros exploradores alcançaram a imensa ilha desabitada de Madagáscar. A nordeste da ilha, o mar contínuo se estendia até o arquipélago indonésio, a cerca de 5 mil quilômetros de distância. De ilhas indonésias, quase com certeza, vieram os primeiros colonizadores de Madagáscar. Até hoje sua língua, o malgaxe, pertence ao grupo das línguas malaio-polinésias, apresentando mais afinidade com a fala da distante Bornéu do que com a fala da vizinha África.

A primeira viagem a Madagáscar, favorecida pela monção de nordeste, aconteceu quando a cidade de Roma entrava em rápido declínio, por volta do ano 400. Foi realizada exatamente quando, quase a meio mundo a leste, outros polinésios estavam colonizando a Ilha de Páscoa. Sentado

135

à beira das praias pontilhadas de palmeiras de Madagáscar e observando as ondas do Oceano Índico preguiçosamente quebrando nos recifes de corais, podem-se imaginar as velas marrons lentamente surgindo à vista, um ou dois pequenos barcos indonésios balançando sobre as ondas do oceano. Todos a bordo desses barcos que se aproximavam devem ter visto, com avidez e ansiedade, a arrebentação das ondas à sua frente, a mata no fundo montanhoso e se perguntado se conseguiriam alcançar a terra antes que suas embarcações fossem destruídas pelas ondas e recifes.

Madagáscar e Nova Zelândia foram as últimas áreas habitáveis de tamanho considerável a serem descobertas e colonizadas pela raça humana. Talvez Madagáscar tenha sido a mais importante delas, pois, em área, tinha mais que o dobro da Nova Zelândia. Os triunfos na história das navegações humanas são parte de uma saga de descobrimentos e migrações que praticamente findaram por volta do ano 1000.

TERRA DOS MOAS

Do mar, os vilarejos fortificados dos primeiros maoris devem ter sido facilmente avistados. Alguns ocupavam promontórios estreitos e, portanto, eram rodeados por três lados pelo mar, sua primeira linha de defesa. A subida íngreme e geralmente perpendicular da praia ou dos rochedos até o forte era a segunda linha de defesa. A terceira, ainda mais alta, era uma bem construída cerca de mourões resistentes, com uma fileira de estacas pontiagudas de madeira entre eles, fincadas no chão a espaços regulares. Essa cerca de mourões percorria toda a extensão do vilarejo fortificado ou *pa*.

Nos pontos mais altos do vilarejo, havia residências de madeira, com depósitos espalhados em alguns lugares. Os depósitos ficavam sobre plataformas para que os ratos não pudessem roubar os alimentos: um eventual buraco coberto por um telhado baixo também servia como depósito de vegetais. As casas, propriamente ditas, com seus telhados inclinados feitos de sapê, não tinham paredes e deixavam entrar a brisa do mar. No caso de um ataque surpresa, esses vilarejos fortificados formavam uma excelente defesa, mas eram incapazes de resistir a um cerco, pois, via de regra, não tinham poços, fontes ou nenhuma forma segura de abastecimento permanente de água doce. Até a lenha tinha de ser trazida de longe.

Na Ilha do Norte, a origem do *pa*, foram identificados os locais de cerca de 5 mil fortes. Os terraços sofreram erosão, as paliçadas desmoronaram e apodreceram. Os arbustos, as trepadeiras e a grama voltaram a nascer no local; mas, de longe, o contorno de um forte, como um pequeno corte aberto no terreno e sua série de bancos e terraços, pode, às vezes, ainda ser visto.

Uma enorme extensão de terras no interior era necessária para abastecer cada tribo ou vilarejo com alimentos. Os pomares eram cavados com pedaços de pau, de formato semelhante a um pé-de-cabra. A camada superficial do solo era então empilhada em fileiras perfeitas com uma pá de madeira e o solo revolvido, plantado com tubérculos. A *kumara* era o mais valioso desses vegetais. Semelhante a um inhame ou batata-doce bem comprida, com uma das pontas ligeiramente grossa e a casca externa rosa-avermelhada, plantava-se a *kumara* em dias ditados pela fase da Lua.

137

Um prêmio esperava pelos primeiros colonizadores: a carne existia em abundância inacreditável. Nas ilhas do norte e do sul, o enorme pássaro moa, capaz de correr com grande velocidade, mas incapaz de voar, era uma presa fácil dos caçadores maoris. Chegando a uma altura de 3 metros, com pernas fortes para correr, mas com uma cabeça que não podia ferir facilmente os caçadores humanos, o moa parecia um carinhoso animal de carga. Suas costas eram tão retas e compridas que, se tivesse sido domesticado, poderia carregar quatro ou mais crianças sentadas, uma atrás da outra.

Os maoris caçaram o moa com tanto vigor que, por volta de 1400 ou 1500, a espécie estava praticamente extinta. As águias de asas compridas que caçavam os filhotes de moa também estavam condenadas; já não eram mais vistas sobrevoando a região, como quando os primeiros colonizadores europeus ali chegaram.

Não produzindo cerâmica, os maoris usavam como vasilhas a casca externa das cabaças que no verão cresciam das trepadeiras e se esparramavam pelos telhados das casas ou pelos pomares plantados. Não tinham rebanhos nem porcos, seu único animal doméstico era o cão. A pedra tinha de ser usada em lugar do metal e era modelada ou manufaturada com habilidade, provavelmente com a mesma perfeição necessária para os trabalhos em metal. Havia jazidas de pedra para fabricação de ferramentas e vários tipos de pedras eram cortados e transportados por longas distâncias, a pé ou em canoas, até aquelas regiões onde não eram encontradas pedras adequadas. Umas das enormes pedras de amolar dos maoris, transportada da praia para o salão do Museu de Auckland, hoje atrai multidões de admiradores.

Os europeus que conheceram o modo de vida dos polinésios, prestes a mudar, ficaram impressionados com sua coragem. Eles notaram também a violência desse povo: os sacrifícios humanos e o canibalismo. O instinto guerreiro dos maoris era indiscutível, tanto assim que, na década de 1780, quando o governo britânico teve de decidir se instalava uma colônia na Austrália ou na Nova Zelândia, uma decisão de profunda importância para essa parte do mundo, a escolhida foi a Austrália. Os maoris pareciam destemidos e eram guerreiros comprovados. Foi sensato tê-los deixado em paz.

> O INSTINTO GUERREIRO DOS MAORIS ERA INDISCUTÍVEL. OS EUROPEUS FICARAM IMPRESSIONADOS COM A CORAGEM DESSE POVO.

PARTE 2

Um marco no meio do caminho

Uma multidão de cristãos esperava que Cristo retornasse ou que o mundo tivesse um dramático fim no ano 1000. Ao contrário, a vida continuou e o novo milênio prosseguiu. Este viria a ser o mais notável de todos os períodos de mil anos que haviam decorrido desde que a raça humana deixou pela primeira vez sua terra natal na África. Seria notável não só pelo ritmo cada vez mais rápido das mudanças, mas pela recuperação dos mundos esquecidos.

Antes da última grande elevação do nível dos mares, tinha havido uma tênue ligação entre todas as tribos humanas. Uma longa corrente de contatos humanos, uma corrente contínua de povoamentos nômades atravessou a Ásia rumo à Europa e à África e era possível que uma nova idéia surgida ao longo do Rio Amarelo pudesse com o tempo alcançar, mil anos depois, o Rio Níger e o Nilo.

Daí em diante, esses povoamentos humanos foram separados em grandes fragmentos. Praticamente, todos os contatos cessaram e grandes populações de humanos foram isoladas pela elevação dos mares. No ano 1000, as Américas já haviam vivido mais de 12 milênios isoladas da Ásia e da Europa. O continente da Austrália tinha passado por um longo isolamento da Ásia. No novo milênio, todos esses lugares isolados, e muitos mais, vieram a ser reunificados, um a um, com o centro dinâmico do mundo situado na Europa, na Ásia e no norte da África.

A parte mais inesperada desse processo de redescoberta foi sua origem: teve início na porção atrasada do mundo. As margens atlânticas da Europa enviaram a maioria dos navios que descobriu o mundo esquecido. Ainda mais inesperado, uma parte desse mundo esquecido – a América do Norte – acabaria despertando para se tornar o novo líder global no fim desse milênio.

CAPÍTULO 14
Os mongóis

Na história humana, os oceanos foram, às vezes, um obstáculo insuperável para o contato entre povos longínquos, enquanto, em outras épocas, as vastas extensões de terra haviam representado grandes barreiras. O que os navios alcançaram em transporte, no oceano, os cavalos alcançaram em pelo menos uma das massas de terra; eles lentamente converteram em estrada rudimentar aquele largo corredor transcontinental de campinas e montanhas, de leste a oeste, que separavam as civilizações tão contrastantes do leste da Ásia e do Mediterrâneo.

Ocasionalmente, os povos das estepes explodiam em cada extremidade do corredor como um foguete sobre esses mundos bem armados. Várias de suas vitórias foram notáveis. Um desses grupos do Oeste, os hunos, atacaram violentamente o Ocidente e fizeram o agonizante Império Romano tremer de medo. Quase mil anos depois, um grupo do Leste, os mongóis, unindo coragem, crueldade e um toque de genialidade, conquistou o maior território jamais dominado por um governante até então.

A terra de origem dos mongóis ficava bem mais ao norte da rota da seda. Numa determinada época, eles provavelmente viveram próximo do Lago Baikal, na fronteira leste da Sibéria e do que é hoje a República Popular da Mongólia. Por volta do século 10°, deslocaram-se do norte da Mandchúria em direção ao leste da Mongólia. Mais tarde, deram seu nome a uma dúzia de outros povos nômades que se juntaram a eles na grande conquista. Os mongóis e seus vizinhos rivais raramente cultivavam alimentos, não conheciam a irrigação e nunca se estabeleceram em um só lugar.

As famílias que, tradicionalmente, habitavam essas estepes da Mongólia deslocavam seus rebanhos de pastagem em pastagem, de acordo com a mudança das estações. Possuíam ovelhas, cabras, gado e cavalos, mas a terra em si pertencia coletivamente a grupos maiores. Quando chegava a hora de mudar de acampamento para regiões propícias ao verão ou inverno, os bois geralmente puxavam as carroças nas quais eram carregadas as enormes barracas de lã. Não possuindo grandes cidades, sua população total era pequena.

Os animais eram seu capital, sua principal fonte de riqueza. Relutantes em devorar esse capital, os mongóis preferiam, tanto quanto possível, viver dos dividendos que vinham do leite. Do leite de vacas, ovelhas e cabras, eles faziam manteiga, pelo menos quatro variedades de queijo, o iogurte, hoje tão popular no Ocidente, um tipo de creme seco chamado de urum e uma bebida destilada chamada de airak. Até as éguas robustas de galope veloz produziam leite que, fermentado, era bebido com grande satisfação.

143

À primeira vista, não era um ambiente que prepararia um povo pouco numeroso para a tarefa de derrubar civilizações altivas e populosas. Mas os homens, exímios cavaleiros, cavalgavam ao mesmo tempo em que atiravam flechas com pontas de ferro com enorme precisão e podiam cobrir uma imensa área com grande velocidade. As mulheres eram competentes como administradoras, quando os homens haviam partido em expedições de guerra e ataques, e, na verdade, essas mulheres tinham um *status* que surpreendeu muitos chineses. De alguma forma, os mongóis podiam ser comparados com os *vikings*, que haviam florescido um pouco antes. O que um povo fez no mar, o outro fez em terra; ambos vieram de climas inóspitos e territórios pouquíssimo povoados, o que não é necessariamente uma vantagem, mas torna-se uma se, a seu lado, vive um império rico e populoso que se torna cheio de si e, em seguida, perde suas forças.

OS MONGÓIS ESTÃO CHEGANDO!

Todos os sagazes imperadores da China viam vantagens em instigar os nômades a lutarem entre si. No século 12, eles encontravam-se tão divididos quanto se tornaram unidos no século seguinte. Em 1206, Gêngis Khan, o chefe dos mongóis, como por milagre, uniu esses cavaleiros das estepes. Todos os clãs ou grupos lhe juraram sua lealdade, e os mais prováveis de lhe serem desleais haviam sido mortos ou intimidados. Segundo diziam, esse líder que atraía a todos possuía poderes místicos. Com um exército montado de aproximadamente 130 mil homens e uma rede de espiões em território inimigo, ele começou sua conquista. Milhares de cavaleiros andavam com um ou dois cavalos sobressalentes a seu lado, para que pudessem substituir um cavalo cansado se uma longa jornada os esperasse à frente.

Gêngis Khan movia-se de modo tão veloz que, freqüentemente, sua arma era a surpresa. Às vezes, usava da nova invenção, a pólvora, caso tivesse de sitiar uma cidade fortificada. Geralmente, oferecia à cidade a chance de se render. O preço da rendição era um em cada dez habitantes da cidade e um décimo de sua riqueza. E, assim, seus escravos, soldados recrutados e sua riqueza multiplicavam-se. As cidades que não se rendiam eram sitiadas ou invadidas; massacres e carnificinas eram a marca registrada dos mongóis.

> GÊNGIS KHAN MOVIA-SE DE MODO TÃO VELOZ QUE, FREQÜENTEMENTE, SUA ARMA ERA A SURPRESA.

O vandalismo inteligente e sem piedade era outra de suas armas. Destruíam os sistemas de irrigação que representavam a vida de muitas terras aráveis ou devastavam a terra que cercava uma cidade sitiada, para que a borda de suas estradas e os campos ficassem repletos de corpos espalhados pelo chão. Quando avançavam em direção aos muros de uma cidade bem protegida, às vezes compeliam seus prisioneiros de guerra a irem à frente e formarem um escudo humano. Além disso, os líderes mongóis também impunham uma disciplina rígida entre o próprio povo.

A Grande Muralha da China era simplesmente um obstáculo a ser transposto pelos mongóis. Tomaram Pequim em 1215 e, com o tempo, fizeram-na a capital da China. Ao sul, ficava uma imensa área de terras ainda nas mãos dos chineses, e os mongóis lentamente a dominaram. Ocupar a China, a nação materialmente mais avançada do mundo, era quase equivalente a uma nação da parte central da África ocupar hoje os Estados Unidos e tornar Washington sua capital. Ao contemplar os mongóis, uma conclusão é inegável: nunca nos registros da história haviam acontecido conquistas tão fabulosas.

No outro canto da Ásia, os mongóis tiveram praticamente a mesma notoriedade. Tomaram uma sucessão de cidades islâmicas que até então tinham se sentido seguras por trás de seus altos muros; até Bagdá caiu em suas mãos. No fim do século 13, o Império Mongol se estendia desde as margens do Danúbio até as vilas de pescadores de Hong Kong.

Gêngis Khan alcançou em 20 anos o que os romanos, como conquistadores, tinham levado séculos para construir; por isso, as duas conquistas não podem ser facilmente comparadas. Os mongóis, quando avançaram rumo ao oeste da China, lutaram para abrir seu caminho cruzando uma enorme área da Ásia pouquíssimo povoada. Seus principais alvos eram as cidades muradas, travessias dos principais rios e passagens nas montanhas, que deviam ser vencidas a qualquer custo. Na verdade, eles tinham de tomar pequenos pontos e ilhas espalhadas numa imensidão de mar. Um de seus alvos era a rica e bem protegida cidade de Hangchow (hoje, Hangzhou), a maior cidade do mundo e o lar de aproximadamente um milhão de pessoas: e eles a tomaram.

É bem provável que a vitória sobre um império seja mais facilmente realizada em terra do que por mar. As vitórias de Gêngis Khan e Alexandre, o Grande, sobre uma imensa área de terras, e mesmo as principais vitórias de Napoleão e Hitler, foram favorecidas pelo fato de que não tiveram de lidar com o mar tão temperamental. Uma cidade ou um reino de destaque na navegação não era tão facilmente conquistado: o mar, em geral, era seu aliado. Quando uma grande esquadra de navios inimigos aparecia à vista, nem tudo estava perdido; o conhecimento do local era um patrimônio

145

5 A ÁSIA DOS MONGÓIS

fundamental para os defensores. Uma esquadra invasora, flutuando sobre as ondas ou ancorando numa costa que oferecia ventos desconhecidos e nenhum porto de abrigo ficava extremamente vulnerável.

O mar tendia a privilegiar o defensor. Assim, se as cidades de Samarcanda e Pequim, Herat e Kiev ficassem na costa, e não no interior, e tivessem de encarar os violentos mongóis chegando em suas esquadras, poderiam ter se defendido com mais sucesso. Ao fazer um comentário como esse, coloca-se em perspectiva uma invasão de terra, e não a tentativa de roubar dos mongóis a sua glória.

Uma das primeiras conquistas dos mongóis foi trazer a lei e a ordem à longa rota da seda: nunca antes essa estrada havia estado sob o controle de um governante. Chegaram a fazer cortes no terreno, nas partes mais altas, e algumas pontes, aqui e ali, com acampamentos para as diligências e estalagens simples pelo caminho, onde os comerciantes, seus serviçais e animais de carga pudessem acampar durante a noite. Todo tipo de carga passava por ali e há registros de que, entre 1366 e 1397, o mercado de escravos na cidade italiana de Florença tenha vendido 257 escravos, a maioria mulheres jovens, que haviam sido trazidas por essa estrada.

A segurança da estrada tornou-se uma lenda. Segundo diziam, os viajantes podiam até transitar à noite, presumivelmente em noites de Lua cheia. Ironicamente, a estrada, mais movimentada do que nunca, não era tão importante para a Europa, pois seus criadores de bicho-da-seda estavam agora adquirindo destaque à sombra das plantações de amoreiras. Além disso, a rota marítima do Oriente Médio e da Índia para os portos chineses já competia fortemente com as caravanas terrestres.

A PERDA DE BRILHO DA ESTRELA DA CIÊNCIA CHINESA

Um centro de espírito inventivo, a China ainda tinha muito a ensinar ao Ocidente. Possuía provavelmente os fazendeiros mais capacitados do mundo, muito embora algumas regiões permanecessem atrasadas; novas espécies de arroz foram descobertas através de experimentos, surgindo daí, por exemplo, um tipo que resistia à seca e outro de amadurecimento rápido, que possibilitava que um novo plantio fosse feito a cada ano; a guerra contra as pragas agrícolas foi extremamente criativa.

Na arte da comunicação, o acontecimento mais memorável desde a invenção da escrita estava aos poucos começando na China. O papel estava sendo manufaturado e a arte da imprensa, usando sinais gravados em blocos de madeira, estava se desenvolvendo. Seu livro mais antigo data de 868. A impressão de um livro, em vez de escrevê-lo todo à mão, foi uma maravilhosa oportunidade de difundir a mensagem do budismo e também os preceitos de Confúcio, que todos os candidatos ao serviço público tinham de saber. Em 1273, imprimiu-se um livreto para fazendeiros e cultivadores de seda natural e, em breve, 3 mil cópias estavam em circulação numa época em que, na Itália, a mesma tarefa teria exigido um mosteiro cheio de monges, em dedicação um ano inteiro, para escrever as cópias à mão.

Nos projetos de vias marítimas, os chineses eram mestres. Enquanto os romanos tinham sido os mestres do aqueduto ou canais de pedras elevados que transportavam água doce até as cidades, os chineses foram os mestres dos canais de embarcações que atravessavam terrenos desnivelados. O Grande Canal da China, como sua Grande Muralha, foi construído

147

durante muitos séculos. Um monge japonês, em visita à China em 838, ficou abismado ao ver um comboio de barcaças lentamente navegando pelo canal, algumas delas amarradas com cordas para que pudessem navegar as três de uma vez, e esse mesmo comboio inteiro sendo puxado por dois búfalos da Índia, caminhando penosamente pelas margens. O canal transportava grãos das fazendas, principalmente em torno do Rio Yang-tse-kiang, para abastecer grandes cidades.

Como a China possuía em abundância os três ingredientes da pólvora – o enxofre, o salitre e o carvão –, não é de surpreender que tenha descoberto esse explosivo. Um trabalho chinês de 1044 contém três receitas diferentes para se fazer pólvora militar e, com certeza, foi usada de tempos em tempos no século seguinte.

Várias técnicas de navegação e para a construção de navios muito provavelmente vieram da China, embora algumas tenham sido melhoradas e usadas com mais eficiência na Europa Ocidental. Pontes suspensas por correntes de ferro foram construídas na China muito antes de a Inglaterra ter feito sua famosa ponte de ferro no início da Revolução Industrial. Cinco anos antes da chegada à Inglaterra de Guilherme, o Conquistador, construiu-se um pagode de ferro fundido na província de Hubei, onde se encontra ainda hoje. Em 1400, um observador perspicaz com o dom de prever o futuro poderia ter pensado que a China corria a passos largos, à frente da Inglaterra, em direção à primeira revolução industrial do mundo. Logo depois, porém, essa corrida diminuiria seu ritmo até se tornar um simples rastejo pelo chão.

Na medicina e na saúde, os chineses foram vigorosos em experimentar novas soluções, mas também obstinados em apegar-se aos velhos remédios, principalmente na medicina fitoterápica, que provavelmente era a principal forma de cura. Muitos dos chineses usavam pasta de dente e uma escova de limpeza, artigos desconhecidos na Europa. Os médicos chineses vislumbraram as doenças maléficas que estavam ligadas a certas ocupações: como os mineradores tinham os pulmões enfraquecidos pela poeira cortante suspensa pela perfuração de buracos nas minas subterrâneas, como os ourives de prata inalavam o mercúrio que usavam em seu ofício e como os cozinheiros, que constantemente inspecionavam o fogo em seus fornos de massas, aos poucos prejudicavam a própria visão. Em anatomia, também, os estudiosos chineses fizeram grandes avanços.

A liberdade na China, como quase em todo lugar, era racionada. Mesmo no ano de 1200, milhões de chineses ainda eram escravos. Alguns haviam sido capturados em guerras e escravizados; muitos eram escravos hereditários apresentados como presentes aos mosteiros budistas, onde trabalhavam pelo resto de suas vidas. Outros eram crianças e até mesmo adultos que tinham sido vendidos para a escravidão por famílias que passavam fome.

O infortúnio dos chineses foi que, tendo liderado por muito tempo em muitos ramos da tecnologia, eles foram quentes e frios, criativos e letárgicos, na técnica que provou ser o portão de entrada para o futuro: eles fracassaram no mar. É verdade que inventaram a bússola, mas não o desejo persistente de navegar para o desconhecido. Eram cartógrafos habilidosos, mas seus melhores mapas eram de seus distritos agrícolas de pequena escala. Um mapa do mundo era de pouco interesse para eles, pois acreditavam que as planícies férteis da China eram o centro da Terra, um Jardim do Éden Oriental, e que tudo além daquelas planícies era de menor importância.

Os cientistas chineses ainda acreditavam que a Terra fosse plana com uma borda definida muito depois de essa idéia confortante ter desaparecido na Europa. Não podiam ver sentido na atormentadora teoria, cada vez mais defendida na Europa, de que viajando para o oeste, em vez do leste, um navio europeu acabaria alcançando a China. Para os navegadores chineses, em 1492, o corolário dessa idéia era que, navegando para o leste, eles acabariam chegando à Europa Ocidental. Se os chineses tives-

OS NAVEGADORES CHINESES ACREDITAVAM QUE, INDO PARA O LESTE, CHEGARIAM À EUROPA OCIDENTAL. SE TIVESSEM SE AGARRADO A ESSA IDÉIA, PODERIAM TER DESCOBERTO A COSTA OESTE DAS AMÉRICAS BEM ANTES DE A COSTA LESTE TER SIDO DESCOBERTA POR COLOMBO.

sem se agarrado a essa idéia, seus navios poderiam ter partido primeiro e descoberto a costa oeste das Américas bem antes de a costa leste ter sido descoberta por Colombo. Mas eles não acreditavam que a Terra fosse redonda.

Os chineses mostravam uma alta capacidade na arte da construção de navios. Entre 1405 e 1430, seu almirante Zheng He supervisionou viagens de grande importância, feitas em grandes navios, a terras distantes. Sua esquadra chinesa, quando saía em exploração longe de casa, praticamente só visitava portos bem conhecidos da Ásia e do Oceano Índico. Se podiam ser chamadas de exploração, dentro do espírito de Colombo, é duvidoso, e, em todo caso, as viagens logo cessaram. A navegação costeira havia sido reduzida na China, e o Grande Canal, depois de alargado, é que era usado para o transporte norte–sul, em vez da costa do mar. Notavelmente, os chineses evitaram o mar, no qual eram especialistas, na mesma época em que a Europa Ocidental estava embarcando rumo a oceanos distantes com resultados surpreendentes.

CAPÍTULO 15
OS PERIGOS DO CLIMA E DAS DOENÇAS

U m período de temperaturas elevadas sobreveio durante a Idade Média, e os dois séculos entre os anos 1000 e 1200 foram talvez tão quentes quanto a década de 1990 veio a ser no norte da Europa. Colheitas foram feitas em terras que, por serem tão frios seus verões, um dia tinham sido vistas como inúteis para o cultivo. As vinhas deram frutos além do limite de cultivo de uvas; até o extremo norte da Inglaterra chegou a produzir vinho.

A ilha da Islândia foi ocupada ao primeiro sinal de um período mais quente. Situada no contorno do Círculo Ártico, mas lucrando bastante com o aquecimento vindo da Corrente do Golfo, a ilha foi ocupada por alguns religiosos irlandeses e, depois, em 874, pelos vikings vindos da Noruega. Os vikings sacudiram o norte da Europa exatamente na mesma época em que os árabes islâmicos agitavam o Mediterrâneo e os maoris ocupavam a Nova Zelândia. Embora os ataques belicosos dos vikings sejam famosos, seus povoamentos foram eficientes e, com o tempo, as cidades e distritos vikings se estenderam desde as cidades de comércio de Kiev e Novgorod, na Rússia, até a costa da França, Escócia, Irlanda, Ilhas Orkney, Ilha de Man e Islândia.

Até mesmo a gelada Groenlândia, a maior ilha do mundo, parecia ser um prêmio onde, nesses anos mais quentes, os vikings poderiam pastar suas ovelhas e defumar os peixes que pegavam no mar. No ano 985, pequenos navios zarparam da Islândia para a Groenlândia com aproximadamente 400 colonizadores, bem como ovelhas, cabras, vacas, cavalos e, provavelmente, pilhas de feno. Na sua maioria eram noruegueses, mas havia um contingente de irlandeses também. Ancorando na costa mais ao sul da Groenlândia, os colonizadores prosperaram no clima cada vez mais quente. No verão, cortavam a grama alta, deixavam-na secar em montes dispostos em fileiras e empilhavam-na em celeiros de feno, possibilitando alimento suficiente para o rebanho durante o escuro inverno.

A população da Groenlândia cresceu chegando a 4 mil ou 5 mil, em menos de um século e meio. A pequena república viking chegou a ter um convento, um mosteiro, mais 16 igrejas e uma catedral presidida pelo bispo da Groenlândia. Era o tipo de povoamento movimentado do qual suas famílias fundadoras tinham orgulho: parecia provável que duraria por 10 mil anos.

A Groenlândia e a Islândia eram uma ponte de passagem pelo gelado Atlântico Norte; do outro lado da ponte, estava a América. Os primeiros desembarques europeus no continente americano foram feitos por expedições vikings exatamente quando a Groenlândia estava sendo ocupada. As mulheres partiram com os colonizadores para a Terra Nova e, segundo dizem, uma das expedições, composta de dois navios, foi conduzida por Freydis, uma mulher que tinha no machado sua arma pessoal contra os inimigos.

Nada resultou desses povoamentos; os índios americanos não tinham motivo para receber bem os vikings. A nova terra, com exceção das peles de animais, não tinha nenhuma mercadoria que empolgasse os comerciantes. Se Cristóvão Colombo, cinco séculos depois, tivesse descoberto essa mesma costa em vez de pisar nos solos das perfumadas Antilhas, ele não seria mais lembrado que os vikings que construíram cabanas e pastaram seus rebanhos nas margens da Terra Nova.

As estações quentes, alguns poucos séculos mais tarde, começaram a alterar-se. Até a ilha mediterrânea de Creta entrou numa fase mais fria, por volta do ano 1150. Na Alemanha e Inglaterra, o frio chegou talvez um século depois, e os anos entre 1312 e 1320 foram não só frios como também chuvosos, ao contrário do usual. Como uma boa parte dos grãos tinha de ser reservada para a semeadura do ano seguinte, uma colheita insuficiente impunha fome a muitas pessoas. Em 1316, talvez uma em cada 10 pessoas de Ypres morreu de fome ou subnutrição; em alguns lugares, a carne humana serviu de alimento.

> EM 1316, TALVEZ UMA EM CADA 10 PESSOAS DE YPRES MORREU DE FOME OU SUBNUTRIÇÃO; EM ALGUNS LUGARES, A CARNE HUMANA SERVIU DE ALIMENTO.

Procissões religiosas no oeste da França refletiam os tempos difíceis. Às vezes, traziam inúmeras pessoas esqueléticas e descalças, algumas das quais praticamente nuas. Colheitas insuficientes afetavam o abastecimento de roupas baratas, bem como de comida barata, pois os pobres faziam suas roupas da planta do linho, que também sofria com as estações ruins. Na verdade, a terra que normalmente era usada para cultivar o linho poderia ser extremamente necessária para o cultivo de grãos.

Com o passar das décadas, o clima da Groenlândia e do Atlântico Norte tornou-se mais frio. Os celeiros, que antes estavam cheios de feno, agora mostravam as aberturas de ar. Só três pilhas de feno eram recolhidas, onde antes havia quatro ou cinco. Os navios que se aproximavam, vindos da Europa ou da Islândia, encontravam blocos de gelo flutuando em lugares onde o mar se apresentava aberto, ao contrário de outras épocas. Os colonizadores da Groenlândia esperavam em vão pelos antigos verões de que seus antepassados tanto falavam. As fazendas e as igrejas foram abandonadas. Os jovens eram poucos, e os casamentos tornaram-se uma raridade. Em 1410, os colonizadores sobreviventes embarcaram em navios que ficavam à espera e rumaram para a Islândia e a Noruega. A base européia nessa terra gelada havia durado menos de 400 anos. Era o equivalente ao porto de Sydney, na Austrália, ser ocupado em 1576 pela Inglaterra do período elisabetano e, então, ser abandonado no ano 2000 por causa da deterioração do clima.

A fase de clima mais ameno havia aumentado a taxa de crescimento da população na Europa; entre 1000 e 1250, ela cresceu rapidamente. Em seguida, vieram os anos gelados, colheitas mais enxutas e um crescimento

153

mais lento da população. Houve mais anos de fome e mais chances de epidemias. A Europa estava pronta para a peste negra.

A PESTE NEGRA

A peste negra de 1348 não foi em evento isolado. É provável que tenha atingido a Ásia e a África alguns séculos antes, mas não deixou nenhum registro detalhado de sua casuística. Uma epidemia semelhante atingiu o Império Romano entre 165 e 180 e indiretamente promoveu o cristianismo, pois muitos romanos ficaram impressionados com a visão dos cristãos dando pão e água às vítimas que se achavam enfermas demais para se moverem. Aproximadamente três séculos depois, outra epidemia, a peste bubônica, veio da Índia. Atingiu Constantinopla em 542 e abriu seu caminho a golpes de foice até a Europa. A maior parte dos que morreram dessa primeira fase da "peste negra" estava condenada dentro de seis dias a partir do momento em que manifestavam os primeiros sintomas – dor de cabeça, febre alta e o aparecimento sob a pele de um caroço, aproximadamente do tamanho de um ovo ou de uma laranja pequena. Curiosamente, as vítimas que apresentavam caroços maiores tinham mais probabilidade de sobreviver. A China e o Japão também sofreram muitos casos com epidemias que talvez se parecessem com a peste negra. Dizem que a cidade chinesa de Kaifeng chegou a perder várias centenas de milhares de habitantes durante uma epidemia em 1232. Se a cidade ficou tão arrasada, as áreas rurais a seu redor devem ter sido devastadas de forma semelhante pela doença.

Uma peste é como um turista compulsivo: ela cria ânimo quando um novo caminho é aberto. A invasão dos mongóis e sua presença unificadora sobre uma imensa área da Ásia ressuscitaram o comércio nas antigas rotas de caravanas e também serviu de estrada para a peste bubônica mover-se para o noroeste, em direção à Europa. Nos portos europeus, os ratos e as pulgas foram os portadores da peste. Após chegar à Europa, em 1348, ela se espalhou rapidamente. Algumas cidades

– Paris, Hamburgo, Florença, Veneza – perderam metade de sua população ou mais. Os vilarejos tinham mais chance de escapar da infecção. Ela se espalhava lentamente no inverno e rapidamente no verão. No total, talvez 20 milhões de europeus tenham morrido, ou uma em cada três pessoas. O monstro das pestes, a peste negra, foi seguido em intervalos por pestes de menor vulto.

> A PESTE NEGRA SE ESPALHAVA LENTAMENTE NO INVERNO E RAPIDAMENTE NO VERÃO. NO TOTAL, TALVEZ 20 MILHÕES DE EUROPEUS TENHAM MORRIDO.

A escassez de alimentos das primeiras décadas foi substituída pela escassez de mão-de-obra. As terras aráveis já não faltavam. Em algumas regiões da Alemanha, havia mais vilarejos abandonados do que habitados, e os campos que um dia soavam alto com trabalhadores na colheita estavam agora cobertos de mato e de silêncio.

Costuma-se determinar a abrangência da Idade Média na Europa entre 500 e 1500. Diferindo dos mil anos anteriores e dos 500 anos seguintes, a Idade Média foi mais introspectiva e menos fascinada com as conquistas individuais. O fato de essa era ter conquistado menos que o Império Romano, em termos materiais, não foi motivo de decepção. A maioria dos cristãos provavelmente acreditava que os cidadãos romanos, em seus anos de triunfo, eram essencialmente pagãos e que, por isso, muitas de suas conquistas eram de pouquíssimo valor.

Muitos dos líderes intelectuais e políticos da Europa durante a Idade Média não se sentiram inferiores ao Império Romano; acreditavam que estavam construindo seu próprio império, unidos por uma religião em comum. Chamaram-no de Sacro Império Romano e foi o prenúncio da federação européia das últimas décadas do século 20.

CAPÍTULO 16
NOVOS MENSAGEIROS

A longa Idade Média foi um período negro não totalmente sufocado pela inércia. Para os vikings, no norte da Europa, e para o Islã, no sul da Europa, não foi um período negro, mas um período de luz. Próximo a seu fim, na Europa como um todo, o sentimento de aventura e de espírito inventivo estava ressuscitando. No século 12, surgia a universidade, uma instituição que, oito séculos depois, daria a volta ao mundo. No mesmo século, apareceram os primeiros moinhos de vento e também a primeira eclusa, uma criação engenhosa que possibilitava aos navios seguir o canal que levava ao porto de Bruges, na Bélgica. As habilidades de mineração estavam prestes a melhorar e, no norte da Europa, um mineral que seria fundamental para o futuro, a hulha ou carvão-de-pedra, começava a ser explorado. Ao mesmo tempo, o navio de alto-mar guiado simplesmente pelo vento, com uma bússola magnética para orientá-lo e um leme de popa para governá-lo, silenciosamente apontava para a possibilidade de explorar o imenso Atlântico.

A China continuava sendo uma fonte de novas idéias, incluindo inovações notáveis, tais como a pólvora, o papel e a técnica de uso da tinta. Não menos notável foi a forma com que os europeus estavam recebendo bem essas novidades e trabalhando para melhorá-las. Em nenhuma área, era a Europa tão importante quanto nos ofícios especializados de fabricação de relógios e na impressão. O relógio era um meio que, como um suave bumbo de metal, sutilmente pregava a mensagem de que o tempo era precioso.

A comunicação em massa já estava a postos, mesmo na Idade Média. O sino, a bandeira e os sinais de fumaça e fogo eram meios que podiam enviar mensagens simultaneamente a milhares de pessoas. O som alto do sino, dependurado num campanário de uma cidade medieval, podia ser ouvido a várias milhas de distância, embora os que estivessem dentro desse raio de audição tivessem de avaliar se a mensagem os chamava para um serviço religioso ou anunciava que alguém de importância havia morrido.

A bandeira colorida, geralmente feita de lã, enviava uma mensagem visual nítida a gerações de pessoas que não sabiam ler ou contar. Até o fim do século 19, uma bandeira amarela significava doenças infecciosas e uma bandeira branca era um pedido de paz num campo de batalha. O fogo e a fumaça eram outro meio de comunicação, quando a guerra era em alto-mar. Uma sucessão de fogueiras era arranjada de forma que fossem visíveis umas a partir das outras, cada fogueira, por sua vez, era acesa para que um sinal silencioso anunciando guerra pudesse ser revezado muitos quilômetros até uma capital ou porto de importância. A oração coletiva em silêncio era vista como outro meio poderoso.

Dos meios tradicionais, a voz humana era a mais empregada. A maioria das notícias era passada adiante, de boca em boca, fosse à beira de uma estrada da China ou num templo de Java. As palavras faladas lentamente e com ponderação alcançavam todos os cantos de um grande anfiteatro. Cristo e João Batista devem ter possuído vozes que se projetavam a longa distância. Aqueles que hoje vivem na era do alto-falante e do microfone não entendem a que distância pode chegar a voz humana ao natural. Em 1739, o jovem evangelizador inglês, George Whitefield, falava ao ar livre na cidade americana de Filadélfia; uma multidão inacreditável juntou-se a seu redor na esperança de ouvi-lo, despertando a curiosidade de Benjamin Franklin, que se encontrava por perto, em saber quantos espectadores podiam ouvir suas palavras. Ele mentalmente marcou os lugares mais afastados onde a voz do orador estava a ponto de tornar-se inaudível e computou que mais de 30 mil pessoas ouviam Whitefield naquele dia.

Com o relógio em vista

No fim da Idade Média, pela primeira vez a palavra falada foi desafiada como meio de comunicação pela máquina de impressão, ou imprensa, mas foi o relógio que a superou em importância e influência. Não se podia prever que, na Europa, chegaria o dia em que quase todos os adultos possuiriam um relógio.

Residentes de grandes cidades italianas foram os primeiros a ouvir o som de um relógio e a observar seus ponteiros se moverem firmes ao redor do mostrador. O relógio tinha de ficar no alto de uma torre para que as pessoas, na praça e nas ruas próximas, pudessem ver seus ponteiros: muitas vezes havia o ponteiro das horas, mas não havia ponteiro para mostrar os minutos. É possível que os cidadãos ainda não soubessem ver as horas, mas pelo menos podiam balançar a cabeça, mostrando aprovação quando seus amigos – ansiosos para mostrar seus conhecimentos – diziam-lhes que horas eram. Provavelmente, o primeiro relógio da Europa foi instalado numa grande igreja de Milão, em 1335, e o som de seus sinos podia ser ouvido por toda a noite, de hora em hora. O relógio público deve ter sido um professor persistente da arte da contagem – pelo menos a contagem até 12 – nos séculos antes de a educação tornar-se compulsória.

Um relógio público localizado no alto de uma torre não só mostrava as horas, mas proclamava que o tempo não era para ser desperdiçado, pois o dia do julgamento em breve chegaria e exigiria severamente que todos afirmassem ter usado diligentemente o tempo que lhes fora concedido pelo Senhor.

O relógio mecânico do ocidente foi exportado para a China, onde encantou a muitos. Da China, quase como se fosse uma troca, veio outra invenção ainda mais influente, que foi posta a trabalhar nas cidades européias: essa invenção era a arte de imprimir em folhas de papel.

O PAPEL E O LIVRO

O papel e a tinta haviam chegado à Europa bem antes da técnica da impressão. O papel foi inicialmente manufaturado na China, no Japão e na Coréia e, logo no início do ano 751, vários artesãos chineses que detinham esse conhecimento foram capturados e transportados para Samarcana, na parte central da Ásia, onde revelaram suas técnicas, manufaturando, assim, o primeiro papel em folhas grossas, num lugar que os chineses poderiam muito bem ter chamado de Ocidente Próximo. O processo acabou chegando ao mundo árabe e, depois, à Europa, onde aos poucos desafiou o uso do pergaminho. Como o pergaminho fosse feito só de pele de animais e como um livro manuscrito de 200 páginas grandes poderia consumir a pele de cerca de 80 animais, um livro feito de páginas de pergaminho era muito mais caro que um livro impresso com o novo papel.

O primeiro papel era feito, por exemplo, com restos de tecido e cordas, e uma roda hidráulica ajudava a converter essas fibras em papel. Na Itália, uma das primeiras cidades produtoras de papel, Fabriano, ainda fabrica papel ao pé de uma cadeia de montanhas, embora a forte correnteza não mais mova a roda hidráulica. Uma vez que o papel estava sendo manufaturado na Europa, o tempo mostrou-se propício para o advento da imprensa.

159

Os chineses faziam suas letras e imagens não com metal, mas com madeira e barro cozido na técnica chamada de xilografia. Os coreanos faziam letras móveis, ou tipos, com bronze desde 1403, mas sua inovação não influenciou a Europa. Os avanços distintos da impressão prestes a serem feitos na Europa envolviam a fundição de cada letra do alfabeto em chumbo, assegurando-lhes durabilidade, e o uso de uma prensa pesada para aplicar pressão e fazer com que as composições de metal imprimissem as imagens com tinta sobre o papel, com firmeza e nitidez.

> O PRIMEIRO PAPEL ERA FEITO, POR EXEMPLO, COM RESTOS DE TECIDO E CORDAS, E UMA RODA HIDRÁULICA AJUDAVA A CONVERTER ESSAS FIBRAS EM PAPEL.

Johannes Gutenberg, residente em Mogúncia (ou Mainz), cidade alemã à beira do rio de mesmo nome, foi talvez o primeiro europeu a imprimir um livro, usando não somente a imprensa, mas também as letras ou tipos de metal. Sua técnica, quando aperfeiçoada, era igual à usada mais tarde pela máquina de escrever. Todavia, enquanto a máquina de escrever moderna requer simplesmente quatro carreiras perfeitas com todas as letras do alfabeto, maiúsculas e minúsculas, a forma de impressão de Gutenberg exigia fazer centenas de réplicas de metal de cada letra do alfabeto.

Gutenberg e seus companheiros tipógrafos colocavam sobre um banco ou prateleira à sua frente dúzias de letras a, dúzias de letras b, e assim faziam com todo o alfabeto. Dessa montagem, eles arranjavam ou compunham, com movimentos rápidos das mãos, a seqüência individual de letras de metal que formavam uma frase e, então, um parágrafo. Uma versão da prensa de vinho, ou da prensa de encadernação, era usada para prensar essa massa de letras metálicas em forma de páginas sobre uma folha nova de papel. A técnica da impressão a partir de letras de metal móveis era infinitamente mais adequada às línguas européias baseadas no simples alfabeto romano do que os 50 mil símbolos da língua chinesa.

As novas técnicas da tipografia de Gutenberg eram copiadas e adaptadas. Em 1480, os tipógrafos já trabalhavam em cidades tão longínquas como Cracóvia, Londres e Veneza. A maioria dos livros que eles imprimiam eram sérios e cultos – somente os cultos podiam lê-los – e vinham em latim.

Até então, o custo para produzir um livro à mão, em papel ou pergaminho, era tão alto que a maioria das igrejas menores da Europa não tinha condições de comprar uma Bíblia. A situação era contornada com o evangelho em livros escritos à mão, que continham somente aquelas passagens da Bíblia necessárias para celebrar a missa. Eram provas medievais de uma versão das escrituras no estilo do Reader's Digest. Graças à imprensa, uma Bíblia mais barata era agora possível.

A técnica de impressão sobre papel foi uma revolução social. A Europa estava pronta para ela e ansiosa por usá-la e melhorá-la, pois o fim do século 15 foi a época de seu despertar intelectual. A imprensa acelerou esse despertar.

O desejo urgente de espalhar uma mensagem religiosa, primeiro para o budismo na China e depois para o cristianismo na Europa, havia sido um impulsionador significativo para a invenção e a utilização da imprensa. O Islã, no entanto, não tinha tempo para a nova invenção e, na verdade, evitou a imprensa até o século 19.

AS CONQUISTAS OTOMANAS

Nessa época de mudanças cada vez mais rápidas, a Europa estava se tornando intelectualmente mais confiante, mas estava longe de sentir-se segura em termos militares. Do interior da Ásia, os mongóis tinham vindo galopando e, em sua sombra, vieram os turcos.

Numa determinada época, os turcos viviam principalmente no Turquestão, na região central da Ásia. Guerreiros eficazes, eles vieram para o Ocidente em etapas e, aproveitando-se dos avanços dos mongóis, ocuparam muitas áreas dominadas por confusões. Em 1400, os turcos otomanos já detinham quase todo o território da atual Turquia e estenderam seu domínio pela Europa cristã. Detinham as duas margens do Estreito de Dardanelos, incluindo a faixa costeira que se tornou o campo de batalha de Galípoli, na Primeira Guerra Mundial. Ocuparam trechos longos do Rio Danúbio e grandes partes do que hoje são a Albânia, a Sérvia, Kosovo, a Bósnia, a Bulgária e a Romênia. Em terras balcânicas, os invasores turcos encontraram seguidores e opositores. Muitos camponeses cristãos, incomodados com os ricos proprietários de terra para quem trabalhavam, acolheram os turcos em silêncio, aceitando sua religião e juntando-se a seu exército como mercenários.

Os turcos cercaram a celebrada cidade de Constantinopla quase que totalmente, por terra e mar, transformando-a num pequeno território sitiado. Em 28 de maio de 1453, o dia em que o último serviço cristão foi realizado na catedral de Santa Sofia, os turcos estavam sobre os altos

161

muros, prontos para entrar em Constantinopla. Após onze séculos, a famosa cidade do cristianismo foi conquistada. Nos cinco anos entre 1516 e 1521, os turcos tomaram cidades diversas, como Damasco, Cairo e Belgrado. Exatamente na mesma época em que os europeus estabeleciam à força seus impérios na América e na Ásia, os turcos otomanos da Ásia forçavam sua entrada na Europa: eles eram agora uma potência européia.

O fato de os turcos terem sido tão tolerados mostrou um pequeno lapso de intensidade religiosa na Itália, por volta de 1500. Essa mesma diminuição de fervor católico abriu o caminho, dentro da Europa, para o aparecimento de protestos, ou dos protestantes, que respiravam fervor religioso. Seu principal inimigo não seria um sultão: seu inimigo era o papa.

CAPÍTULO 17
A GAIOLA

O que aconteceu na parte ocidental da Europa, um pouco antes de 1500, foi uma das convergências mais extraordinárias de acontecimentos de grande influência na história do mundo até então conhecido. Foi como uma encruzilhada, onde, praticamente por acaso, encontros extraordinários aconteceram entre navegadores, pintores, sacerdotes, professores e cientistas.

Nessa região, surgiu uma nova forma de pintar e esculpir e uma nova perspectiva em arquitetura que, vista como um todo, foi chamada de Renascimento. Um despertar religioso, a Reforma, tomou conta de todo o norte da Europa. A técnica da impressão, uma forma maravilhosa de disseminar novos e antigos conhecimentos, saltava de cidade em cidade. Sucessivamente e em pequenos intervalos de tempo, um mundo inteiramente novo emergiu com a descoberta do continente americano e de uma rota totalmente marítima da Europa ao leste da Ásia. Curiosamente, esse conjunto memorável de acontecimentos, cada um tão próximo do outro, não tem um nome específico que o englobe por completo e, certamente, já é muito tarde para agora lhe dar um nome que seja aceito.

Tais acontecimentos refletiram-se em novas formas de ver o mundo. Muitos artistas e arquitetos viram com novos olhos a realidade a seu redor, fosse o corpo humano ou a perspectiva; muitos teólogos e pregadores acreditaram ter redescoberto a natureza humana; os astrônomos e os navegadores viram o mapa do mundo com estupefação. Tudo refletia um desejo de banhar os olhos cansados em sal e enxergar tudo de uma nova forma. Seria surpreendente se essas novas formas de ver o mundo e a excitação que elas trouxeram não tivessem sido contagiantes. A imprensa ajudou a espalhar esse contágio. Por passagens que não podemos necessariamente detectar, pois a religião, a arte e a navegação eram basicamente reinos diferentes presididos por pessoas diferentes, essas áreas tão separadas influenciaram umas às outras. Assim, o protestantismo, um produto dessa excitante época, foi ajudado imensamente pela invenção da imprensa.

Embora esse conjunto de descobertas tenha sido, de certa forma, revolucionário, cada uma surgiu em parte de uma veneração pelo passado. Muitos dos artistas apaixonaram-se pelo mundo esquecido da Grécia e de Roma e tentaram recapturá-lo. Alguns dos teólogos radicais estavam tentando recapturar as virtudes da religião como era praticada ao longo do Mar da Galiléia por Jesus e seus discípulos, tentando também destilar a essência dos escritos apagados de Santo Agostinho e dos patriarcas da Igreja. Nem mesmo os navegadores, a princípio, estavam procurando o novo; simplesmente desejavam encontrar uma rota marítima, em lugar da terrestre, até a velha China. Ao mesmo tempo, embora inicialmente apaixonados pelo passado, os teólogos, tipógrafos, pintores e navegadores eram todos exploradores. Os tempos, a atmosfera incentivaram um sentimento de aventura intelectual.

Isso não deve sugerir que os olhos firmemente vendados pelo passado foram de repente desvendados: esse processo aconteceu aos poucos e foi provavelmente mais gradual na arte e na arquitetura, onde ganhou ímpeto durante três séculos. Por volta de 1500, as novas formas de ver as coisas pareciam desabrochar. Um pouco antes de Leonardo da Vinci ter completado seu retrato de uma jovem mulher, "Mona Lisa", os espanhóis descobriram a América e os portugueses adentraram no Oceano Índico com suas navegações. Logo em seguida, Michelangelo completou sua pintura de temas do Antigo Testamento no teto da Capela Sistina, em Roma, e Martinho Lutero, do outro lado dos Alpes, protestava contra o sistema herético de impostos com o qual Roma financiava exemplos nefandos, como a própria Capela Sistina.

Essas mudanças de grande alcance nas artes, religião, erudição, imprensa e navegação nem sempre são vistas como fortemente interligadas, porque cada uma deu frutos num canto diferente da Europa. A arte e a arquitetura floresceram principalmente no centro e no norte da Itália e na Holanda; os reformadores religiosos inicialmente brotaram no norte da Alemanha e nos portos lacustres da Suíça; a impressão com composições de letras móveis foi inventada no Vale do Reno, na Alemanha, e navegadores audazes zarparam dos portos de Portugal e Espanha, ao longo da costa do Atlântico. De grande importância, essa era a primeira vez na história européia em que os acontecimentos principais estavam mais ao norte do que ao sul dos Alpes e mais do lado da costa do Atlântico do que do Mediterrâneo.

Uma parte da Europa cristã não contribuiu para tal excitação, pois havia caído nas mãos do Islã, que continuava se expandindo. Em 1529, os turcos chegaram a sitiar a cidade de Viena. A Reforma Protestante estava acontecendo a 300 quilômetros dos turcos, que avançavam cada vez mais.

O despertar que acontecia em tantas frentes tinha um novo patrocinador. Na poderosa Roma, a Igreja era a principal patrocinadora das artes, mas as ricas cidades de comércio em desenvolvimento nutriam e financiavam muitas dessas descobertas, fossem na arte, na teologia ou na navegação. As casas de comércio de Florença, Gênova, Gent, Nuremberg, Genebra, Zurique, Lisboa e Sevilha forneciam os patrocínios e as finanças e, freqüentemente, tinham uma atitude solidária com as novas formas de visão. As cidades de comércio, embora tivessem só uma pequena fração da população da Europa, mostravam grande vigor.

Os descobridores eram como pássaros há muito mantidos em uma enorme e gelada gaiola medieval chamada Europa. A porta da gaiola abrira-se: os pássaros fugiram, primeiro um a um, depois em grupos de quatro; em sua nova liberdade, eles mostraram sua plumagem de verão e cantaram como nunca haviam cantado antes.

165

Abrindo a gaiola

A gaiola nunca foi aberta com mais otimismo do que em agosto de 1492, quando Cristóvão Colombo e suas três pequenas naus zarparam da Espanha numa perigosa viagem; sua navegação pode ser classificada como o acontecimento mais significativo de todo o milênio.

Mais de 70 anos antes de Colombo ter partido para cruzar o Atlântico, outros já vinham mapeando a mesma rota. A Ilha da Madeira foi colonizada pelos portugueses em 1420. Onze anos mais tarde, descobriram-se os Açores: uma pequena bolha no oceano, muito distante, em direção ao continente americano, a cerca de 800 milhas marítimas de Lisboa e a mil da Terra Nova. Os navios portugueses também navegaram rumo ao sul, abraçando a costa africana. Em 1487, o corajoso Bartolomeu Dias deixou Lisboa para seguir o Oceano Atlântico, indo mais ao sul. Durante semanas, sem nenhuma terra à vista, ele navegou exatamente ao redor da costa mais ao sul da África e então retornou. Em sua viagem de retorno, mais próximo a terra, ele avistou os promontórios do sul e os chamou de Cabo das Tormentas. Mesmo nessa época, a arte das relações públicas já estava no ar e, finalmente, o cabo foi rebatizado de Cabo da Boa Esperança.

Em essência, Colombo estava planejando aventurar-se pelo oceano do qual uma boa parte estava se tornando conhecida, e muito ainda era um grande mistério. Ele havia esperado ajuda financeira de Portugal, mas o país já estava tendo sucesso com suas próprias teorias simples de geografia. Voltou-se, então, para a Espanha, à procura de ajuda.

> COM TOTAL CONHECIMENTO DE QUE O MUNDO ERA REDONDO, COLOMBO ZARPOU PARA O OCIDENTE À PROCURA DO ORIENTE.

Da Espanha, em agosto de 1492, com total conhecimento de que o mundo era redondo, Colombo zarpou para o Ocidente à procura do Oriente. Começou a cruzar o Atlântico, acreditando estar a caminho da China. Tais esperanças hoje parecem um pouco

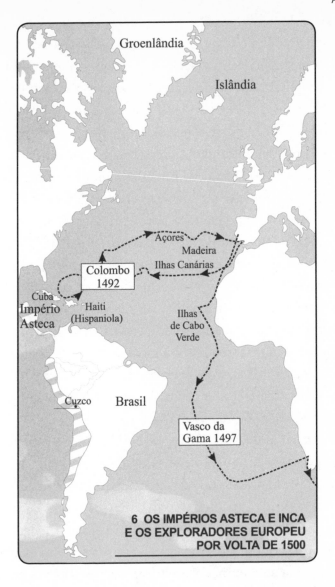

**6 OS IMPÉRIOS ASTECA E INCA
E OS EXPLORADORES EUROPEU
POR VOLTA DE 1500**

improváveis, mas ele tinha razões para crer que estava realmente atravessando um estreito mar. Naquela época, acreditava-se, erroneamente, que os oceanos ocupavam somente um sétimo da superfície do globo e que, por isso, um oceano muito largo simplesmente não existia. Essa era a crença do antigo geógrafo Ptolomeu, cujo nome ainda era reverenciado mais de um milênio após sua morte.

Por um acaso, os volumes de Ptolomeu, há muito perdidos para a Europa Ocidental, haviam sido publicados em uma nova tipografia na cidade italiana de Bolonha, somente quinze anos antes de Colombo ter partido em sua primeira viagem. Ptolomeu tranqüilizou Colombo, fazendo-o acreditar que ele não teria de navegar muito a oeste até entrar em águas chinesas. Na verdade, existia um traçado simples da costa e dos portos chineses, e é possível que o destino de Colombo fosse o porto chinês de Swatow (Shantou) ou Cantão (Guangzhou), ao sul.

Distanciando-se da costa da Espanha, Colombo navegou com confiança em direção ao oeste ou sudoeste, mesmo em noites escuras. Na verdade, estava navegando em direção à Flórida quando, em 7 de outubro de 1492, ele avistou um bando de pássaros espalhados voando para sudoeste. Mudou o curso do navio para segui-los, notando com muita esperança que a brisa do mar era perfumada com uma fragrância que lembrava "o mês de abril em Sevilha".

Finalmente, uma costa apareceu à vista. Um sentimento de triunfo deve ter tomado conta de sua alma, à medida que remava até a margem. Era uma ilha, nas Antilhas, embora ele pensasse ser a Índia. Daí em diante, o povo das Américas viria a ser chamado de índios, e Colombo, ao voltar à Espanha, veio a ser honrado como vice-rei das Índias.

Após avistar as ilhas de Cuba e do Haiti, Colombo voltou à Espanha em março de 1493. A notícia de suas descobertas gerou um nível de estupefação, talvez excedendo o da época da primeira ida do homem à Lua. Em sua segunda expedição, com 17 navios sob seu comando, ele estabeleceu na ilha de Hispaniola (Haiti) a primeira cidade européia no novo hemisfério. Em agosto de 1498, em sua terceira expedição, ele realmente chegou ao continente americano e pôs seus pés em terra, na atual Venezuela. Quando da morte de Colombo, em 1506, os extraordinários impérios dos astecas e dos incas, longe das costas pelas quais ele havia navegado, ainda não haviam sido vistos pelos europeus. Ele tinha destrancado a grande porta, mas, quando morreu, a porta encontrava-se simplesmente entreaberta.

Quatro anos após Colombo ter retornado de sua primeira viagem de sucesso ao que ele pensava ser a Ásia, os portugueses planejaram sua própria grande expedição à Ásia por uma rota diferente. Vasco da Gama zarpou de Lisboa em 1497 com três navios e uma tripulação de 170 pessoas. Ao navegar pelo Equador e contornando o sul da África, ele passou mais dias sem avistar terra do que Colombo em sua primeira viagem; talvez nenhum outro navio tenha estado sem avistar terra por tanto tempo, antes. Na costa leste da África, ele entrou na esfera de influência comercial do Islã e, no porto de Moçambique, encontrou navios árabes. Daí em diante, tudo foi pura navegação. Os pilotos indianos, muçulmanos de religião, na verdade guiaram-no pelo Oceano Índico até a costa ocidental da Índia. Como Colombo, ele havia encontrado, com ajuda muçulmana, uma nova rota marítima para terras remotas.

Essas viagens de Cristóvão Colombo e Vasco da Gama estavam entre os acontecimentos mais importantes da história do mundo desde a lenta invenção da agricultura, milhares de anos antes. A viagem portuguesa uniu duas partes ricas e dinâmicas do mundo que anteriormente eram inacessíveis por navio; a viagem espanhola uniu dois mundos desabitados que haviam estado distanciados e desconhecidos um do outro. Acontecimentos comparáveis a esses nunca ocorrerão novamente, a não ser que uma forma de vida avançada seja descoberta em outro planeta.

169

OS SALÕES DE MONTEZUMA

Os vikings, séculos antes, haviam desembarcado numa parte desolada e esparsamente povoada do mesmo continente, assim como Colombo. Seu desembarque não os levou a lugar algum e, em pouco tempo, foi esquecido. Mas Colombo e os espanhóis desembarcaram mais próximos ao centro das Américas onde, sem que eles soubessem, havia imensos pomares, minas de ouro e prata, cidades grandiosas e até impérios.

No ano de 1517, o navegador espanhol Grijalva navegou de Cuba até as cidades portuárias do continente, a oeste, e no decorrer de nove meses de navegação sossegada e inúmeras permanências em terra, ele viu muitas coisas que o impressionaram. Trouxe também de volta a Cuba a notícia dos rumores do rico império de Montezuma II, situado na região montanhosa mais para o interior. Na costa, o imperador asteca era temido e odiado pelo povo maia. Qualquer espanhol que se aventurasse em seu território tinha de ser audacioso e bem preparado. Hernán Cortés, escolhido para penetrar no reino de Montezuma, era audacioso, mas em alguns aspectos era mal preparado. Com 34 anos de idade, ele não tinha experiência como líder e guerreiro. De porte franzino, curvava-se um pouco quando andava e tinha pernas arqueadas. O homem que veio a alcançar uma das vitórias militares mais impressionantes já registradas não havia ainda assumido um papel de comando.

Com uma pequena esquadra de pequenos navios, Cortés saiu de Cuba em novembro de 1518. Entre os 530 europeus que o acompanharam, estavam 30 especialistas em atirar com a besta, arma medieval comum na época. Na verdade, seus soldados tinham mais experiência com arcos e flechas do que com armas de fogo. Em seus navios, havia várias centenas de índios cubanos, homens e mulheres, muitos dos quais eram serviçais particulares, além de alguns escravos africanos. Nos conveses, encontravam-se encurralados 16 cavalos possantes que serviam de arma de surpresa, pois nenhum americano havia visto um cavalo antes; quando desembarcaram em terra, os observadores presentes amedrontaram-se tanto com a visão das enormes bocas dos animais quanto de suas enormes patas.

Na Páscoa de 1519, Cortés e seu grupo interromperam sua viagem ao interior e passaram três semanas na cidade centro-americana de Potonchán, onde, no Domingo de Ramos, ergueram uma cruz cristã na praça da cidade. Antes de partirem da cidade, Cortés foi presenteado com uma mulher vivaz que podia falar as línguas locais de que ele precisava, pois uma das línguas era conhecida dos maias ao longo da costa, e a outra era falada pelo imperador Montezuma no interior. Cortés regozijou-se com sua talentosa intérprete. Batizada na fé cristã com o nome de Marina, a intérprete logo aprendeu a falar espanhol. Seu valor para Cortés foi, nas palavras de um historiador, "certamente, equivalente a dez canhões de bronze". Por meio de suas palavras, a estranha terra em que ele estava prestes a entrar tornou-se inteligível.

A cidade de Montezuma, chamada Tenochtitlán, ficava num planalto aproximadamente a meio caminho entre os oceanos Atlântico e Pacífico. Respirando um ar rarefeito a aproximadamente 2.500 metros acima do nível do mar, ela repousava sobre uma ilha localizada num enorme lago rodeado de montanhas. A Cidade do México hoje ocupa esse local, mas o lago desapareceu.

Visitar a cidade, vindo de longe, era uma das experiências mais extraordinárias que o mundo inteiro poderia oferecer. Os viajantes passaram por montanhas altas, uma delas permanentemente coberta de neve e muitas cheias de árvores, antes de finalmente chegarem a um planalto, do qual se descortinava um lago e, bem ao longe, as pirâmides de pedra, que eram um marco dessa civilização. Três passarelas atravessavam o lago levando à ilha onde se situava a cidade e seus 200 mil habitantes. Era uma das maiores cidades do mundo. Para os poucos espanhóis que tinham viajado por toda a Europa antes de partirem para o Novo Mundo, somente as cidades portuárias de Constantinopla e Nápoles tinham esse tamanho, entendendo-se que tampouco na China havia cidades muito maiores.

A área do Império Asteca em si era quase tão grande quanto a atual Itália, e seu povo somava entre 6 milhões e 8 milhões de pessoas. Destacavam-se nos ofícios de construção e arquitetura, sendo ourives e joalheiros de primeira categoria, extremamente competentes em matemática e adeptos da agricultura, cultivando uma variedade de plantas e criando perus e patos-do-mato. Deve-se admitir que eles não dispunham de algumas invenções de importância adotadas ou inventadas pelos europeus, pois não eram familiarizados com o bronze, o ferro, parafusos e pregos. Não dispunham da roda e não possuíam polias mecânicas, pólvora e navios de alto-mar.

O sacrifício de vidas humanas praticamente dominava o calendário da cidade-ilha. O ato do sacrifício era mais parecido com uma carnificina sistemática do que com um festival religioso. No século anterior, quando o ritual de sacrifícios havia se tornado mais freqüente, milhares de vítimas escolhidas, a maioria das quais eram homens, podiam ser mortas no mesmo mês. Como a vida após a morte era vista como mais importante e infinitamente mais longa que esta vida, um menino e uma menina que fossem levados ao templo para ser mortos em cerimônia, pelo menos, tinham o consolo de que sua recompensa seria duradoura.

A execução era feita com muito drama, presidida por sacerdotes, justificada pela ideologia e, até mesmo, bem acolhida por alguns pais, principalmente os pobres, que traziam e apresentavam os próprios filhos. Não se podia esperar que prisioneiros de guerra retirados de suas terras natais e seguidores de uma religião muito diferente vissem o altar de sacrifícios e a faca de pedra sob a mesma luz consoladora. Ser pendurado no altar já todo manchado de sangue e ver a mão de um sacerdote segurando uma lâmina de pedra bem afiada era a última visão consciente de dezenas de milhares de vítimas. O coração era habilidosamente arrancado do corpo e, em seguida, queimado em cerimônia.

> O ABASTECIMENTO DE UMA CIDADE TÃO GRANDE COMO TENOCHTITLÁN ERA UM FEITO DE HABILIDOSA ORGANIZAÇÃO E TRABALHO PESADO.

O abastecimento de uma cidade tão grande como essa era um feito de habilidosa organização e trabalho pesado. A cidade era estocada com alimentos, grãos, lenha e materiais de construção por pessoas que serviam de animais de carga. O continente americano não possuía veículos de roda e, mesmo que houvesse uma carroça, não havia cavalos ou bois para puxá-la. Lenha e alimentos podiam ser carregados em barcos pelo lago a uma distância pequena, mas os artigos de longa distância eram trazidos de tão longe quanto o Golfo do México por uma procissão de carregadores humanos que punham em seus ombros pacotes especiais, podendo chegar a quase 25 quilos de peso. Como parte da estrada era composta de subidas íngremes, os carregadores humanos tinham de ser fortes.

Uma boa parte do solo ao redor do lago era fértil. Por quase 4 mil anos, havia sido cultivado com implementos relativamente simples de madeira e irrigado por canais de água desviados do lago ou de nascentes. Nos séculos mais recentes, sua fertilidade havia sido sustentada com esterco trazido da cidade. As safras de milho, feijões, verduras, pimentas, abóboras, outros vegetais e frutas vinham das terras próximas ao lago. O milho, mais do que qualquer outra planta, era o segredo do sucesso da economia: um quilômetro quadrado plantado com milho podia alimentar três vezes o número de pessoas que viviam de trigo ou centeio cultivados numa área de tamanho semelhante na Europa.

A conquista da cidade de Montezuma foi corajosamente planejada por Cortés. Ele sabia, desde o início da luta, que estariam em número muito inferior. Além disso, estavam lutando longe de casa, em terras que o inimigo conhecia intimamente. No papel, suas desvantagens eram muito maiores que suas vantagens, mas contou com o apoio fundamental dos povos vizinhos que, odiando os astecas, estavam nada mais que ávidos para servir aos espanhóis como guarda avançada, carregadores, forne-cedores de alimentos e guerreiros. Cortés chegou a ganhar até mesmo o apoio sutil dos astecas que estavam no comando e que pensavam, quando ele chegou em novembro de 1519, que fosse a reencarnação de um deus por quem há muito eles esperavam. A vitória de Cortés foi uma das mais impressionantes de que a história mundial tem registros.

Montezuma II, com seus traços escuros e nariz aquilino, cortesia e eloqüência, humildemente se rendeu. Cortés assumiu o poder do império e até mesmo dos filhos do imperador.

CAPÍTULO 18
OS INCAS E OS ANDES

O império dos astecas havia desmoronado. Bem mais ao sul, nas longínquas montanhas dos Andes, havia um império relativamente novo que parecia ser ainda mais formidável. Governado por um imperador conhecido como o Inca, ficava muito mais distante dos novos portos espanhóis do Caribe. Além disso, suas cidades e vilarejos contavam com um escudo protetor de montanhas e desfiladeiros.

As encostas medianas e mais baixas dos Andes e a costa adjacente do Pacífico há muito eram ocupadas por caçadores e trabalhadores da colheita. Um remanso de águas paradas no mundo, a região começou a se agitar, por volta de 3000 a.C., quando domesticou três tipos de animais: a lhama, a alpaca e o porquinho-da-índia. Mil anos depois, seu povo começou a cultivar milho e batata, duas plantas valiosas que eram desconhecidas na Ásia, na África e na Europa. Na irrigação de suas plantações, eles conseguiram lidar com obstáculos geográficos mais difíceis que os apresentados nas cidades dos vales do Oriente Médio. Na época de Cristo, o povo de Nazca já cavava túneis nas encostas de morros, ao sul do Peru, com a intenção de desviar os lençóis subterrâneos para a irrigação. Sua construção de terrenos para agricultura e os aquedutos tornaram-se impressionantes. Sua habilidade em cultivar uma variedade cada vez maior de plantas de grande utilidade era igualmente admirável.

Enquanto para a Europa a Idade Média foi, de acordo com certas definições materialistas, o "período negro", o mesmo período nos Andes foram os "anos das luzes". As cidades e vilarejos por todos os Andes estavam sofrendo alterações com novas tecnologias, novos cultivos e novos instrumentos. De alguma forma, os pequenos Estados dos Andes, em 1400, assemelhavam-se às cidades-Estado rivais da Itália do mesmo período, exceto pelo fato de os Andes terem uma profusão de Estados separados, muitos dos quais ocupavam apenas um vale e suas encostas ao redor. A paisagem acidentada facilitou o isolamento. Pelo menos 20 línguas distintas eram faladas e talvez 100 grupos étnicos ou mais ocupavam, cada um, seu território nas encostas medianas e mais baixas das montanhas e na estreita faixa da costa do Pacífico. Nessa época, em pouco espaço de tempo, uma superpotência começou a lutar pela sua posição de supremacia até alcançar o comando, o que coincidiu com a chegada dos espanhóis.

Os conflitos de guerra entre essas dúzias de grupos ou micronações haviam há pouco se tornado quase um hábito. No decorrer da mais séria dessas guerras, as plantações e os projetos de irrigação do inimigo, resultado de gerações de trabalho e criatividade, foram danificados, mulheres e crianças foram levadas como prisioneiras, rebanhos e plantações foram destruídos ou saqueados. Até as pedras que eram usadas para moer seus grãos foram arrancadas à força dos derrotados. Nessa longa rodada de lutas, os incas provaram ser superiores e, a partir de 1438, aproximadamente, seu território começou a se expandir.

175

Originários da região montanhosa ao redor de Cuzco, no atual Peru, os incas chegavam a talvez 40 mil. Após uma sucessão de guerras e ameaças de guerra, ganharam domínio sobre todos os grupos e governaram um total de 10 a 12 milhões de pessoas. Seu domínio, no mês em que Colombo desembarcou pela primeira vez nas Américas, fazia os impérios de Portugal e Espanha parecerem pequenos. Os incas governaram toda a área que ia da atual Colômbia e Equador, ao norte, até a região central do Chile, ao sul. Hoje cinco repúblicas independentes ocupam o território um dia governado por eles.

Tamanha era a extensão do Império Inca que os soldados enviados do posto central para postos distantes poderiam levar de sessenta a oitenta dias na estrada, antes de finalmente chegarem a seu destino. Era fácil percorrer distâncias tão grandes porque o império era unido por uma maravilhosa rede de estradas. As antigas pontes e estradas chinesas e romanas haviam sido as mais notáveis, mas nenhum outro império primitivo podia se igualar aos incas quanto às suas estradas, construídas por um corpo de trabalhadores forçados. Com o tempo, as estradas incas se espalharam por mais de 23 mil quilômetros, o suficiente para atravessar a Ásia em sua maior extensão. As duas estradas principais corriam paralelas, uma seguindo a costa do Pacífico e até cruzando o deserto ao norte do Chile, e a outra seguindo as montanhas. A estrada da montanha, a mais movimentada das duas artérias, subia e descia milhares de morros. Em alguns lugares, tinha mais de 25 metros de largura, mas, em trechos mais íngremes, assemelhava-se mais a um caminho em ziguezague. Como os incas não possuíam veículos de roda, não tinham de se preocupar se a estrada era excessivamente íngreme ou muito estreita. Quando um pântano tinha de ser atravessado, fazia-se um aterro de pedra ou de terra; quando um rio tinha de ser atravessado, uma plataforma flutuante, ou pontão, era construída; quando um desfiladeiro aparecia no traçado da estrada e atrapalhava seu progresso, uma ponte suspensa, feita de cordas grossas, era construída para vencer o vão existente. Algumas dessas pontes ainda se encontravam em uso três séculos mais tarde.

Por essas pontes, penduradas a grande altura sobre correntezas agitadas, corriam os mensageiros oficiais. Usavam proteção para a cabeça e, nos pés, dispunham de sandálias feitas de couro não curtido, amarradas com cordões de lã. Nos longos trechos de estradas niveladas, os mensageiros se moviam em ritmo impressionante. A velocidade com que as notícias corriam era favorecida pelo sistema de revezamento: no espaço de alguns poucos quilômetros ao longo da estrada havia sempre uma cabana, onde outro mensageiro ficava à espera.

Artigos e mensagens urgentes eram levados pelos mensageiros que se revezavam. Assim eram transportadas cargas de peixe fresco a longa distância para o prazer dos oficiais superiores na capital, Cuzco. Por essa estrada, até mesmo os oficiais superiores podiam ser carregados, se assim o desejassem, usando o meio de transporte comum que consistia de dois pedaços de madeira paralelos sustentados por quatro homens, onde se fixava um assento especialmente para o oficial.

As estradas poderiam acabar sendo úteis para os invasores, mas, durante um bom tempo, os incas mantiveram-se superiores; excelentes generais com treinamento em manobras militares lideravam seus exércitos. Enquanto serviam aos oficiais superiores, os povos subjugados forneciam os humildes soldados de terra, fossem homens ou mulheres. E, mesmo assim, não era um império totalmente composto de súditos privados de vontade. Os incas trouxeram paz a uma região destruída por guerras e também uma grande vontade de cooperar, desde que o grupo minoritário se rendesse sem travar lutas.

Pelas estradas principais, em determinados anos, podiam ser vistas procissões de pessoas caminhando longas distâncias rumo a suas novas terras. Os incas, como os governantes da futura União Soviética e de outros impérios, sabiam que a dispersão de povos estrangeiros e a mistura de diferentes grupos étnicos diminuíam a chance de uma rebelião organizada. Sobre as mesmas estradas passavam soldados a caminho de regiões distantes onde eram necessários os serviços de patrulhamento ou onde conflitos eram prováveis de acontecer. Armazéns, intercalados pela estrada e servidos pelos povos conquistados, forneciam-lhes alimento.

As pessoas compartilhavam a estrada com mais um animal de carga, a lhama. Quando lavados e limpos pelas águas das chuvas, muitos desses animais de carga cobertos de lã forneciam maravilhosos casacos brancos com manchas marrons ou pretas. Membro da família dos camelos, mas sem a evidente corcova, a lhama podia agüentar cargas de 40 a 50 quilos, compensando, assim, a ausência da roda na civilização andina.

SOL, LUA E TROVÃO

Os incas eram extremamente religiosos. Decisões importantes eram precedidas de súplicas aos deuses, fossem para pedir sua bênção para as campanhas militares ou para a próxima colheita. O Sol e a Lua eram

> Os incas eram extremamente religiosos. Decisões importantes eram precedidas de súplicas aos deuses.

deuses cuja ajuda era humildemente solicitada. O Sol, como fornecedor de calor, era visto como amigo e, assim, a vida após a morte era vivida sob seu calor. Ao contrário, o inferno dos incas era um lugar gelado.

O Sol era o deus masculino e dele o rei clamava sua descendência e, assim, governava por direito divino. O Sol regulava o calendário e, a cada ano, o dia de dezembro em que o Sol estivesse mais ao sul do Equador marcava o início do calendário inca. Portanto, seu ano começava sob clima quente, quase na mesma época em que o ano começava na Europa, sob clima frio.

O deus-sol tinha sua planta favorita, e suas folhas produziam a coca, que possuía qualidades espirituais. Originalmente, esse arbusto tropical crescia ao longo do sopé das montanhas, na parte leste dos Andes, mas foi cultivado e posteriormente transplantado para as plantações das encostas mais baixas dos Andes, do lado do oceano. Era plantado em terrenos planos, duramente construídos nas encostas íngremes, e a água era transportada até os terrenos em longos canais que atravessavam o solo seco. Como o cultivo da coca era extremamente valioso, cercas ou muros de pedra eram construídos para protegê-la de ladrões e, possivelmente, evitar também que a raposa cinza entrasse na plantação e urinasse sobre um produto tão sagrado.

As folhas de coca eram transportadas em cestos e sacolas de fibra pelas estradas até a capital, onde ficavam disponíveis somente para os altos oficiais do reino e os guardiães dos templos. Misturada com cal, a coca era geralmente mastigada, provocando uma saliência na região da bochecha. Transmitia excitação à mente, ajudando assim as profecias feitas nos templos dedicados à adoração do Sol. Dessa planta, vieram na época moderna a droga cocaína e o aditivo secundário que, até 1905, fazia parte da receita do refrigerante Coca-Cola.

De todas as sociedades conhecidas do mundo anteriores aos últimos cem anos, os incas provavelmente vinham em primeiro lugar em sua atitude para com as mulheres. Elas não só tinham o direito de ter propriedades, mas também tinham o próprio deus poderoso: das duas principais divindades incas, a Lua era a deusa das mulheres, que lhe serviam como sacerdotisas. A Lua presidia a fertilidade das mulheres e as protegia durante o nascimento das crianças. O papel econômico das mulheres era tão honrado quanto o dos homens, e as cerimônias funerais rendiam homenagem ao trabalho e às necessidades delas. Enquanto no túmulo dos homens era colocada a enxada com a qual eles haviam trabalhado a terra, as mulheres eram enterradas com as varetas ou roscas de madeira com as quais haviam enrolado os fios novos de algodão.

O sacrifício de animais, principalmente do porquinho-da-índia e da valiosa lhama, era uma parte fundamental dos rituais religiosos. Para grandes acontecimentos como uma coroação ou a perigosa decisão de ir à guerra, exigia-se o sacrifício humano. Crianças de 10 a 15 anos, por serem consideradas mais puras que os adultos, geralmente eram as escolhidas. Para os pais, a escolha de seu filho era vista como uma honra.

Nas regiões distantes dos muros e dos templos da capital, uma vida humana poderia ser premeditadamente sacrificada numa época apropriada do ano, na esperança de que os deuses da fertilidade abençoassem o desenvolvimento das plantações. Nas montanhas mais altas, onde a estação de plantio era curta e um verão breve e seco poderia ser desastroso, o sacrifício de uma jovem era uma questão de segurança.

Na primavera de 1995, um desses sacrifícios dos incas foi revelado pelo derretimento da neve a 6 mil metros acima do nível do mar. A menina havia sido sacrificada durante as últimas décadas do reinado inca e, possivelmente, num ano de seca, quando o sacrifício humano parecia ser a única esperança de chamar chuva. Congelada e, por isso, bem preservada, deduziu-se que tinha em torno de 13 anos de idade e que aparentemente gozava de boa saúde na véspera de sua morte.

Dada a freqüência dos rituais de sacrifício, o sangue humano era tão abundante que podia ser usado em experimentos médicos. Há evidências de que, bem antes da transfusão de sangue ser praticada com sucesso em outros lugares do mundo, os incas conseguiram transfundir sangue humano para o corpo de um doente. Como praticamente todos os nativos da América do Sul pertenciam ao mesmo grupo sanguíneo, a transfusão de sangue de uma pessoa para outra era mais segura do que na Itália, onde as transfusões envolvendo mais de um grupo sanguíneo foram corajosamente experimentadas, talvez pela primeira vez, somente um século depois do colapso do Império Inca. Outra habilidade dos incas estava na cirurgia; podiam cortar um segmento ósseo do crânio de um paciente ferido ou doente, ou raspar e limpar o osso em sua posição natural, sem necessariamente atingir o cérebro. Apesar de ser uma operação delicada, sua proporção de sucesso era de aproximadamente 60%, provavelmente. Essa conquista sugere que os pioneiros cirurgiões incas usavam anti-sépticos para evitar infecções.

É possível entender a vida econômica dos incas e das muitas micronações que os precederam simplesmente compreendendo a geografia única dos Andes. O terreno e o clima eram tão diversificados que, à medida que as pessoas caminhavam para partes mais altas, elas praticamente entravam em um novo país. Bem próximas umas das outras nos Andes, como se dispostas numa escada inclinada, havia quatro regiões climáticas e geográficas distintas, de tipos que normalmente são separados por milhares de quilômetros de oceano ou terra. As quatro regiões eram separadas por diferenças em altitude, e não em latitude. Seria algo como se a Noruega fosse colocada sobre a Holanda que, por sua vez, fosse colocada sobre a Sicília. Essas regiões distintas, no lugar de uma longa viagem marítima, eram ligadas por passagens em ziguezague nas montanhas e, ocasionalmente, por estradas.

Nas encostas e no fundo dos vales, ficava uma região quente e seca que, com a ajuda da irrigação, podia produzir frutas, cactos e até mesmo milho. Nos terrenos medianos, que ficavam a pelo menos 500 metros acima do nível do mar, achava-se a zona mais adequada à agricultura. Aí cresciam o milho, o feijão, a abóbora e a quinoa, grão rico em proteína.

Nas regiões mais altas, havia uma terceira zona rural, mais fria e mais úmida. Nesse lugar, crescia uma surpreendente diversidade de batatas e tubérculos, talvez 250 variedades no total. Mais altas ainda que essa região de batatas, estavam as pastagens alpinas, que eram procuradas no verão. Em boa parte dessa região, pastavam os rebanhos de lhamas. Quando um animal era abatido, sua carne era cortada em fatias compridas e posta ao sol para secar.

Os primeiros sul-americanos tiveram grande sucesso em descobrir e cultivar plantas que hoje são conhecidas em muitos cantos do mundo. Aprenderam a cultivar a batata, a batata-doce, o tomate, vários tipos de feijão, o caju, o amendoim, a coca, as pimentas, a abóbora, a mandioca, conhecida na Europa como tapioca, e o abacaxi. O milho como produto cultivado originou-se independentemente na América do Sul e no México. Nesses locais, também cresciam as seringueiras e uma espécie distinta de algodão para fazer redes e linhas de pescar.

Os povos das montanhas, extremamente conservadores na religião, eram extraordinariamente criativos. Inventaram o pé-de-cabra, usando-o em mineração, e projetaram uma enxada altamente eficaz para o plantio. Aprenderam a usar rebites e metais para solda. Essa era uma civilização nascida, em grande parte, da própria criação. O que eles tomaram empres-tado da América Central e dos astecas foi, provavelmente, muito menos do que eles inventaram por si sós.

181

A QUEDA DOS INCAS

Os incas dominavam seu império de montanhas, planaltos, deserto, florestas úmidas e neve eterna há menos de um século quando os espanhóis chegaram às suas fronteiras. A influência da Espanha veio na forma de doenças, que se alastraram rapidamente entre os povos nativos. O impe-rador dos incas, tendo estado engajado em guerras de fronteira, regressava ao sul em direção ao território inca, por volta de 1525, quando foi atacado por uma doença misteriosa, que foi fulminante. A questão de quem deveria sucedê-lo foi para os incas, como para muitas monarquias européias, um fator crucial e divisório. De repente, o domínio dos incas foi posto em perigo por guerras civis mesmo antes de o verdadeiro inimigo chegar.

Em muitas ocasiões, os líderes de alguns dos centros de poder mais influentes do mundo lutaram entre si, vendo-se como imunes aos ataques

externos exatamente no momento em que já não eram superiores. Os antigos gregos assim o fizeram com bastante freqüência. Até a Europa acabou
caindo nessa armadilha de excesso de confiança em 1914 e, novamente,
em 1939. Da mesma forma, os incas lutaram entre si sem saber que um
inimigo poderoso e desconhecido, os espanhóis, estavam quase à porta.

Os incas ficaram ainda mais expostos a um inimigo, as novas
doenças que chegaram com os invasores. Quando Cristóvão Colombo
descobriu as Américas, a varíola era comum na Europa que ele havia
deixado para trás. Alguns espanhóis, sem saber, trouxeram-na em navios
que cruzaram o Atlântico. Em 1519, a doença já havia chegado à ilha de
Hispaniola, onde matou talvez um terço da população. Era uma arma
secreta e não intencional dos soldados espanhóis que, sob Francisco
Pizarro, partiram do Panamá por mar na tentativa de conquistar os incas.
Em novembro de 1532, os espanhóis capturaram facilmente o imperador
inca Atahualpa. A varíola, um aliado invisível, já vinha pulando à frente
dos soldados espanhóis e matando enormes quantidades de incas.

182

A velocidade com que a varíola matou foi, por si só, uma causa de
desespero para os que assistiam sem ter o que fazer. Incubada em apenas
12 dias, a doença mostrava sua presença com o aumento da pulsação,
sensação de boca seca, dor na cavidade estomacal, dor aguda nas costas e,
freqüentemente, vômito. Os que sobreviviam à doença desenvolviam erup-
ções cutâneas e cascas de ferida que começavam a cair por volta do décimo
sexto dia de febre, às vezes deixando buracos e marcas que desfiguravam
permanentemente o rosto. Os rostos marcados por pústulas da varíola,
comuns nas ruas de Viena e de Madri, tornaram-se familiares nas Américas.
Em 1530, a varíola estava atacando vorazmente ou já tinha feito seu maior
estrago desde a Bolívia, no sul, até os Grandes Lagos, no norte.

Enquanto isso, nos vilarejos e nas ocas de índios americanos, nas
altas encostas dos Andes e nas colinas por todo o Missouri, o pesadelo
de outra doença começava a atacar: o sarampo chegou logo após a varíola. Em seguida, veio o tifo, que também era relativamente novo para os
espanhóis, tendo sido observado pela primeira vez em seus soldados que
haviam acabado de regressar da ilha de Chipre. Seguindo a leva, vieram a
gripe, observada pela primeira vez nas Américas em 1545, a coqueluche,

OS INCAS E OS ANDES

a difteria, a escarlatina, a catapora e a malária, todas elas aparentemente desconhecidas dos habitantes e, conseqüentemente, mais mortais.

Quantas pessoas morreram de doenças no México durante a primeira metade do século, após a chegada dos espanhóis, tem sido o assunto de infinitos cálculos e estimativas. Talvez 8 milhões de mexicanos vivessem na época em que Cortés chegou; meio século depois, a população fora reduzida a menos de um terço. No império dos incas, bem mais ao sul, o número de mortes também chegou aos milhões, e em algumas das regiões menos populosas talvez tenham morrido 8 de cada 10 habitantes.

Inicialmente, o impacto do povo espanhol, assim como o de suas doenças, sobre os nativos americanos foi desastroso. Civilizações foram despedaçadas. A vida econômica e cultural em grande parte se desintegrou nas principais cidades, embora tenha sobrevivido por muitas décadas com poucas alterações em áreas menos povoadas. Milhões de pessoas morreram, enquanto outras simplesmente trocaram a forma de escravidão dos incas pela sujeição aos espanhóis. Para os derrotados, talvez o principal consolo no longo prazo foi o catolicismo, que veio para dominar a América Latina.

183

A magnitude dessas mudanças rompedoras pode talvez ser compreendida imaginando-se uma invasão na direção inversa: que os astecas e os incas tivessem chegado de repente à Europa, imposto sua cultura e calendário, condenado o cristianismo, montado altares de sacrifício para milhares de vítimas em Madri e Amsterdã, inconscientemente espalhado doenças numa escala que praticamente se assemelhava à peste negra, derretido as imagens de ouro de Cristo e dos santos, jogado pedras nos vitrais e convertido os corredores das catedrais em armazéns de armas e de alimentos, derrubado estátuas gregas desconhecidas e colunas romanas, levado para casa, nas montanhas do México e do Peru, suas pilhagens de metais preciosos junto com escravos, servos contratados e outros troféus humanos.

> MILHÕES DE PESSOAS MORRERAM, ENQUANTO OUTRAS SIMPLESMENTE TROCARAM A FORMA DE ESCRAVIDÃO DOS INCAS PELA SUJEIÇÃO AOS ESPANHÓIS.

CAPÍTULO 19
A REFORMA

N a Europa, a todo-poderosa Igreja Católica encontrava-se em perigo. Ela havia tolerado muitos acessos suspeitos e obscuros que permitiam que os ricos e os desonrosos, ao pagarem uma taxa prescrita, esperassem poder entrar seguramente nos céus. Acreditava-se que os santos mantinham sob vigilância um quarto cheio de misericórdias e indulgências do qual podiam distribuir uma porção àqueles pecadores ricos que, no último momento, desejassem a salvação e pudessem pagar por ela. Algumas indulgências e concessões, dadas em troca de dinheiro ou de serviços prestados, baseavam-se num perfeito fundamento espiritual. Assim, em 1095, durante as cruzadas para resgatar Jerusalém dos infiéis, o papa Urbano II prometeu perdoar os pecados dos cruzados que atravessassem os mares "por pura devoção, e não com o objetivo de obter honra e dinheiro".

O dinheiro doado para a construção de catedrais era reconhecido como um passaporte sagrado que poderia ser apresentado ao entrar na porta eterna do céu. Quando a imponente igreja de Speyer, na Alemanha, estava sendo reconstruída em 1451, pelo menos 50 sacerdotes sentavam-se tranqüilamente e, após ouvirem as confissões, davam seu perdão aos peregrinos que doassem dinheiro. Um quarto de século depois, o papa permitiu que se vendessem indulgências pelo bem das pessoas já mortas e que viviam no purgatório. Em suma, os ricos podiam comprar o perdão dos pecados cometidos por parentes falecidos que, na época de sua morte, podiam não ter sentido necessidade alguma de perdão. Aos pobres, por serem pobres, era praticamente negada tal concessão.

VENDENDO O SANGUE DE CRISTO

A Igreja reuniu cobradores de impostos profissionais e, assim como as pessoas que hoje ajudam a angariar fundos nas instituições de caridade, eles se encarregaram de vender indulgências. Como a Igreja medieval acreditasse em castigo eterno, bem mais que a maioria dos grupos cristãos de hoje, a venda de isenções e suspensões de penas estava se contrapondo a um dos principais dogmas de sua teologia; praticamente, estava vendendo a Igreja por algumas moedas de ouro. A Igreja Católica ainda contava com um grupo de sacerdotes, monges e freiras de dignidade, totalmente dedicados, mas as exceções eram muitas.

Martinho Lutero, um sacerdote do norte da Alemanha, começou a questionar essa Igreja que, aos poucos, se desviava de seu caminho.

Filho de um minerador bem-sucedido, era professor de teologia bíblica na pequena cidade de Wittenberg. Aos 33 anos, rebelou-se.

Martinho Lutero detestava a prática de venda de indulgências, que nada mais eram que pacotes caros pagos pelo perdão. Em 31 de outubro de 1517, na véspera do Dia de Todos os Santos, um

> MARTINHO LUTERO DETESTAVA A PRÁTICA DE VENDA DE INDULGÊNCIAS, QUE NADA MAIS ERA QUE O PAGAMENTO EM TROCA DO PERDÃO.

dia importante do calendário, afixou seus protestos em latim à porta da igreja do castelo de sua cidade. Seu manifesto continha 95 pontos ou teses, a primeira das quais assim dizia: "Nosso Senhor e Mestre quis que a vida dos fiéis fosse uma vida de penitências." Sua intenção ficou muito clara para os que se acercaram da porta. Por que os crentes deveriam ser penitentes, quando alguns vendedores ambulantes tentavam isentar as pessoas da necessidade de arrependimento em troca de algumas moedas?

O exímio pintor alemão Lucas Cranach conhecia Lutero e transpôs sua imagem para a tela. Estava aí o rosto forte e ligeiramente rude de um camponês, com olhos pequenos e sagazes, cabelo cobrindo as orelhas e alguns fios de barba a aparar, como se levasse alguns dias entre cada barbear; o nariz protuberante e as narinas exageradas, como se tentasse farejar o que havia para o jantar. O rosto sugeria que tinha bastante apetite, mas trazia também um aspecto místico. Se alguém visse esse homem de aparência forte caminhando pela rua ou no púlpito, aos domingos, essa combinação de força e prontidão de camponês certamente exigiria atenção redobrada.

Como a maioria dos reformadores religiosos, ele não desejava abandonar a Igreja Católica, porém, foi cada vez mais levado a um ponto do qual não podia mais voltar. A Igreja, compreensivelmente, ditava os termos sob os quais ele podia viver. Ele, porém, não podia aceitá-los.

Só nas cidades de língua alemã, mais de 200 imprensas pareciam estar praticamente esperando esse acontecimento que, sem nenhum esforço, acabaram ajudando: a Reforma Protestante. O monopólio da Igreja Católica sobre a Bíblia estava prestes a terminar devido a uma invenção emprestada, em parte, de uma terra onde o nome de Cristo era quase desconhecido. A Bíblia era um livro precioso escrito à mão, tão escasso que em algumas igrejas a única cópia era acorrentada à mesa de leitura. Pela primeira vez na cristandade, os evangelhos se tornariam acessíveis a um preço que uma igreja de um vilarejo ou um mercador moderadamente rico pudessem comprar. Um panfleto contendo um simples sermão podia, agora, através da poderosa imprensa, chegar a mais pessoas como nunca antes um sermão havia conseguido.

Martinho Lutero via na tipografia um presente de Deus para seu trabalho. Escrevia panfletos religiosos e os entregava aos tipógrafos, junto com seus últimos sermões. Começou a traduzir a Bíblia para o alemão, completando-a em prosa simples e forte, em 1534.

Wittenberg, uma cidade com apenas 2 mil habitantes, explodiu em pouco tempo como o coração da indústria tipográfica da Alemanha. O cheiro de papel fresco e de tinta forte provavelmente permeava algumas ruas da cidade nos dias quentes de verão, quando as janelas e portas das tipografias se escancaravam. Embora somente 150 livros diferentes tenham sido impressos em toda a Alemanha no ano dos protestos de Lutero, 990 livros foram impressos em 1524, apenas seis anos mais tarde. Mais de 50% dos livros foram impressos em Wittenberg, a maioria, a favor de Lutero. Para ele, a imprensa era uma parelha de cavalos "que conduzia o evangelho sempre adiante".

Lutero protestava, ou seja, era um protestante, conforme o vocabulário da época. Embora seus protestos fossem um tanto políticos e sociais, eram primeiramente religiosos. Em parte por meio de sua influência, centenas de cidades da Europa foram abaladas pelo notável despertar religioso. Milhões de pessoas sentiram que Deus estava a seu lado. Não conseguiam expressar adequadamente a alegria e a sensação de libertação e alívio que sentiam. Lutero veio para que refletissem que a salvação não estava em fazer o bem, mas numa fé simples e abnegada em Deus. Dezenas de milhares dos que o ouviam pregar ficavam profundamente comovidos com seus argumentos e sua paixão.

187

O raio com o qual Lutero iluminou o céu poderia ter aos poucos se apagado, não fossem os esforços do pregador francês João Calvino. Nascido no norte da França e educado em Paris, faltava nele o magnetismo de Lutero. Quando pregava, mostrava pouca dramaticidade. Foi sua mente original, sua mensagem cativante e sua sinceridade nervosa que impressionaram aqueles que, ansiosos por ouvi-lo, ficavam lado a lado na enorme igreja próxima ao lago de Genebra. Sob o comando de Calvino, dos clérigos conhecidos como a Companhia de Pastores e das autoridades da cidade-Estado, Genebra se tornou a vitrine moral e religiosa da Europa.

Todas as reformas e revoluções trazem consigo uma tensão entre aqueles

> CALVINO DESPERTOU A ANIMOSIDADE ATÉ ENTRE OS PRÓPRIOS SEGUIDORES.

que insistem em que tudo deve ser reformado e aqueles que dizem, depois do primeiro conjunto de reformas: "Já fomos longe demais!" Calvino despertou a animosidade até entre os próprios seguidores ao denunciar como papistas muitos dos antigos nomes cristãos, tão populares na cidade. Em 1546, a Companhia dos Pastores, sem formalmente anunciar sua política, resolveu que os bebês trazidos a eles para a cerimônia do batismo deveriam receber nomes bíblicos, em vez de nomes dos santos católicos da região. Um barbeiro da cidade trouxe seu bebê à igreja, abarrotada de pessoas, para ser batizado de Cláudio, um dos três nomes mais comuns em Genebra, mas o pastor solenemente o batizou de Abraão. Como resultado, o barbeiro arrancou-lhe a criança e levou-a para casa. Houve tumulto na congregação e em todos os lugares em que a conversa se espalhou.

Uma peça fundamental de sua doutrina era uma certa crença, que hoje é extremamente controversa, mas parecia razoável e até apropriada para as pessoas que viviam numa época mais religiosa: ele acreditava na predestinação. Acreditava que Deus, em toda a sua sabedoria e visão, sabia antecipadamente como cada vida humana se desenvolveria. Em essência, algumas pessoas, desde o dia de seu nascimento, eram predestinadas a ganhar um lugar no céu; outras eram destinadas a ficar jogadas pela estrada espiritual e nada que fizessem alteraria seu destino final. A doutrina católica, mais aceitável, dizia que uma pessoa poderia ser salva por bons atos, e Lutero dizia que as pessoas só poderiam ser salvas por

sua profunda fé na misericórdia de Deus. Calvino, porém, rejeitava essas visões: Deus era todo-poderoso e somente sua decisão poderia salvar a alma de uma pessoa. Para nós, a doutrina parece absurdamente injusta. Calvino discutia que nosso conceito de justiça era irrelevante. Em sua opinião, e na visão de Deus, todas as pessoas de certa forma não tinham valor. O fato de que tantas eram finalmente salvas era um sinal da imensa generosidade de Deus para com aqueles que não tinham nenhum direito natural à generosidade. Calvino não era muito diferente de Maomé, que acreditava que Deus ordenava com bastante antecipação o que cada ser humano faria, fosse para o bem ou para o mal.

A afirmação do pastor Calvino sobre a predestinação era ao mesmo tempo tranqüilizante e estimulante para seu rebanho. Numa típica congregação calvinista, alguns ouvintes provavelmente viam-se aterrorizados com essa crença que Calvino expunha em longos sermões, construídos sobre as alpondras dos textos bíblicos. A maioria de seus ouvintes, entretanto, assumia com alegria que já estava entre os escolhidos.

Nesses anos cobertos de emoção, um grande número de pessoas comuns mostrou coragem em apegar-se a sua antiga fé ou em abraçar a nova crença. Obviamente, a maioria, quando ameaçada pela morte, prisão ou perda de propriedades, tornava-se adepta da visão daqueles que governavam sua terra. Mas centenas de milhares se arriscaram, entretendo-se com a nova fé ou apegando-se à antiga.

AI DE VÓS!

Uma revolta de grande alcance contra a Igreja Católica veio das seitas anabatistas, assim chamadas por herdarem seu nome da palavra grega para "rebatizados". Eram militantes da Reforma. Apareceram pela primeira vez em Zwickau, a leste de Wittenberg, emergindo depois em Zurique e centenas de outras cidades do norte da Europa. Quando expulsos das cidades, queriam realizar seus cultos nos campos, nos meses mais quentes, e batizar os adultos convertidos imergindo-os em água corrente.

189

Apresentavam muita diversidade e nutriam várias crenças. A maioria se opunha à idéia do batismo de crianças, acreditando que era uma dádiva muito valiosa para ser conferida a seres com poucos dias de vida, incapazes de tomar uma decisão consciente de viver e morrer em Cristo. Mais do que qualquer outro grupo protestante, os anabatistas tiveram grande poder entre os pobres. Os líderes das seitas, arriscando suas vidas, estavam dispostos a opor-se àqueles que governavam.

Os anabatistas foram denunciados como loucos e nocivos por Lutero, Calvino, Zwingli e os heróis pregadores do início da Reforma. Foram vistos por muitos governantes como a escória da Reforma. O termo "anabatista" tornou-se um termo abusivo. Um fato notório foram as cinco mulheres e sete homens que, em Amsterdã, em 1535, para enfatizarem que pregavam somente a verdade nua e crua, arrancaram suas roupas e correram pela rua gritando "Ai de vós! – a ira de Deus". Os 12 anabatistas acabaram sendo executados. Temidos como opositores da ordem social e religiosa, os anabatistas foram perseguidos quase em todos os lugares. Somente na Holanda e na Frísia, aproximadamente 30 mil foram mortos nos dez anos que se seguiram a 1535 e, ainda assim, foi nessa região que eles conseguiram sobreviver.

O calvinismo, que começou a dar frutos na década da morte de Lutero, deu à Reforma nova energia. Durante 40 anos, a mensagem da Reforma criou asas, pousando em distritos distantes de seu local de nascimento. Por algum tempo, parecia que a maior parte da Europa central, ocidental e ao sul poderia ser convertida a uma das novas crenças concorrentes. A maior parte do norte da Alemanha seguiu os luteranos. Eles dominaram as catedrais da Finlândia até a Dinamarca e a Islândia. Na Polônia e Hungria, a crença calvinista varreu as cidades, deixando sua marca principalmente nas famílias mais ricas. A Holanda e a ilha da Inglaterra, exceto a região montanhosa da Escócia, foram conquistadas pelos reformadores. Adentrando a França, a pé ou a cavalo, veio uma longa procissão de jovens pastores de Genebra, que ganhou apoio maciço nos portos marítimos, principalmente ao longo da costa do Atlântico. Até a Itália foi invadida. Os anabatistas faziam seus cultos em Vicenza, enquanto outras seitas criaram raízes na vizinha Veneza.

Os protestantes se voltaram contra muitos dos principais pontos do catolicismo. Os católicos acreditavam em grandiosas cerimônias religiosas, ricas procissões e jóias colocadas na mitra do arcebispo; ao contrário, muitos dos reformadores insistiam na simplicidade e, mesmo quando ricos, preferiam uma igreja sem janelas de vitral. Os católicos acreditavam num círculo sagrado de santos cuja ajuda podia ser invocada, muitos dos reformadores rejeitavam os santos como intermediários desnecessários que ficavam entre os cristãos humildes e Cristo; os católicos geralmente decoravam as paredes de suas igrejas com estátuas de Cristo, os reformadores eliminaram as estátuas e a Virgem Maria.

Os católicos acreditavam no poder de liderança do padre, muitos reformadores acreditavam no sacerdócio de todos os crentes. Aos olhos deles, os cristãos mais humildes, que liam a Bíblia com fé e esperavam humildemente pela inspiração divina, traziam consigo a mesma autoridade espiritual que os padres católicos de cada paróquia. Os católicos há muito haviam abandonado a idéia de que os padres podiam casar-se, os reformadores começaram a rever essa idéia. Lutero, por exemplo, acabou se casando com uma ex-freira.

O novo protestantismo fomentou algumas revoltas contra a Igreja Católica. A maioria dos calvinistas, acreditando que não deveria haver músicas majestosas e corais muito altos, enfatizava o canto de toda a congregação, sem o acompanhamento de instrumentos. A palavra era a mais importante: a música era simplesmente uma serviçal que trazia a palavra. Ao tratar a música ao mesmo tempo como uma ajuda ao culto e também como uma arma de sedução, os primeiros calvinistas fizeram ressoar o apelo por simplicidade que tinha sido feito na Idade Média pelos monges cistercienses.

Por outro lado, os luteranos mantiveram a rica tradição musical do norte da Alemanha que, com sua ajuda, floresceu surpreendentemente somente dois séculos depois de Lutero ter feito seus primeiros protestos. Ali, dois jovens músicos, Handel e Bach, fizeram cada um uma peregrinação a pé até o porto de Lübeck para ouvir os serviços religiosos nos quais o organista luterano Buxtehude era responsável pela música. George Frideric

Handel era neto de um pastor luterano. Johann Sebastian Bach escreveu quase toda a magia de sua capacidade musical enquanto trabalhava como organista, chantre ou diretor de música eclesiástica luterana. A maioria de seus oratórios e de suas cantatas foi escrita para as congregações luteranas de duas grandes igrejas góticas de Leipzig que, nas cerimônias que duravam de 3 a 4 horas, aos domingos, às 7 horas, reservavam meia hora para uma cantata que Bach geralmente compunha e dirigia para 30 ou 40 cantores e instrumentistas. Serviços religiosos de longa duração foram uma característica dos três primeiros séculos do fervor protestante.

ESPADAS AFIADAS E PALAVRAS PROFUNDAS

A Igreja Católica se reexaminou criticamente após Lutero e Calvino terem erguido suas bíblias em sinal de protesto; proibiu os principais abusos, alguns dos quais não foram tão freqüentes quanto Lutero havia argumentado. A venda de indulgências por cobradores profissionais de receitas foi reprimida pelo Concílio de Trento em 1562. Os bispos não podiam mais ficar ausentes de suas dioceses por longos períodos, a música e a liturgia, quase tão diversas quanto as do protestantismo, foram mantidas sob controle. A nova arquitetura barroca, que floresceu principalmente na Espanha e nas Antilhas Espanholas, tornou-se uma nova afirmação de fé dentro de um catolicismo rejuvenescido e disciplinado. Seminários foram abertos para treinar o jovem clero. Novas ordens religiosas trouxeram propósito à Igreja. Os jesuítas e os capuchinhos juntaram-se às antigas ordens católicas, enviando missionários às novas terras.

Após 40 anos, a maré virou contra os protestantes. Na Europa central, a maioria dos governantes, acreditando que todas as pessoas deveriam pertencer a uma religião da escolha deles, começou a perseguir os protestantes: praticar uma fé dissidente era praticar traição. As bases dos protestantes estavam agora confinadas ao noroeste da Europa: à Escandinávia, onde sua vitória era total, à Inglaterra e à Escócia, à maioria dos principados do norte da Alemanha, à Holanda e a certas cidades e cantões da Suíça. De todas essas terras, a fé católica foi banida. Da mesma forma, em terras católicas, e estas contavam com a maioria da população da Europa, o culto de qualquer outra fé foi banido.

As primeiras décadas da Reforma se assemelharam aos primeiros anos do Islã: os reformadores dependiam ao mesmo tempo da espada e da palavra. A mensagem de Lutero não poderia ter conquistado um grande território em ambas as margens do Báltico sem o apoio de príncipes e de regimentos. Calvino teve sucesso somente porque foi apoiado pelos governantes da república suíça de Genebra. Na França, sua doutrina, fracassando em conquistar o monarca, começou a perder suas bases fortes no sul e no oeste do território. Em Paris, no dia de São Bartolomeu, em 1572, aproximadamente 20 mil protestantes foram massacrados.

Enquanto os protestantes tinham a tendência de centralizar o poder na maioria das terras onde tinham sido vitoriosos ou onde os governantes deixaram que fossem vitoriosos, eles também iniciaram uma corrente democrática. O calvinismo criou um sistema de governar a igreja que garantia influência aos membros superiores da congregação. Como o luteranismo, pregava que a Bíblia, e não a Igreja, era o tribunal de apelação de última instância, e todos os cristãos devotos e inteligentes podiam apelar para a Bíblia. No calvinismo, as pessoas comuns tinham mais influência do que em qualquer congregação católica.

193

No final, os protestantes não fizeram nenhum avanço ao sul dos Alpes ou ao sul dos Pireneus. Seu triunfo estava nas distantes margens do Atlântico. Enquanto a Espanha se recusava a deixar que judeus, muçulmanos e protestantes emigrassem para suas novas colônias, Inglaterra e Holanda permitiam que os dissidentes protestantes partissem para as novas colônias americanas. Em Boston e outras cidades da região da Nova Inglaterra, a Reforma Calvinista alastrava-se em chamas ardentes. O surgimento dos Estados Unidos, sua cultura característica, seu fomento inicial de debates intensos e sua democracia recente provavelmente devem tanto aos reformadores protestantes quanto a qualquer outro fator.

Inicialmente, a Reforma parecia ser um golpe para as mulheres. Provavelmente, as únicas instituições do mundo ocidental nas quais as mulheres tinham poder de próprio direito eram o convento e a monarquia. As mulheres administravam os conventos femininos e, quando o convento tinha propriedades valiosas na cidade, a mulher que estivesse encarregada desse bem tinha um poder ainda maior; assim, em Zurique, a abadessa do convento beneditino ajudava a administrar a cidade. O fechamento dos poderosos conventos na maioria dos Estados que eram agora protestantes indiretamente reduziu o poder das mulheres. Havia só uma compensação: a maioria das igrejas protestantes acreditava que o máximo de pessoas possíveis, homens ou mulheres, deveriam ler a Bíblia, e isso levou à abertura de mais escolas que ensinassem a ler e a escrever.

A taxa de alfabetização das mulheres começou a crescer com firmeza. A Prússia, uma base luterana, tornou a educação compulsória para os meninos e meninas em 1717. Na cidade holandesa de Amsterdã, em 1780, um extraordinário número de 64% das noivas assinaram a certidão quando se casaram, enquanto as outras desajeitadamente marcavam com uma cruz o lugar onde sua assinatura de assentimento era exigida. Na Inglaterra, cerca de 1% das mulheres sabia ler no ano 1500, mas esse número havia aumentado para 40% em 1750. Tardiamente, os países católicos acabaram seguindo essa tendência revolucionária.

A Igreja russa, ao contrário, voltou suas costas para a alfabetização. Nenhuma igreja cristã em nenhuma outra nação tinha tantos devotos quanto a Igreja Ortodoxa na Rússia, mas seus sacerdotes tinham pouca educação e muitos eram mais habilidosos em recitar de memória, ou de esquecimento, do que em ler as escrituras. A autoridade do sacerdote foi estabelecida porque poucos em sua congregação podiam ler a Bíblia. A Bíblia completa, com Antigo e Novo Testamento, só se tornou acessível livremente na atual Rússia após 1876.

As bruxas estão soltas

O interesse emergente pela religião tomou formas pouco comuns. O mal e a santidade continuavam a ser detectados. Em muitas partes da

Europa, as bruxas se multiplicavam ou assim se dizia.

Numa época de fervor religioso, a crença na misericórdia e na bondade andava de braços dados com a crença no poder do mal de arruinar as vidas das pessoas. O mal foi personificado nas bruxas; quando tragédias aconteciam, cada vez mais eram atribuídas à conspi-

> O MAL FOI PERSONIFICADO NAS BRUXAS; QUANDO TRAGÉDIAS ACONTECIAM, ERAM ATRIBUÍDAS À CONSPIRAÇÃO DE ALGUMA BRUXA.

ração de alguma bruxa; quando uma dificuldade econômica afetava um vilarejo ou uma família, saía-se à procura da bruxa agressora. A maioria das acusações de bruxaria surgia das brigas, tensões e adversidades da vida cotidiana. O encontro de bruxas era como a visão de discos voadores na segunda metade do século 20. Uma vez que a idéia dominasse uma região, espalhava-se com velocidade.

Na Europa, durante os três séculos entre 1450 e 1750, a maior parte das 100 mil ou mais bruxas "comprovadas" estava concentrada num pequeno número de regiões. No sudeste da Escócia e no leste da França, segundo diziam, as bruxas eram extremamente ativas. Na Europa, durante um longo período, aproximadamente uma em três bruxas detectadas vivia na Alemanha.

Esses eram padrões de disseminação da bruxaria. Assim, na Inglaterra e na Hungria, nove de cada dez bruxos condenados eram mulheres, embora na Islândia e na Estônia a maioria dos acusados e condenados fossem homens. Das dezenas de milhares de pessoas sentenciadas à morte por bruxaria na Europa, três de cada quatro eram mulheres; muitas eram velhas e desfiguradas, mas algumas eram jovens e bonitas, e algumas eram até crianças. Na Inglaterra, uma típica bruxa seria solteira ou viúva, velha e pobre, quase sempre brigando com seus vizinhos.

As tensões religiosas aguçaram a caça às bruxas que, geralmente, eram encontradas em cidades e regiões onde seitas rivais andavam cara a cara. Uma terra com unidade religiosa tinha muito menos probabilidade de gerar acusações de bruxaria; na Irlanda, na Polônia, no sul da Itália e várias outras terras e regiões católicas, a prisão de bruxas era rara.

Numa época ultra-religiosa, quase todos acreditavam no poder da organização do mal. Presumia-se que o demônio estava à solta no mundo, espalhando mau-olhado e com um milhão de mãos, escolhendo bruxas como servas pessoais. Acreditava-se, muito mais na África do que na Europa, que as bruxas causassem enormes danos às vidas humanas. Essa ênfase no poder do mal, que já não é mais uma crença proeminente na civilização ocidental, era a essência da cruzada contra a bruxaria e a justificação da crueldade infligida às bruxas.

A tragédia foi que a civilização ocidental, quando finalmente deixou de acreditar em bruxas, também começou a deixar de acreditar na imensa capacidade de a humanidade praticar o mal tanto quanto o bem. Na primeira metade do século 20, milhões de pessoas instruídas e cultas não se achavam preparadas para a forma cruel com que o mal, através de qualquer nome respeitável que adotasse, viria a assim devastar a Europa, fazendo com que a era das bruxas parecesse um mero percalço.

CAPÍTULO 20
VIAGEM À ÍNDIA

A viagem de Portugal à Índia tornou-se uma rota marítima regular. Era a mais árdua que o mundo até então havia conhecido, e a viagem às Américas não tinha concorrente. Quatro ou cinco navios saíam a cada ano de Portugal rumo à Índia, e seus capitães planejavam a viagem cuidadosamente para que pudessem tirar melhor proveito dos ventos e fugir da perspectiva de encontrar tempestades perigosas ou costas arriscadas. A melhor época para partir de Lisboa por mar era na primeira quinzena de março, pois, desse modo, teriam seis meses aproximadamente para navegar além do Cabo da Boa Esperança, cobrindo parte do Oceano Índico onde era provável que os ventos virassem a seu favor. Nesse local, se chegassem muito tarde, poderiam encontrar ventos difíceis, que os obrigariam a recuar até um local de abrigo. Uma viagem à Índia poderia durar um ano ou mais, se fosse iniciada na época imprópria.

Alguns navios portugueses paravam no Brasil por algum tempo em sua viagem de ida, mas a maioria deles não parava em porto algum. Na verdade, nos primeiros anos, os capitães não conheciam nenhum porto africano onde pudessem se sentir bem-vindos ou mesmo livres de ataques-surpresa. Uma vez que os navios portugueses, bem carregados, passassem pela costa mais ao sul da África e virassem rumo ao norte, normalmente continuavam navegando pelo largo Canal de Moçambique, que separava a África de Madagáscar. Seguindo a costa até quase chegar ao Mar Vermelho, os navios então viravam a leste, seguindo a costa árabe e, finalmente, completavam a viagem a seu destino, na Índia. Os soldados e mercadores que embarcavam em Lisboa não estavam mentalmente preparados para experiências penosas e longas como essas.

Após poucas semanas, a água de beber, que era geralmente armazenada em barris de madeira, começava a cheirar mal. Tornava-se também escassa conforme a viagem prosseguia e, assim, lavar o rosto, sem mencionar o resto do corpo, não era um hábito muito freqüente. Com tantas pessoas amontoadas no mesmo lugar, com o navio demorando muito tempo nos trópicos e sem frutas e vegetais frescos, as doenças se alastravam facilmente. Nos anos de 1629 a 1634, mais de 5 mil soldados portugueses partiram de Lisboa, mas menos da metade deles chegou com vida à Índia. A maioria dos navios trazia um cirurgião, cujo remédio predileto era simplesmente deixar sangrar três ou quatro litros de sangue dos pacientes doentes. A cura raramente operava milagres.

Goa tornou-se o principal porto indiano para os portugueses e, na verdade, continuou sendo uma província de Portugal até o século 20. De Goa, saía, uma vez por ano, um enorme navio abarrotado de cargas comerciais em direção a Málaca, na Península da Malásia, e a Macau, na China, daí chegando ao Japão. Novamente, o capitão tentava ajustar sua época de navegação para se beneficiar das monções do Pacífico ocidental.

O início da nova monção era como um sinal de trânsito, mostrando a cor verde aos navios que vinham de uma direção, e a cor vermelha, aos navios que vinham da outra.

> AS CARGAS TROCADAS ENTRE A ÁSIA E A EUROPA ERAM PRATICAMENTE COMPOSTAS DE CAROS ARTIGOS DE LUXO QUE PUDESSEM PAGAR O CUSTO DO TRANSPORTE.

As cargas trocadas entre a Ásia e a Europa eram praticamente compostas de caros artigos de luxo que pudessem pagar o custo do transporte. À China e ao Japão, chegavam tecidos escarlates, roupas de lã, cristal, vidro, tecidos de algodão estampados da Índia e relógios de Flandres. No porão dos navios que retornavam à Índia e, finalmente, à Europa, estavam a seda chinesa e outros artigos de seda em enormes quantidades, bem como ingredientes medicinais exóticos. Outro artigo possível de ser encontrado na carga eram escravos ou servos chineses.

Em Goa, em certas épocas do ano, os navios portugueses preparavam-se para sua viagem de volta para casa. Além de artigos chineses, levavam grandes quantidades de pimenta, canela e outros temperos. Traziam também a bordo contêineres de nitrato de potássio, que era o ingrediente principal da pólvora, tintura de índigo, peças de algodão e, às vezes, diamantes indianos que vinham das minas de Golconda. Cargas como essas faziam com que a Índia parecesse incrivelmente rica. Por volta do ano de 1600, aos olhos da maioria dos europeus, o nome Índia era sinônimo de riqueza deslumbrante. Várias peças de William Shakespeare mostram esse deslumbramento. Na peça "Décima segunda noite", Maria é tratada como a menina de ouro, "meu metal da Índia". Parecer-se com um metal brilhante da Índia era ser duas vezes mais preciosa.

Além das cargas que, literalmente, vinham amontoadas nos navios portugueses a caminho de casa, havia cargas pessoais que eram colocadas ou amarradas juntas no convés aberto, onde ficavam expostas à chuva, sal e vento. Todos os membros da tripulação tinham direito de trazer carga e vendê-la em Lisboa. Até os empregados do navio tinham direito de encherem um terço de um baú com canela, se tivessem dinheiro para comprar o produto nos mercados de rua indianos. Os oficiais e a tripulação, na verdade, tinham o poder absoluto de usar os conveses abertos como local de armazenagem para suas cargas pessoais. Esses conveses ficavam abarrotados de fardos, pacotes, baús e caixotes de madeira, a ponto de tirarem a estabilidade do navio sob fortes ventanias. Uma caminhada pelo convés era como uma corrida de obstáculos.

A rota contornando o Cabo da Boa Esperança substituiu, em importância econômica, as longas trilhas de caravanas e estradas da seda que, durante séculos, atravessaram o centro da Ásia, desde o Mar Negro até as cidades muradas da China. Aproximadamente um século depois da rota marítima ter sido estabelecida, a língua holandesa podia ser ouvida nos becos próximos aos rios em Cantão. O português, misturado com as línguas locais, estava se tornando o jargão do comércio asiático e o precursor do "pidgin", mistura de inglês com chinês. Na mesma época, alguns potes de chá japonês e chinês, comprados a preços astronômicos, já estavam sendo difundidos na Europa Ocidental.

Sacerdotes tinham dobrado o Cabo da Boa Esperança nos primeiros navios portugueses. Um dos primeiros foi Francisco Xavier, um jesuíta que fez voto de seguir uma vida de pobreza e dedicação. Chegando à Índia em 1542, fez do porto português de Goa a base para suas viagens missionárias. Ele não foi o primeiro cristão na Índia – várias congregações de cristãos de língua síria existiam na Costa de Malabar, por volta de 600 –, mas certamente foi bastante dinâmico. Chegou a viajar a lugares distantes, como o Japão, onde ganhou a conversão de muitos.

Os católicos, bem mais que os protestantes, foram os primeiros missionários do Novo Mundo, e sua coragem em aventurar-se nesses lugares acabou tendo efeitos de longo alcance. Em parte estavam à frente porque, tanto nas Américas quanto na Ásia, os dois colonizadores europeus pioneiros foram nações católicas. De fato, o protestantismo só veio a nascer um quarto de século após Colombo ter começado a navegar.

Talvez nada tenha reprimido mais os luteranos, calvinistas e anglicanos de organizarem missões aos povos pagãos do que o fato de a maioria de seu clero, como resultado da revolta contra o papado, ser casado. Incentivar uma esposa e sua jovem família a acompanharem um pastor ou ministro a portos tropicais insalubres nas Américas, na África ou na Ásia, em 1600, era um convite a uma morte prematura. Além disso, a Igreja Católica gozava de relativa unidade, uma ajuda poderosa à disseminação de sua mensagem.

Muito tempo depois de as nações protestantes terem conseguido domínio como comerciantes e governadores na Índia e na maior parte da costa da Ásia, continuavam sendo lentas em fomentar o trabalho de missionários. Só depois de 1704, mais de um século e meio depois da morte de Francisco Xavier, é que o rei protestante, Frederico IV, da Dinamarca, fundou uma base missionária na Índia.

IMPEDIDOS PELA DISTÂNCIA

No sul da Ásia, esses impérios portugueses, holandeses, britânicos e franceses e a extensão do Império Espanhol nas Filipinas ocupavam, inicialmente, só um cordão de portos enfumaçados da Ásia e alguns armazéns de comércio no interior. Podiam ser chamados de impérios com certa hesitação. Seu poder, longe da costa, era geralmente frágil. Comparado ao do Império Romano, o impacto cultural era fraco, porque pouquíssimos europeus se estabeleceram nos portos e postos de comércio, sendo detidos pelo clima quente, pelo medo de doenças tropicais e pela distância de casa.

A Europa estava muito dividida para conseguir dominar grandes extensões de terras estrangeiras. Além disso, podia aplicar na Ásia só uma fração de seu poderio militar: a Ásia simplesmente era muito distante. A distância, com efeito, ainda impedia a chegada das armas da Europa e retardava seus navios de guerra.

No leste da Ásia, o avanço dos europeus, tão confiantes no primeiro século, foi refreado. O Japão, que de início mostrara-se amigo de mercadores e missionários estrangeiros, havia enviado uma delegação de quatro jovens até a Europa, onde, em 1580, foi extremamente bem recebida pelos poderosos de Madri, Lisboa e Roma. No início do século seguinte, os japoneses começaram a mudar de pensamento. Expulsaram praticamente todos os europeus e mataram muitos jesuítas e outros sacerdotes que não aceitaram ser expulsos. Somente os comerciantes holandeses tinham permissão de fazer visitas ocasionais.

A China, dominante em sua própria parte do mundo, expandiu suas extensas fronteiras terrestres no século 18. Ocupou o Tibet e o leste do Turquestão, áreas que há muito eram vistas como pertencentes à sua esfera de influência. Antes disso, a China raramente havia comandado uma área tão grande da rota da seda. Ao mesmo tempo, alguns dos governantes indianos aprenderam uma lição com os chineses e desafiaram os europeus. Em junho de 1757, um dos meses mais negros da história colonial britânica, mais de cem de seus soldados morreram enquanto estiveram aprisionados no Buraco Negro de Calcutá.

Enquanto a Europa Ocidental estava festejando sua fase de conquistas globais, os habitantes do centro da Europa ainda viviam sob o medo do império otomano. Os exércitos turcos acamparam do lado de fora dos portões de Viena, no verão de 1683, e novamente sitiaram uma das cidades mais poderosas da cristandade. Agora era a vez de os turcos baterem em retirada. No fim da década de 1680, foram expulsos de Buda, que correspondia à metade da atual cidade de Budapeste, a qual tinham governado por mais de um século. Perderam a cidade de Belgrado e, durante alguns anos, Atenas. Para os amantes da arte, a derrota dos turcos em Atenas acabou sendo uma calamidade, pois, no decorrer das lutas, parte do Parthenon foi trazida abaixo. Logo os turcos reconquistaram Atenas e governaram-na até 1829. Não havia sinal mais claro dos limites de influência do cristianismo do que o fato de a cidade de Jerusalém, século após século, continuar sob o domínio do Islã.

Em 1600, a ascensão da Europa para dominar boa parte do mundo não estava preestabelecida. Até então, suas vitórias concentravam-se mais na costa da América do que na Ásia e na África. Pouco impacto tinha causado no Japão, na China e na Turquia otomana. No entanto, sua confiança e ímpeto comercial, sua nova tecnologia e sua proeza em guerras, mesmo quando estava em número bem menor, eram um presságio da era que estava por vir, que moldaria uma diversidade de culturas, abrangendo uma área muito maior do que as terras que haviam estado sob o domínio de Roma.

CAPÍTULO 21

OS PRESENTES QUE O NOVO MUNDO ESCONDIA

E spanha e Portugal venceram a primeira fase das colonizações e conquistas em parte porque eram fortes nas navegações e em parte porque eram os dois países europeus que se encontravam mais próximos da América Central e do Sul. Depois de 1600, entretanto, começaram a perder ímpeto.

A nova fase de colonização das Américas pertenceu à França, Holanda e Inglaterra, nações de navegadores que também dispunham de vantagens geográficas sobre os Estados do Mediterrâneo. Em 1650, seus pequenos portos, fortalezas de madeira e postos de comércio de pele de animais na América do Norte, pontilhavam a costa Atlântica e o interior mais próximo. A França ocupava o Canadá e duas ilhas das Antilhas, Martinica e Guadalupe. A Inglaterra tinha colônias que se estendiam ao longo da costa do Atlântico, desde a ilha de Terra Nova, que dividia com a França, até a região da Nova Inglaterra, Virgínia e Antilhas. Os dinamarqueses também logo estabeleceram plantações nas Ilhas Virgens. Dos estados da Europa Ocidental, só a Alemanha estava de fora.

Na costa atlântica da América do Norte, holandeses e suecos tinham colônias independentes, que rompiam com a continuidade da cadeia de colônias costeiras da Inglaterra. Os holandeses fundaram Nova York e a eles também pertencia a ilha de Curaçao, no Caribe; o Estado de Delaware pertencia à Suécia. No total, seis nações da Europa Ocidental tinham colônias nas Américas, mas os territórios espanhóis e portugueses continuavam sendo de maior importância e, juntos, provavelmente produziram a maior parte das riquezas.

UM SUPERMERCADO CRUZA O ATLÂNTICO

Os europeus estavam começando a dominar as Américas, mas a corrente de influências corria nas duas direções. Nunca antes, na história do mundo, haviam sido transferidas tantas plantas valiosas de um continente ao outro.

O milho era a mais notável das novas plantas, e Cristóvão Colombo, pessoalmente, trouxe sementes em seu navio. O milho tinha a impressionante capacidade de produzir, na época da colheita, muito mais grãos do que o trigo ou o centeio; não se espalhava com velocidade mirabolante, mas, com o passar do tempo, chegou às fazendas das partes mais quentes da Europa. Em 1700, os pés altos e verdes de milho podiam ser vistos balançando ao vento na maior parte das zonas rurais da Espanha, Portugal e Itália.

A batata americana foi para o norte da Europa o que o milho representou para o sul. Os irlandeses acolheram bem a batata, pois, em seus pequenos pedaços de terra, ela oferecia mais calorias do que qualquer outro produto. Crescia no Condado de Down em 1605 e, antes do fim daquele século, a batata quente era o principal prato da população pobre da Irlanda. Dali, curiosamente, as sementes de batata foram levadas para a América do Norte, onde esse alimento sul-americano ainda era desconhecido. Os alemães também se regozijaram com a batata, ao descobrirem que essa plantação, ao contrário da plantação de milho maduro, não era facilmente danificada ou destruída por exércitos violentos.

Nas plantações européias, também podiam ser encontradas outras novidades americanas: a batata-doce, o tomate, que levou muito tempo até agradar os paladares europeus (ainda continuava sendo uma novidade na Inglaterra, quatro séculos depois de Colombo ter regressado), e a alcachofra, que ganhou na França uma popularidade inicial bem maior que a do tomate. Misteriosamente, um novo tipo de alcachofra, também introduzida pelos franceses do Canadá, foi chamada de alcachofra de Jerusalém.

O peru, a única carne a ser trazida das Américas, também foi igualmente disfarçada por seu nome europeu. Na verdade, o nome em inglês, *turkey*, é o mesmo usado para o país "Turquia", que já havia emprestado seu nome à primeira denominação que foi dada à exótica galinha-d'angola, inicialmente chamada de "galo ou galinha da Turquia", quando os exploradores europeus a viram pela primeira vez na costa da África. Com o tempo, o nome foi transferido para a ave mexicana que acabou logo chegando às fazendas européias. Os perus, que mais rigorosamente falando deveriam ter sido chamados de "méxicos", já eram populares nas mesas da Espanha e da Inglaterra no Natal de 1573.

O fato de terras tão distantes umas das outras, como a Turquia e a América, serem confundidas pelos cozinheiros era um sinal de como havia mistério em terras do Ocidente e do Oriente. O próprio milho americano chegou a ser chamado de milho da Turquia, ou trigo da Turquia, por camponeses europeus que, com todo o direito, maravilharam-se com essas plantas abundantes desconhecidas de seus avós.

205

Das Américas vieram presentes como o abacaxi, que era consumido somente na mesa dos muito ricos, a pimenta-de-caiena (ou cápsico), o cacau e o tabaco. Como quase todas as novidades transatlânticas, o tabaco se espalhou aos poucos pela Europa e, dois séculos depois da primeira viagem de Colombo, um trabalhador rural típico da Polônia ou da Sicília provavelmente ainda não havia sentido seu doce aroma.

As monarquias da Europa não tinham certeza de como controlar essa nova moda de fumar tabaco em cachimbos ou de cheirá-lo na forma de rapé; alguns reis tentaram bani-lo. Na Rússia, um fumante podia ser punido com a amputação de seu nariz. Outros países que tinham colônias tropicais tentaram proibir a plantação de tabaco em solo nacional para que pudesse ser cultivado nas colônias e importado e, assim, recolher impostos sobre cada lote de tabaco desembarcado. A Inglaterra estabeleceu colônias na Virgínia e em Maryland, principalmente para o cultivo desse produto. A distante Turquia acabou se tornando um dos cultivadores mais entusiasmados do tabaco americano que, para aumentar a confusão, tornou-se conhecido como tabaco da Turquia!

O tráfico de minerais, a curto prazo, foi o comércio mais dramático do Atlântico. O primeiro presente para os espanhóis na América Central e do Sul foram o ouro e a prata. Uma vez que haviam conseguido total controle sobre seus territórios americanos e enviado trabalho forçado para operar nas minas, os espanhóis despachavam para casa, em comboios altamente armados, uma quantidade anual tão grande de ouro e prata que a inflação monetária começou a mexer com a Espanha e, em seguida, com a Europa. Sempre haverá polêmica sobre o papel dos metais preciosos em instigar a inflação na Europa do século 16, mas um fator parece claro, as dramáticas ondas de inflação do mundo ocidental coincidiam com grandes conflitos bélicos ou, de maior importância ainda, com uma mudança relevante no fornecimento de apenas dois produtos fundamentais: metais preciosos, nos séculos iniciais, e óleo, na década inflacionária de 1970.

Nos primeiros navios que traziam metais preciosos, plantas e sementes valiosas pelo Atlântico, veio um outro turista: a sífilis, que provavelmente veio das Américas e tornou-se comum no século 16. Um dos sintomas dessa doença eram feridas na mucosa nasal, semelhantes a mordidas.

O DESFILE DE PAVÕES

As viagens européias também abriram a Ásia para o mundo. Durante séculos, uma infinidade de produtos e plantas asiáticos atravessou toda a extensão da Ásia por terra, mas agora tudo fluía pelas rotas do mar. O chá da China encontrou seu caminho para a Europa, assim como a misteriosa porcelana e muitas outras manufaturas.

Caulim, a matéria-prima da porcelana, era uma palavra que originalmente parecia estranha à maioria dos ouvidos europeus. A palavra era, na verdade, o nome de um morro na China de onde essa argila branca e macia era extraída. Um sacerdote francês com espírito empreendedor enviou amostras de caulim à Europa por volta de 1700, destacando que era fundamental para a manufatura da porcelana. Em pouco tempo, garimpeiros acharam depósitos semelhantes de caulim na Alemanha, na França e na Inglaterra. Na Europa, a primeira verdadeira porcelana veio a ser feita na fábrica de Meissen, na Saxônia, em 1707.

Da China, vinham novas flores de jardim para a Europa. O crisântemo era a favorita. Uma flor simplesmente amarela até o século 8°, era honrada na China como a mais nobre das flores e louvada em verso pelos poetas. Com ela, adornavam-se os mercados de rua em partes da China, quando as flores do verão haviam passado de sua época de viço. Em 1600, os chineses haviam criado aproximadamente 500 variedades, das quais algumas chegaram à Europa com a nova onda de importações de flores.

O Novo Mundo também deu aos ávidos europeus um prazer que não era comum: deu-lhes as cores vivas. Ainda em 1500, a maioria das cidades e vilarejos era fria em suas cores. As cabanas podiam receber uma demão de cal, mas raramente eram pintadas. As casas de madeira tinham uma aparência pardacenta, embora, na Holanda, os tijolos

> O NOVO MUNDO DEU AOS ÁVIDOS EUROPEUS UM PRAZER QUE NÃO ERA COMUM: AS CORES VIVAS.

chegassem a dar um tom vermelho aconchegante. Reconhecidamente, as casas de pedra podiam ser realçadas pela própria cor da pedra, mas as pedras de construção geralmente eram escolhidas não pela cor, mas pela conveniência. Em muitas cidades, a pedra era naturalmente escura e, com o passar dos anos, até as pedras claras eram aos poucos manchadas pela fumaça de madeira, uma amostra do que a fumaça de carvão viria a fazer de forma mais completa. Em algumas catedrais medievais, os vitrais ficavam realmente bonitos quando o sol incidia sobre eles, mas essas cores eram destacadas exatamente porque a maioria das ruas da cidade não tinha brilho algum.

As roupas dos europeus eram geralmente pardas, exceto as usadas pelos ricos. Os artigos não eram embrulhados em cores vivas, porque qualquer forma de embrulho era muito cara. Os papéis de embrulho eram pura extravagância e nunca coloridos. Faixas e bandeiras eram atraentes porque eram muito mais ricas em cor do que as roupas usadas pela maior parte dos cidadãos.

Um dos milagres das recém-descobertas Américas foram as novas cores. Os mexicanos, bem antes da chegada dos espanhóis, haviam observado como um inseto sem asas, alimentando-se da planta do cacto, e estando prenhe, continha uma cor escarlate de grande intensidade. Eram necessários 70 mil insetos mortos para produzir somente meio quilo de pó de cochonilha, que, então, podia ser usado para criar tinturas das mais vivas. O escarlate há muito era o nome de uma cor usada em faixas e roupas, mas o escarlate feito na Inglaterra a partir da cochonilha ofuscava a visão. O novo escarlate tornou-se a palavra do momento, sendo até conferida à febre escarlate ou escarlatina, que, na década de 1670, foi diagnosticada pela primeira vez como uma doença por si mesma e, não, como um tipo de sarampo ou varíola.

A rota marítima ao redor da África abriu as portas para uma fonte barata da cor azul. O índigo, planta da qual o mais fino azul era extraído, era cultivado em Bengala. Cortado nos campos e transportado em fardos por carroças até pátios de secagem e tanques de água, a planta do índigo liberava sua indoxila através de um processo de fermentação. Por muitos séculos, consignações pequenas e caras da tintura do índigo proveniente da Índia ocasionalmente haviam chegado ao Mediterrâneo pela rota terrestre, mas agora ela começava a chegar em milhares de baús de madeira acondicionados em navios holandeses e portugueses. O índigo produzia um azul tão brilhante que a cor azul tradicionalmente extraída da ísatis européia parecia desbotada. Em pouco tempo, nos recintos mais elegantes de Amsterdã e de Veneza, homens e mulheres usando chapéus e casacos, capas e túnicas de azul índigo desfilavam como pavões. Até o exército francês abandonou o uniforme castanho avermelhado e vestiu-se de azul.

As cores podem parecer um espelho de vaidades, mas foram importantíssimas para a ascensão do Brasil, hoje uma das nações mais populosas do mundo. Os portugueses foram os primeiros a alcançar a costa do Brasil. Treze de seus navios, que navegavam em direção à costa sul da África e daí para a Índia, foram desviados pelos ventos tropicais até a costa do Brasil, onde passaram uma semana em abril de 1500. Daí em diante, os navios portugueses ocasionalmente usavam os portos brasileiros como abrigo na metade do caminho da longa rota até a Índia. Levaram consigo nativos brasileiros, macacos e papagaios em pequenas quantidades, como cativos e curiosidades, mas seu presente principal era a árvore do pau-campeche. Essa árvore era tão apreciada na Europa que levou diretamente à abertura do porto de Pernambuco, onde, protegidos pelos recifes de corais, os navios portugueses podiam ancorar com segurança. Uma variedade inferior crescia no leste das Antilhas e era conhecida como pau-brasil. Quando descascada e mergulhada num barril de água, a árvore do pau-brasil produzia uma cor vermelha conhecida, algumas vezes, como o suco do Brasil e apreciadíssima pelos tintureiros na Europa.

Novas doses de excitação

Muitos pacotes pequenos, caixas e barris vinham nas novas cargas até os armazéns europeus e eram considerados tão preciosos quanto o ouro. Da China, vinham pequenos potes contendo aquele ingrediente precioso da medicina, do perfume e da arte de embalsamar, o almíscar. Seco, leve e de cor escura, às vezes se parecia com sangue ressequido. Tirado de uma bolsa na cavidade do abdômen de um pequeno veado macho que havia em abundância nas montanhas da parte central da Ásia, era costurado num pequeno pedaço de pele pelos cirurgiões de Cantão. Na era de pouquíssimos analgésicos, o almíscar induzia à sonolência. A primeira edição de uma enciclopédia famosa prometia que era melhor que o ópio, pois não deixava conseqüências de "estupor e languidez". No século 17, os chineses já estavam importando ópio do Ocidente, o qual defumavam em barris ou consumiam como remédio para aliviar a dor. A China tentou proibir sua defumação, uma proibição que fracassou em cessar a entrada de ópio extraído de papoulas, especialmente cultivadas na Índia Britânica, para o mercado ilícito de Cantão.

Em todos os lugares, o mercado de novos remédios era enorme. A Europa, na época, sofria muito com a malária e, nos pântanos da Itália, ela era mortal. Uma possível cura era oferecida pela casca de um arbusto peruano, a cinchona. Principalmente importada para a Europa pelos sacerdotes católicos, foi conhecida inicialmente como casca dos jesuítas. O ingrediente fundamental presente na casca era a quinina, descoberta pelos franceses durante o período das Guerras Napoleônicas.

Na Europa, o cravo-da-índia, originário do arquipélago indonésio, era apreciado como remédio, principalmente para a dor de dente, e como tempero para comida e bebida. Aos olhos da maioria dos mercadores, a pimenta era o presente do sudeste da Ásia. Uma trepadeira que se enroscava nos galhos das árvores, seus frutos eram colhidos quando estavam vermelhos e brilhantes e, em seguida, eram espalhados em tapetes sob o sol quente, onde ficavam até murcharem e se tornarem escuros. Era tão cara que, em muitas cozinhas européias, era salpicada em algumas carnes especiais de forma muito parcimoniosa, como se fosse pó de ouro. Como muitos artigos alimentícios que um dia foram caros, a pimenta perdeu um pouco de seu glamour à medida que se tornou mais barata.

Não só a mesa de refeições dos europeus mais abastados, mas a própria agricultura estava se alterando. As viagens de Colombo, Vasco da Gama e outros navegadores europeus pelos oceanos Atlântico, Índico e Pacífico promoveram uma revolução na agricultura do mundo. Junto com as cargas acondicionadas nos conveses ou trancadas no porão, havia pequenas remessas de sementes e mudas que eram eventualmente transportadas por uma série de acontecimentos premeditados ou casuais para todos os continentes. O café, o algodão, o açúcar e o índigo foram para as Américas para serem cultivados em larga escala, com suas colheitas sendo exportadas para a

> AS VIAGENS DE COLOMBO, VASCO DA GAMA E OUTROS NAVEGADORES EUROPEUS PELOS OCEANOS ATLÂNTICO, ÍNDICO E PACÍFICO PROMOVERAM UMA REVOLUÇÃO NA AGRICULTURA MUNDIAL.

Europa. Para a Argentina, foram os bois e, mais tarde, para a Austrália, foram as ovelhas. Por fim, essas duas terras tinham mais bois e ovelhas do que qualquer outra pastagem da Europa.

Uma transferência semelhante de plantas e animais havia acontecido várias vezes no passado distante, há 10 mil anos na Ásia Menor, há 5 mil anos no norte da Europa ou, no início da era cristã, na parte central da Ásia. Mas essa última troca cobria a maior parte da superfície da terra e foi conduzida com velocidade sem precedentes.

Estava aí uma versão inicial da revolução da informação, com os navios errantes em suas navegações servindo de corda salva-vidas na qual era trazido um número incrível de novas sementes, mudas e animais de procriação. Seus efeitos foram apreciados aos poucos. A mesma imprevisibilidade se concretizou em relação à revolução do vapor e provavelmente seja verdade em relação à revolução da informação, da qual satélites e computadores, fibra óptica, microchips, fax e Internet são forças propulsoras. Uma viagem notável havia começado, mas ninguém sabia aonde ia dar.

Durante esse intercâmbio internacional de plantas e matérias-primas, aconteceram fatalidades. Muitas aves, animais e plantas foram ameaçados pela chegada de novas pessoas, novos animais, novas armas e armadilhas.

Nas ilhas vulcânicas de Maurício e Reunião, há vários anos, havia vivido um pássaro que não podia voar, o dodó. Membro da família dos pombos, grande e dócil, com pernas grossas e calosas, penas brancas e cabeça pouco comum, o pássaro vivia em segurança, longe do ataque de qualquer predador. Seu corpo era tão grande que, quando depenado, não caberia num forno doméstico de assar. Então, os exploradores europeus chegaram, trazendo porcos e ratos; os ovos colocados pelo dodó em ninhos sobre o chão ficaram vulneráveis.

O último dodó de que se tem notícia, capturado na ilha de Reunião, segundo dizem, morreu num barco francês em algum momento antes de 1746. A frase "morto como um dodó", usada na língua inglesa, veio a ser um sinônimo de extinção. Em todas as regiões do Novo Mundo, uma variedade de espécies, seja o pombo-passageiro da América do Norte ou o "tigre" marsupial listrado da Tasmânia, seguiram o mesmo caminho que o dodó.

211

CAPÍTULO 22

O OLHO DE VIDRO
DA CIÊNCIA

A ciência estava a todo vapor na Europa. Deixando de engatinhar, começou a andar e, em seguida, a correr. Continuou a correr por algum tempo antes de ultrapassar a China na maior parte das áreas, mas, na década de 1520, já havia fortes indícios de que estava ganhando velocidade. A mesma imprensa que expôs Lutero explicava as últimas descobertas da ciência. A página impressa viajava com facilidade, ao contrário dos típicos estudiosos europeus. Grande parte dos cientistas famosos da Europa de 1550 nunca chegara a conhecer a maioria de seus contemporâneos estrangeiros cara a cara, mesmo quando vivia apenas a algumas centenas de quilômetros de distância.

Novos avanços vieram do estudo do Sol, da Terra e das estrelas. Nessa área, o grande descobridor foi Nicolau Copérnico, um estudioso polonês que usou toda a sua capacidade de medir e observar, bem como aquela atividade pouco comum conhecida como "raciocínio", para provar que o Sol era o centro do universo. Com isso, destronou o planeta Terra, uma vitória tão louvável que parecia inicialmente desafiar a Bíblia e toda a essência do cristianismo, que via a Terra como o centro do universo.

Copérnico começou a destronar a Terra por volta de 1510, logo após Colombo e suas viagens de descobrimento terem ampliado o mapa do mundo. A vitória de Copérnico, entretanto, não estava assegurada, mesmo depois de sua morte em 1543. De certa forma, ainda hoje, sua visão é só parcialmente aceita. A voz do povo e a imagem poética ainda indicam que a Terra é o centro do universo. Todas as manhãs, aos olhos da mente, é o Sol que nasce e, não, a Terra que se põe.

A ênfase nas medidas e na observação, de fato um método científico completamente novo, conduziu esses avanços. A Anatomia ganhou com a nova ânsia das escolas de medicina italianas em dissecar o corpo humano, em vez de confiar no que os antigos estudiosos gregos haviam escrito. A autópsia do corpo do papa Alexandre V chegou a ser sancionada, após sua morte misteriosa em 1410. O jovem e brilhante médico Vesalius, originário de Flandres, freqüentemente dissecava corpos e, na Universidade de Pádua, ensinava suas descobertas arrojadas, na década de 1540, reescrevendo assim os antigos livros de anatomia.

A onda de descobertas, feitas em várias frentes científicas, era o trabalho de centenas de curiosos, que passavam seu tempo como cientistas, observadores de estrelas, médicos e religiosos e que dispunham de um pouco de tempo para gastar. Muitos eram pessoas de vários talentos e habilidades que estavam decididas a resolver um emaranhado de charadas intelectuais. Assim, Isaac Newton, que foi aclamado em vida como o maior de todos os físicos, pesquisou Teologia, Química, Astrologia, Astronomia e a fabricação de telescópios, bem como as leis do movimento e da gravidade. Nos séculos 16 e 17, cientistas famosos raramente eram pesquisadores com dedicação exclusiva e raramente viviam vidas longas. Isaac Newton foi uma exceção pelo fato de ter passado dos 80 anos de idade, época em que ainda tinha todos os dentes, com exceção de um, e uma visão tão aguçada que não lhe era necessário o uso de óculos. Sua versatilidade era tal que poderia ter feito seus próprios óculos.

213

Um avanço na ciência, segundo dizem alguns observadores, nada mais é que a aplicação do bom senso, mas várias dessas teorias pareciam desafiar o bom senso vigente na época, tanto a

> UM AVANÇO NA CIÊNCIA, DIZEM ALGUNS, NADA MAIS É QUE A APLICAÇÃO DO BOM SENSO, MAS VÁRIAS DAS NOVAS TEORIAS PARECIAM DESAFIAR O BOM SENSO VIGENTE NA ÉPOCA.

versão espiritual quanto a secular desse bom senso. Por isso, não eram aceitas prontamente. Muitos descobridores sabiamente hesitavam em tornar público o que haviam descoberto, enquanto os descobridores de hoje se entregam à tentação de logo recorrer à imprensa, sem um dia de atraso. Copérnico passou um terço de século cuidando de sua idéia fundamental antes de ser persuadido a confiá-la a um livro. Dizem que Newton vislumbrou sua principal descoberta em Física ao ver uma maçã cair de uma árvore num pomar da Inglaterra em 1666, mas vinte e um anos se passaram até que ele expusesse sua teoria na forma impressa. William Harvey, o médico inglês que descobriu que o sangue circulava eternamente, falou sobre sua descoberta durante doze anos ou mais até que a colocasse no papel, em 1628, publicando-a não em Londres, mas numa cidade da Alemanha.

Enquanto a imprensa disseminava muitas das descobertas, os sacerdotes e párocos se sentiam tentados a impedi-las. Os líderes religiosos opunham-se ou mostravam-se extremamente desconfiados com várias idéias revolucionárias da ciência. A própria idéia de que as leis da natureza, até então desconhecidas, agiam no universo e que leis semelhantes poderiam ser encontradas agindo sobre os seres humanos, assim como no mundo físico, era um perigo em potencial para a religião que pregava que Deus, soberano em sabedoria e em conhecimento, presidia cada canto do mundo e, portanto, podia suspender qualquer lei da natureza e operar milagres. Até mesmo a China, que simpatizou com quase todas as ciências em quase todas as épocas, colocou obstáculos religiosos em relação à pesquisa das estrelas, pois davam origem às previsões, que eram uma prerrogativa do imperador.

O VIDRO E O OLHO TRANSPLANTADO

A revolução científica foi um avanço maravilhoso na forma pela qual o mundo era visto. Antes de 1550, enquanto o trabalhador especializado em metais foi responsável por avanços, tais como o relógio mecânico e a imprensa, foi o trabalhador especializado em vidro que facilitou descobertas futuras como o microscópio e o telescópio. O vidro tornou-se o olho transplantado do cientista para ver o invisível.

Os antigos egípcios produziram os primeiros recipientes ocos de vidro. Os sírios, por volta de 200 a.C., inventaram o maçarico para soprar vidro, dando-lhes o formato de recipientes arredondados e com paredes finas. Os romanos manufaturavam um vidro rudimentar, normalmente um pouco turvo, mas que, quando bem trabalhado, ganhava transparência. Em Veneza, o Vale do Silício de sua era, os antigos métodos romanos de fabricação de vidro foram aperfeiçoados. Os vidreiros de Veneza tornaram-se tão numerosos, e o fogo que queimava em seus locais de trabalho apresentava um perigo tão grande de se alastrar por toda a cidade que, em 1291, o governo os deslocou para a ilha de Murano, próxima ao local. Os primeiros espelhos feitos com nitidez foram produzidos em Veneza, por volta de 1500, e os habitantes dessa cidade mantiveram em segredo seu novo processo de manufatura por mais de 150 anos. Os espelhos fizeram o máximo que puderam para realçar a reputação de Veneza como o lar do luxo, da vaidade e, talvez, dos produtos femininos imorais: uma reputação criada pelas luvas e leques e pelos calções bordados de Veneza, peças bem justas de vestuário, usadas para encobrir as pernas.

Uma revolução da ciência também se encontrava nas mãos dos vidreiros. O poder que o vidro curvo tem de aumentar os objetos observados já era conhecido mesmo antes da civilização grega, mas lentes de vidro específicas para uso em óculos e como lentes de leitura só foram inventadas por volta de 1300. Óculos preservados no Deutsches Museum, em Munique, datam de 50 anos depois, e já era possível aos médicos, exercendo sua penosa obrigação durante a peste negra, colocarem seus

> O TRABALHADOR ESPECIALIZADO EM VIDRO FACILITOU DESCOBERTAS FUTURAS COMO O MICROSCÓPIO E O TELESCÓPIO. O VIDRO TORNOU-SE O OLHO TRANSPLANTADO DO CIENTISTA PARA VER O INVISÍVEL.

215

óculos para examinar mais de perto a pele e a língua das vítimas. Quando os livros impressos entraram na moda, a demanda por óculos aumentou, principalmente entre homens e mulheres que desejavam ler sob a luz fraca do inverno do norte da Europa.

O poder esplêndido do vidro foi drasticamente revelado na cidade litorânea de Middelburg, na Holanda. Em 1608, Hans Lippershey, um fabricante de óculos, começou a construir telescópios de bastante utilidade. Para o espanto daqueles que empregavam o novo aparelho, eles podiam claramente ver uma pessoa a três quilômetros de distância. A idéia, mas não o telescópio, chegou a Galileu Galilei, que ensinava Matemática em Pádua, no norte da Itália. Fazendo sua própria versão do que ele chamou de "vidro espião", maravilhou-se ao descobrir que podia aumentar a imagem em três vezes. Moendo suas próprias lentes de vidro, ele conseguiu uma proporção de aumento de 8 vezes e, depois, de 32 vezes. Nos arredores de Veneza, mercadores e donos de navios levaram o excitante telescópio para o alto das torres e, olhando para o mar, puderam ver navios que antes eram invisíveis a olho nu.

216

O telescópio melhorado de Galileu estava alcançando, no céu, o que Colombo e Magalhães fizeram ao navegar pelos mares. Ele estava mapeando novos mundos. Através de seus telescópios, feitos principalmente de vidro de Veneza, Galileu inspecionou a Lua, a qual descreveu como "a visão mais bonita e mais prazerosa que existe". Detectou também o que ninguém havia visto antes, as crateras da Lua e sua superfície acidentada. Foi ele quem primeiro viu as manchas do Sol e descobriu que a Via Láctea consistia de estrelas.

Ele também chegou à mesma conclusão de Copérnico: a Terra não era o centro do universo a quem quase todos os corpos celestes faziam a corte. Essa visão trouxe profundas implicações para certas frases do Antigo Testamento, que Galileu denunciou como sendo escritas por ignorantes para os ignorantes. A Igreja ergueu sua mão contra ele em 1616 e ergueu-a ainda mais depois de ele ter persistido em suas teorias. Galileu passou os últimos oito anos de sua vida sob prisão domiciliar em sua pequena fazenda perto de Florença.

Ao telescópio, os vidreiros holandeses e italianos acrescentaram o microscópio. Anton van Leeuwenhoek, que vendia materiais de costura e roupas na cidade holandesa de Delft, tornou-se um mestre na fabricação de microscópios. Com uma ampliação de pelo menos 270 vezes, seus microscópios viam mais do que jamais tinha sido visto pelos olhos humanos. Em 1677, pela primeira vez, ele descreveu com precisão o espermatozóide e as células vermelhas do sangue. Seu microscópio possibilitou quebrar vários velhos mitos: que a pulga nascia da areia e que a enguia era chocada pelo orvalho. Enquanto isso, na Inglaterra, Robert Hooke, enquanto olhava os tecidos das plantas ao microscópio, inventou uma palavra fundamental: "célula". Na época, ainda não se sabia que todas as plantas e animais consistiam de células.

O microscópio abriu os olhos da botânica e da zoologia. Exatamente na mesma época em que a exploração de novas terras multiplicava as plantas e animais conhecidos, o botânico e físico sueco, Carolus Linnaeus, ou Lineu, aperfeiçoou seu método que, em pouco tempo, tornou-se o método de todo o mundo, o de classificar todas as coisas vivas dando-lhes dois nomes em latim, um especificando o gênero mais amplo e o outro, a espécie em particular.

O que Lineu fez pela classificação de plantas, outros cientistas, ao sul dos Alpes, alcançaram na classificação do tempo. A reforma do calendário foi um processo vagaroso. No auge de Roma, Júlio César e seus consultores haviam reformado o calendário, abandonando o ciclo da Lua e voltando ao ano solar. O ano solar se estendia por 365 dias, 5 horas, 48 minutos e três quartos, mas as horas que sobravam criavam uma dificuldade para o novo calendário. Júlio César adotou uma solução conciliatória sensata. Seu calendário, mais tarde chamado de juliano em sua homenagem, admitia, por questão de simplicidade, que o Sol completava seu percurso anual em 365 dias e um quarto. Dessa maneira, o ano contava 365 dias para cada primeiro, segundo e terceiro anos, e 366 dias para cada quarto ano, ou ano bissexto.

César morreu bem antes de a dificuldade inerente de seu calendário se tornar evidente. O fato estranho era que seu calendário, a cada século

217

consecutivo, atrasava um pouco. Na verdade, a cada ano, o calendário perdia 11 minutos e, em seus mil anos iniciais, ele perdeu aproximadamente sete dias. Interferia, também, com a determinação do Domingo de Páscoa, um evento desconhecido da época de Júlio César, mas que veio a ter profunda importância mais tarde.

Finalmente, em 1582, o papa Gregório XIII agiu decisivamente. Usando os cálculos do astrônomo e médico de Nápoles, Luigi Ghiraldi, o papa anunciou sua solução. Exatamente naquele ano, ele eliminaria os dez dias que iam de 5 a 14 de outubro. Em suma, o calendário seria atualizado com um traço de pena. O futuro também seria controlado com a mesma decisão. Como corretivo a longo prazo, o calendário gregoriano adotou o ano bissexto em 1600 e em 2000, porém não nos anos intermediários de 1700, 1800 e 1900.

Aqueles que viviam na Espanha, Portugal e Itália iriam discutir por muito tempo o memorável outubro de 1582. Dez dias, para seu espanto, simplesmente desapareceram de suas vidas. Alguns meses depois, a França e vários estados católicos da Alemanha perderam seus dez dias. Os países protestantes, no entanto, não tinham certeza se deveriam seguir uma reforma iniciada por um papa. A Inglaterra continuou a seguir um calendário diferente do que prevalecia na França e na Espanha católicas. Quando chegou o dia de Natal na Inglaterra, já era janeiro do outro lado do Canal da Mancha. Na Alemanha, somente duas cidades, a poucos quilômetros uma da outra, seguiam um calendário diferente, baseadas no fato de estarem situadas num estado católico ou luterano.

Quando a Inglaterra finalmente adotou esse novo calendário, onze dias não vividos tiveram de ser apagados. Assim, em 1752, seu calendário pulou durante a noite de 2 de setembro para 14 de setembro, uma mudança que causou desordem em muitos cantos e consternação em outros. Em Londres, uma multidão sob um compreensível estado de confusão pôde ser ouvida gritando: "Devolvam-nos nossos onze dias." A Rússia e várias outras nações da igreja oriental ou ortodoxa continuaram a seguir o antigo calendário. A Rússia acabou esperando até o ano de sua revolução comunista, 1917, para adotar o que o papa e a Itália haviam começado mais de três séculos antes.

A procura por novas formas de contar e de medir foi impulsionada ainda mais pelas variações e pela confusão em relação às formas existentes de medida. A medida de uma milha era objeto de discussões e dúvidas sempre que uma fronteira européia era cruzada por um viajante. A milha inglesa continha 1.760 jardas, a milha italiana continha 2.029 jardas, a milha irlandesa continha 3.038, a alemã, 8.116, e a milha sueca excedia as 10 mil jardas.

Pelo menos, o calor e o frio eram medidos agora com mais precisão, embora não de comum acordo. Em 1714, Gabriel Fahrenheit, um habitante do Báltico que se tornou um fabricante de instrumentos na Holanda, inventou o termômetro de mercúrio. Em sua escala, o ponto de ebulição foi marcado em 212 graus, mas, algumas décadas depois, uma nova escala foi inventada pelo astrônomo sueco Anders Celsius, que marcou seu ponto de ebulição em 100 graus. Essas divergências foram agravadas em 1799, quando a revolucionária França introduziu o sistema métrico de pesos e medidas, com sua lógica simples e seus nomes fáceis.

219

À PROCURA DE VÊNUS

A primeira viagem de exploração de James Cook nos oceanos Pacífico e Índico foi impulsionada por demanda da ciência. Previra-se com certeza que, em 3 de junho de 1769, o planeta Vênus passaria rapidamente diante do Sol. Estava aí a rara chance de aprender a distância exata da Terra ao Sol, um cálculo que, se feito com precisão, forneceria informações fundamentais para astrônomos e navios que tentavam saber sua posição exata no mar. No dia da passagem, entretanto, era possível que o céu estivesse nublado na Europa e, portanto, a oportunidade de observação estaria perdida. A decisão de aproveitar essa oportunidade de observar Vênus foi intensificada pelo conhecimento de que a passagem só aconteceria novamente em 1874.

A Inglaterra decidiu que o lugar mais promissor para observar a passagem de Vênus era na recém-descoberta ilha do Taiti, onde se pressupunha que o céu estivesse sempre limpo. A viagem ao Taiti, no distante Pacífico, foi meticulosamente planejada. Talvez a expedição científica mais ousada que o mundo havia visto, uma pequena prova antecipada das sondas enviadas à Lua na década de 1960, ela foi chefiada por um pequeno grupo de cientistas provavelmente com mais talento do que qualquer outro grupo já montado para uma expedição longa como essa. A bordo do "Endeavour", estavam os melhores telescópios e o melhor relógio mecânico. No navio de madeira de Cook, a ciência era um passageiro de primeira classe.

No tempo previsto, o navio chegou ao Taiti. Um observatório portátil foi erguido, os instrumentos de ciência foram limpos e montados, e as observações foram feitas no dia tão esperado. Uma névoa ao redor do Sol, entretanto, fez com que tudo isso perdesse um pouco de sua utilidade.

Cook, então, executou suas instruções de procurar a grande terra ao sul que, segundo se acreditava, deveria estar em algum lugar do imenso Oceano Pacífico. Há muito tempo, acreditava-se que, para manter o equilíbrio natural do globo eternamente em rotação, deveria haver uma quantidade igual de terra no Hemisfério Sul e no Hemisfério Norte. Em algum lugar, deveria haver um continente escondido. A teoria era incorreta, mas a conclusão se mostrou, acidentalmente, positiva. A Austrália era o continente que faltava, e Cook o avistou pela primeira vez, sob a luz do dia, em 20 de abril de 1770.

Na verdade, vários navegadores portugueses, holandeses e ingleses já haviam visto as margens da Austrália ou nelas destroçado seus navios. Foi Cook quem descobriu a costa leste, mais atrativa, onde a maioria dos australianos vive hoje. Acompanhado de seu botânico, Joseph Banks, ele elogiou tanto suas campinas, solo, peixes, vegetação natural e portos que, mais tarde, foi vista pela Inglaterra como uma região promissora para se estabelecer uma colônia.

Depois de regressar à Inglaterra, Cook navegou novamente para os mares do sul. Com grande risco para seus dois navios de madeira, ele navegou em direção aos mares e ventos selvagens, além do Círculo Polar Antártico. Em três verões seguidos, ele navegou mais próximo do que qualquer outro navegador até chegar ao continente gelado. Repetidas vezes, ele se deparou com baías de gelo, navegando contra elas na esperança de achar terra na outra extremidade.

Sem saber, Cook navegou ao redor da Antártida. Na verdade, o mar de gelo flutuante era tão arriscado que ele pensou que nenhum outro navio se aventuraria pelas águas mais ao sul. A verdadeira terra da Antártida, além das barreiras de gelo, só foi avistada em 1820, e décadas se passaram até que o quebra-cabeça da extensa costa de penhascos congelados fosse finalmente montado. Estava aí uma área de terra maior que os Estados Unidos, coberta de gelo espesso e montanhas ainda mais altas que os Alpes europeus. Aos poucos, o mundo saberia que essa imensa geladeira de continente tinha efeitos profundos sobre o nível dos mares do planeta e sobre os ventos e clima de uma enorme área do Hemisfério Sul.

Cook era um verdadeiro filho da nova era de medidas. Nessa segunda viagem, ele levou o novo cronômetro, um relógio delicado e preciso inventado por James Harrison. Cook foi o primeiro navegador e explorador a conseguir calcular com precisão, sob tempo bom, a posição de seu navio sobre uma linha leste-oeste. Em suma, ele conseguiu determinar a longitude. Ao mapear novas terras e recifes, ele construiu gráficos de precisão sem precedentes.

As três viagens de Cook pelos oceanos Pacífico e Índico foram, na verdade, como ligar uma máquina do tempo. Muitas ilhas do Pacífico colonizadas pelos polinésios, tão habilidosos ao mar no decorrer de vários milhares de anos, tinham permanecido isoladas até a chegada de Cook. Em encontros tão estranhos como esses, entre povos e culturas tão diferentes, havia grande chance de perplexidade e desconfiança, mesmo com boa vontade dos dois lados. Cook, em geral tinha bastante tato em seus contatos com os povos nativos, mas foi vítima de um desses desentendimentos, vindo a morrer a pauladas em 1779, no Havaí.

CAPÍTULO 23
DESTRONANDO
A COLHEITA

N a Europa e na Ásia, uma família típica vivia praticamente à base de pão. Fosse em 1500 ou 1800, na França ou na China, a maioria das famílias não possuía terras ou dispunha de propriedades muito pequenas que mal garantiam sua alimentação, mesmo nos anos de fartura. Inúmeros homens e mulheres solteiros deixavam suas minúsculas fazendas ou seus vilarejos rurais para trabalhar em outras fazendas ou em outros negócios. Geralmente, recebiam refeições gratuitas enquanto estavam no trabalho, e estas representavam uma parte considerável de seus ganhos.

Uma boa parte do trabalho rural ficava com as mulheres ou crianças jovens: capinavam as plantações, cuidavam dos gansos, carregavam água do poço para a casa, enrolavam as fibras e faziam tecidos, produziam cerveja caseira, saíam à procura de ervas que serviam de remédio, apanhavam lenha para o fogão e esterco para as plantações.

Revirar os lugares à procura de comida e procurar forragem eram quase uma forma de vida. Um camponês que possuísse uma vaca e um pequeno pedaço de terra devia mandar que seus filhos, todos os dias do verão, cortassem capim à beira da estrada. Parte desse capim era, então, preservada como feno para alimentar o animal durante o inverno. Nas florestas, procuravam-se cogumelos e frutas silvestres, e recolhiam-se ovos das aves. Em muitas partes da China, a população de aves diminuiu devido à intensidade do uso da terra, à ânsia dos caçadores de aves e à coleta de ovos. A vida cotidiana, em todas as partes do mundo, concentrava-se na produção de alimentos.

Em 1800, em todo o mundo, alguns milhões ainda eram caçadores e lavradores nômades, mas a maioria era de fazendeiros. Sua vida cotidiana era regida pelo sol e pela chuva. Das margens do mar do sul da China às margens dos lagos do interior da América, o acontecimento triunfal no calendário econômico era trazer para casa a colheita, uma tarefa executada por mulheres, crianças e homens porque, uma vez que os grãos estivessem maduros, todas as mãos eram necessárias para ceifar, amarrar e trans-portar as espigas ao local de armazenagem. Na maior parte do mundo, com exceção dos vales tropicais férteis da Ásia, a colheita acontecia uma única vez ao ano.

Os grãos dominavam a mesa de refeição numa proporção que hoje seria inimaginável em países prósperos. Uma grande parte dos grãos era comida na forma de pão, mas alguns o consumiam também na forma de mingau e sopa. O mingau de aveia, servido bem quente, era devorado com voracidade durante o inverno. Em épocas de carestia, adicionava-se água em abundância a um pouco de farinha com o intuito de dar alívio temporário à sensação de fome. Uma receita caseira de mingau de aveia era "nove sementes de aveia moídas e um galão de água". Na Rússia e Polônia, a kasha, um mingau feito de centeio, tinha aspecto mais fino e aguado quando as colheitas eram mais escassas.

Em muitas terras européias, os grãos, principalmente a cevada, eram também usados para a produção de cerveja. Na Inglaterra, a cerveja caseira, tomada em quase todas as refeições, era praticamente tão essencial quanto o pão na dieta diária. As crianças toma-vam-na todos os dias. Num renomado colégio interno de Londres, em 1704, o café da manhã consistia de pão e cerveja, enquanto os pobres que viviam nos asi-los recebiam cerveja em quase todas as refeições. O chá, bastante consumido na China, era uma bebida reservada aos

> O CHÁ, BASTANTE CONSUMIDO NA CHINA, ERA UMA BEBIDA RESERVADA SOMENTE AOS MAIS ABASTADOS NA EUROPA.

223

mais abastados na Europa. O café também era um luxo em toda parte, à exceção das terras em que era produzido, como a Arábia e o Brasil.

Na Europa e na Ásia, os vários grãos provavelmente constituíam mais de 80% da dieta de uma casa típica. Na Europa, a padaria da rua do vilarejo era, na verdade, um pequeno armazém com dois tipos de pão à venda. O mais apreciado era o pão de trigo, feito com farinha quase pura, ao passo que os pães mais baratos consistiam de farelo e grãos de segunda categoria. O preço do pão era geralmente o barômetro da estabilidade social. Um aumento em seu preço denotava a probabilidade de revoltas.

O fracasso ou semifracasso de uma colheita era freqüente desde o Sudão até a China. Na Finlândia, no início da década de 1690, um longo período de fome chegou a matar um terço da população. A França, que nos anos de fartura praticamente transbordava com os mais finos alimentos, sofreu um período de fome nacional em dezesseis dos cem anos do século 18, que terminou em revolução e foi provavelmente o pior para as colheitas desde o século 11.

224

A colheita que se aproximava passou a ser freqüentemente mencionada nas orações de mulheres jovens e solteiras. Se a colheita fosse farta, seu casamento, há muito planejado, tinha grande chance de se realizar; se fosse insuficiente, o casamento seria adiado. As mulheres na Europa Ocidental geralmente só se casavam depois dos 24 ou 26 anos de idade. Os casamentos tardios eram a principal razão de as mulheres darem à luz somente 4 ou 5 filhos. As famílias grandes, de 8 ou 10 filhos, viriam a ser mais comuns no final do século 19.

Uma boa colheita não era o suficiente. Ela corria sério risco quando os celeiros de grãos eram invadidos por ratos. Os gatos eram mantidos dentro das casas, nos celeiros de grãos e estábulos mais por serem caçadores de ratos do que animais de estimação. Quando, em 1755, o dr. Samuel Johnson produziu seu dicionário da língua inglesa, ele grosseiramente definiu o gato como "animal doméstico que pega ratos". Mas será que os gatos não tinham direito de ser acariciados e mimados simplesmente por afeto? Johnson discordava, rotulando-os como "a ordem mais baixa da espécie dos leoninos".

Tradicionalmente, cada grão de trigo que era plantado dava somente alguns grãos na época da colheita. Na Holanda e na França, entre 1500 e 1700, por exemplo, o rendimento médio era de talvez sete por um. No norte da Rússia, esse rendimento caía para três por um. Após colheitas assim, cerca de um em cada três grãos tinha de ser armazenado como semente para a colheita do ano seguinte. Isso trazia um dilema, se o período de fome se instalasse. Com as crianças chorando por comida, a tentação era consumir parte dos grãos que tinham sido separados como semente para a colheita seguinte.

Na Europa, os principais cereais colhidos pelo exército de lavradores que usavam suas foices eram o trigo e o centeio. As plantações de painço ou milho-miúdo também ocupavam grandes extensões de terra no norte da China e na África, bem como na Europa. Embora os grãos de painço fossem mais grosseiros, eles duravam até vinte anos; e, no século 16, o painço era mantido nos celeiros de grãos dos portos fortificados do império veneziano como uma questão de segurança em períodos de fome e estados de sítio. A aveia, outro grão muito difundido, era dada aos cavalos, que puxavam grandes carroças, em época de paz, e armas pesadas, em época de guerra. Na era do cavalo, a aveia servia como equivalente ao diesel hoje, um combustível de baixo custo, porém, nos países pobres do Norte, tais como a Escócia, a mesma aveia era também a comida dos pobres. O arroz era o principal produto nas partes mais quentes da China e podia também ser encontrado na Itália. O milho, o maravilhoso produto vindo das Américas, era cada vez mais cultivado nas planícies ribeirinhas do sul da Europa, mas o preço de suas maravilhosas safras era a exaustão do solo.

Dos alimentos consumidos nas típicas casas européias e chinesas das zonas rurais, somente uma fração era produzida no local. O sal era o alimento em comum a ser transportado por longas distâncias. Em 1500, o transporte de sal rendeu fortunas aos carroceiros e donos de barcos. A cidade de Veneza tinha praticamente o monopólio do sal colhido no Mar Adriático, e o transporte de sal por navio ajudou a manter sua ascensão econômica. A parte mais quente da costa do Atlântico, na França, produzia

225

sal por evaporação da água do mar no verão, e esse sal supria a Inglaterra e os ricos portos do Báltico. Entre 1427 e 1433, foi feita uma contagem dos navios que entraram no porto báltico de Tallinn. Dos 314 navios, um número surpreendente de 105 aportou com carga das salinas da Baía de Bourgneuf, na França. O Báltico era o lar do comércio de arenques, e para salgar os arenques frescos, era necessária uma pequena montanha de sal todos os anos.

A parte mais ao norte da Áustria possuía ricos depósitos de sal, que eram escavados pelos mineradores, no subterrâneo. Mozart nasceu numa cidade do sal – "Salzburg", na verdade, quer dizer "cidade de sal" – e, das montanhas próximas, todas as semanas saía uma procissão de pequenas carroças carregando unicamente sal-gema. Em geral, o sal cru extraído das minas subterrâneas exigia tratamento. Para purificá-lo, eram necessárias caldeiras de ferro, ou tonéis cheios de salmoura, sobre o fogo em chamas, dia e noite.

Pequenos vilarejos corriam o risco de ficar sem sal enquanto esperavam a neve do inverno derreter. As donas de casa regozijavam-se quando as carroças, e na China, as barcaças, finalmente chegavam com sacas de sal. A maioria dos habitantes dos vilarejos comprava pouco sal e usava-o moderadamente, uma simples "pitada de sal" era suficiente. A moderação com o sal indica claramente o padrão de vida precário das pessoas na era anterior ao transporte a vapor, que revolucionou a distribuição de sal e de grãos.

O sal marinho ou certos tipos de algas produziam a soda, que, por sua vez, era um dos ingredientes do sabão. Em muitas partes da Europa, o outro ingrediente do sabão era o sebo, a gordura dos animais ou uma mistura de azeite de oliva e óleo de semente de colza. Fazer sabão, portanto, era usar matérias-primas que, do contrário, seriam consumidas. Em épocas de fome, a fabricação de sabão e até mesmo o ato de lavar com sabão era como roubar comida da boca dos famintos.

Os indianos e os turcos eram mais interessados no sabão e na higiene pessoal do que os europeus. De fato, a Europa Ocidental tinha o hábito mais regular de lavar o rosto e as mãos em 1300 do que em 1800. A peste negra provavelmente fez com que as pessoas se tornassem desconfiadas dos banhos como lugares onde se pudesse adquirir infecções. Os banhos públicos eram vistos como locais de lassidão moral. Na Alemanha, a cidade de Frankfurt tinha 39 banhos públicos em 1387, mas, um século e meio depois, com uma nova autoconsciência da nudez, a cidade apresentava somente nove.

A saúde pública sofria com o crescimento das cidades do interior. Nenhuma cidade grande possuía sistema de esgoto. O rio era o escoadouro preferido, e o esgoto de alguém, depois de flutuar correnteza abaixo por 200 metros, tornava-se a água de lavar ou de beber de outra pessoa. No sudeste da Ásia, por outro lado, o esgoto dos vilarejos e das cidades era geralmente transportado por carroças até campos adjacentes e colocado no solo como fertilizante. O defeito desse método era que muitas pessoas, ao consumirem os alimentos cultivados em solo com esse adubo, infeccionavam seu aparelho digestivo. Na Tailândia, ainda em 1970, talvez dois de cada três habitantes da zona rural sofressem com tais infecções.

Embora a população da Europa estivesse geralmente crescendo, desastres ocasionais lhe impunham um certo freio. Assim, durante a Guerra dos Trinta Anos, que estourou em 1618 e se prolongou até 1648, a Alemanha talvez tenha perdido um terço de sua população. Enquanto a guerra se desenvolvia, a Itália foi atacada por uma praga. Em 1630, cerca de um milhão de pessoas morreu nas planícies da Lombardia, em que as cidades de Bolonha, Parma e Verona chegaram a perder metade de sua população em um ano. Durante as duas principais guerras do século 20, somente Leningrado (São Petersburgo) e algumas outras cidades russas chegaram a sofrer perdas de magnitude semelhante.

Para uma típica família de trabalhadores de algumas regiões da Europa e da China, os anos de escassez eram intercalados por um ano ocasional de abundância. A partir de 1570, aproximadamente, colheitas exuberantes tornaram-se menos freqüentes no norte da Europa. O clima tornou-se mais frio, e os portos do Báltico, tais como o de Riga, eram fechados pelo gelo com mais freqüência. Próximo ao Mediterrâneo, as plantações de oliveiras e seu jovem fruto começaram a ser atingidos pelas geadas com mais freqüência. Chamada em retrospecto de Pequena Idade do Gelo, essa nova era de mudanças no clima continuou por cerca de trezentos anos.

O prolongamento do inverno e o alastramento das geleiras tendiam a separar o sul do norte da Europa. Entre a Itália e a Alemanha, as passagens nas montanhas, acessíveis na época de Lutero, podiam ser perigosas mesmo no início do verão. Nem todas as partes da Europa, entretanto, sofreram com a mudança nos padrões do clima. Várias regiões agrícolas ainda recebiam sol mais do que suficiente para amadurecer seus plantios em um ano normal. A Alemanha teve anos extremamente favoráveis para o vinho entre 1603 e 1622. Além disso, durante esses três séculos de clima mais frio, métodos mais inteligentes de agricultura viriam compensar as mudanças.

Em relação à China, o país sofria com sua própria série de desastres naturais a cada século: epidemias, secas, enchentes e incêndios, bem como aquele desastre profundo de autopunição: uma longa guerra. No norte da China, em 1557, houve um terremoto em que 830 mil pessoas pereceram. Uma seca prolongada teria matado muitos mais de fome e de doenças, que eram facilitadas pela desnutrição. A China era mais vulnerável a desastres naturais do que a Europa.

> A CHINA ERA MAIS VULNERÁVEL A DESASTRES NATURAIS DO QUE A EUROPA.

A população crescente da Europa e da China exigia maior produção de alimentos. Entre 1500 e 1800, o número de pequenos proprietários de terras cresceu em milhões. Eles cultivavam áreas anteriormente cobertas por florestas e pântanos. Os camponeses chineses foram para a extremidade sul e oeste e ocuparam terras de solo pobre. Muitos europeus mudaram-se como fazendeiros inquilinos para as regiões montanhosas do centro da França e da Toscana, onde, com o tempo, construíram casas simples de dois andares que, hoje, após sofrerem reformas, são as charmosas casas de férias dos banqueiros holandeses e políticos ingleses. Onde os camponeses reviravam o solo pobre com enxadas e plantavam feijões, milho e uvas, hoje os turistas em férias se aquecem ao sol, bebendo vinho gelado nos terraços que, uma década após outra, foram construídos com solo carregado numa procissão infinita de cestos, trazidos dos vales mais abaixo.

Uma enorme área tinha de ser reservada para o plantio de fibras naturais, para cobertores e roupas. Embora, hoje, a maior parte das roupas seja feita de produtos sintéticos, ainda no ano de 1800 todas as matérias-primas para roupas vinham das fazendas. Terras que poderiam ter sido reservadas para o plantio de alimentos tinham de plantar linho ou cânhamo, para produzir camisas e lençóis desses materiais ou, numa escala menor, as folhas da amoreira com as quais os bichos-da-seda eram alimentados. Da mesma forma, eram necessárias terras para alimentar as ovelhas que forneciam a lã e os vários animais que, depois de mortos, forneciam as peles para os trabalhos em couro. No Japão, era comum usar roupas de couro ao sair de casa e, na Europa, a maioria das botas e sapatos era feita de couro ou madeira. Assim também, terras adicionais eram necessárias para o cultivo de produtos como a ísatis e o índigo, dos quais eram extraídas as cores das roupas.

229

O linho era um dos principais produtos do norte da Europa. Um produto têxtil antigo feito da planta de mesmo nome tinha fornecido a matéria-prima para a mumificação dos egípcios e para as roupas de milhões de gregos e romanos. No início da Era Moderna, o linho era amplamente usado nas velas de navios, toalhas brancas de mesa e lençóis de cama (para os que podiam se dar ao luxo de revestimentos tão nobres), para fazer calças, macacões, aventais para crianças e até mesmo roupas íntimas.

O pintor holandês Rembrandt, por volta de 1651, esboçou com caneta, tinta e pincel uma "visão de Haarlem". A cidade holandesa e suas igrejas semelhantes a torres aparecem ao fundo, enquanto nos arredores elevam-se os grandes braços dos moinhos de vento. Mas, em primeiro plano, estão as belas fileiras do que, à primeira vista, parecem ser pequenas estufas cobrindo uma extensa área de pastagem. Na verdade, são uma colcha de retalhos de linho, estendida para secar ao ar fresco e ao sol.

Onde o linho fosse produzido, esses espaçosos "campos de quarar roupas" faziam-se necessários para que o linho fresco, porém sujo, pudesse ser branqueado. Quase todos os vilarejos, desde a Baviera até o leste da Prússia, trabalhavam em suas tecelagens de linho.

O algodão, um produto estrangeiro, foi uma ajuda especial para a Europa. Cultivado na Índia ou em plantações de escravos na outra extremidade do Atlântico, o calicô, um tecido mais rústico, e outros artigos da Índia ajudaram a população da Europa a expandir-se, ao permitir que uma maior quantidade de suas terras fosse cultivada para alimentos. O algodão manufaturado, principalmente o calicô indiano, era transportado por navios em grandes quantidades até a Inglaterra, antes que essa nação se tornasse um grande manufaturador de roupas feitas com algodão importado. Após 1820, a lã também chegava em quantidades cada vez maiores da Austrália e da Nova Zelândia. Sem a lã e o algodão, cada vez mais importados do Novo Mundo, a Europa teria de ter desviado grandes áreas de seu próprio solo para o cultivo de linho e de outras matérias-primas.

Na China, o algodão era bem mais importante do que a lã como matéria-prima para roupas. Cada vez mais substituindo o cânhamo como fibra, o algodão já ocupava imensas áreas de terras aráveis em 1400 e, na época da colheita, vários fardos de algodão enchiam milhares de pequenos barcos que navegavam pelos rios e canais chineses até as cidades. Muitos fazendeiros alternavam as plantações de algodão com arroz.

No ano de 1800, a maioria das pessoas na Europa não tinha o costume de comprar um único item novo de vestuário das lojas e feiras. Faziam suas roupas em casa, herdavam-nas dos mortos ou compravam-nas de segunda mão das mulheres comerciantes que dominavam esse segmento de vestuário. Dentro de cada família, havia um movimentado negócio não remunerado de vestuário. As roupas geralmente passavam de irmã para irmã mais nova, de irmão para irmão mais novo, e eram remendadas, recosturadas, consertadas e cerzidas conforme mudavam de mãos. Um dos benefícios de ser um empregado era receber roupas de segunda mão, repassadas pelos senhores e senhoras. As roupas poderiam estar um pouco desgastadas, mas eram recebidas de braços bem abertos.

230

Era um enorme esforço para Europa, a Ásia e a África produzirem alimentos e roupas suficientes para manter sua população viva e bem. Às vezes, o esforço falhava, e milhões de pessoas ficavam de estômago vazio e roupas puídas. Se um vilarejo passava fome, não podia esperar ajuda externa; em parte, porque o vilarejo mais próximo provavelmente também estava faminto.

As casas na Ásia, na Europa e na África eram das mais simples: a maioria delas seriam hoje chamadas de barracos. Na Europa e na China, era normal dividir a cama com alguém, onde, em geral, três ou quatro crianças se amontoavam. Às vezes, a família inteira dormia sobre um mesmo colchão feito em casa, cheio de palha colhida nas terras aráveis e renovado a cada época de colheita. O junco, arrancado das beiras dos pântanos adjacentes, servia de forração a chãos de madeira ou de terra. No inverno, a casa ficava extremamente fria, e a cama era bem mais aquecida. Os chineses, com grande sensatez, preferiam aquecer a cama, partilhada por toda a família, a aquecer o cômodo inteiro, e milhões de famílias chinesas dormiam sobre uma caixa de tijolos retangular aquecida por um braseiro.

231

Nas cidades grandes, muitas pessoas vivendo juntas num único cômodo geravam calor. Mesmo se houvesse um fogo aceso nesse cômodo nos períodos críticos do inverno, ele geraria calor insuficiente, em parte, porque a lenha tinha de ser usada moderadamente. O combustível tinha de ser conseguido na floresta e transportado nos braços ou nos ombros até a casa; e isso roubava horas do pequeno tempo reservado ao lazer. Às vezes, não havia florestas por perto e, assim, o combustível era escasso para os mais pobres. Lenha barata no ano de 1500 era mais fundamental para as casas comuns do que óleo barato no ano 2000.

A chaminé das casas era uma pequena abertura no telhado. A fumaça pairava dentro da casa e fornecia calor, bem como ardência nos olhos. Mesmo sob a luz do dia, as casas geralmente não tinham claridade suficiente, e os vãos de janela consistiam não de vidraças, mas de folhas maciças feitas de madeira que, ao serem abertas, deixavam entrar a luz e o frio. Na Europa dos anos de 1400, as janelas das casas, embora ainda pequenas, tornaram-se mais comuns. A janela de vidraças já era comum em Viena, em 1484. Duzentos anos depois, a Galeria dos Espelhos, em Versalhes, era talvez o interior mais impressionante de um prédio até aquela época e uma amostra fascinante do que o vidro podia realizar. Muitos camponeses que ouviam falar sobre esse lugar tinham de se contentar em ficar só maravilhados, pois, em seus vilarejos, não se via uma única janela com vidraças.

Na China, na Índia e na Europa, em qualquer lugar onde a população fosse numerosa, a pressão sobre as florestas era enorme. As indústrias de mineração de sal e de metais eram devoradoras de florestas inteiras. Um trabalho em ferro de grandes proporções poderia facilmente usar 2 mil hectares de floresta em um ano. A escassez de madeira explica alguns eventos que são facilmente mal interpretados. Quando o aclamado filme *Amadeus* retratou o enterro do compositor Mozart, em Viena, em 1791, sem sequer um caixão para colocar seus restos mortais, a platéia imediatamente supôs que Mozart tivesse morrido na miséria. Na verdade, três anos antes, o imperador José II havia proibido os enterros em caixões, em parte para incentivar a simplicidade em lugar da extravagância e estimular o corpo a voltar para o solo. Mas um dos motivos importantes era economizar no uso de madeira.

Quando a lenha se tornou escassa, substitutos engenhosos foram testados. A palha da cana-de-açúcar era queimada no Egito, o esterco seco de vaca era queimado na Índia, e as cascas de azeitonas amassadas eram queimadas em algumas das ilhas gregas. O carvão, como alternativa para a madeira, demorou a entrar na competição. No norte da China, onde as florestas haviam quase desaparecido em algumas regiões, o carvão era usado até mesmo para cozinhar alimentos. No norte da Inglaterra e da França, por volta de 1200, o carvão era extraído de minas, e o carvão inglês era transportado em veleiros que cruzavam o canal até os Países Baixos, na cidade de Bruges. Nos seis séculos seguintes, cada vez mais carvão era embarcado para Londres, fazendo dessa grande cidade talvez a primeira do mundo a usar carvão em larga escala, fosse no fogão das cozinhas ou nas fábricas.

Havia limites, em quase todos os lugares, sobre as cidades que cresciam além de um determinado tamanho. Uma cidade não podia crescer muito porque não conseguia assegurar em seus bairros os alimentos e a lenha de que precisava. Uma cidade de, por exemplo, 30 mil habitantes precisava de 600 a mil carroças de lenha a cada semana. No mesmo espaço de tempo, a cidade precisava de outras 200 cargas de grãos. Como os cavalos ou bois puxavam as carroças, uma enorme área tinha de ser reservada para fornecer capim ou feno para esses animais. Uma cidade grande, fora do normal, como a antiga Roma ou a atual Londres, podia ser sustentada somente com alimentos e combustíveis trazidos de longas distâncias, por mar ou por rio.

A necessidade de gastar muito tempo e dedicar muita terra para produzir combustível para aquecimento e luz e as matérias-primas para roupas de inverno era um eterno freio para o padrão de vida de boa parte da Europa. Ao contrário, os povos tropicais, com seu padrão de vida, facilmente mantiveram o mesmo ritmo que a Europa até o século 18, em parte, porque precisavam de poucas roupas e de pouco combustível para aquecimento. Eles precisavam de menos calorias para resistir ao frio do inverno. De fato, várias partes dos trópicos tiveram bastante sorte e até possuíam suprimento de óleo barato para lampiões. A Birmânia já produzia óleo há algumas gerações quando o líquido foi dramaticamente descoberto na Pensilvânia, em 1859, ao se perfurar um buraco no chão.

> A NECESSIDADE DE PRODUZIR COMBUSTÍVEL PARA AQUECIMENTO E LUZ, BEM COMO AS MATÉRIAS-PRIMAS PARA ROUPAS DE INVERNO, ERA UM ETERNO FREIO PARA O PADRÃO DE VIDA NA EUROPA.

233

O FIM DE UM ANTIGO IMPASSE

Por talvez quatro mil anos, o padrão de vida da pessoa comum na Europa, na África e na Ásia tenha subido pouco, se é que chegou a subir.

Houve anos de abundância e anos terríveis, pequenos aumentos e quedas no bem-estar material das pessoas e um aumento nos luxos disponíveis aos ricos, mas, para os dois terços da população que viviam nos degraus mais baixos da escada econômica, a vida cotidiana era um sacrifício. Entre 1750 e 1850, porém, surgiram sinais de uma mudança drástica. A Inglaterra, em especial, mostrou sinais de um salto para a frente. Sua população crescia rapidamente, mas o padrão de vida da maioria das famílias também estava crescendo acima de suas bases humildes. A prosperidade aumentava não por causa de uma seqüência de sorte de verões quentes e safras fartas, mas por causa da aplicação da engenhosidade no trabalho diário em todas as suas formas, no mar e em terra, nas fazendas e nas fábricas.

Quando os fazendeiros dominaram a arte de criar rebanhos e de manter a fertilidade do solo, as pequenas fazendas começaram a produzir mais alimentos do que nunca. E se o transporte foi melhorado pelos canais e estradas mais resistentes e, mais tarde, pelas ferrovias e barcos a vapor, cada distrito ou cada país se especializou no tipo de atividade econômica que melhor lhe cabia e começou a trocar seus produtos por outros. Em essência, se a engenhosidade fosse aplicada a todos os tipos de trabalhos diários, a produção de alimentos e de outros produtos se multiplicaria mais rapidamente que o crescimento da população. Mais alimento, mais combustível, mais abrigo, mais roupas e lazer possivelmente estariam mais disponíveis para cada família, pelo menos nas nações mais eficientes.

Essa ação recíproca de eventos e tendências acabou remodelando os dois séculos seguintes. Rompeu com todas as formas tradicionais de vida, mas suas recompensas seriam enormes. Nos países mais favorecidos, o padrão de vida das pessoas que estavam nos degraus mais baixos da escada de rendas se tornaria quase tão alto quanto o padrão tradicional anterior daqueles que viviam nos degraus mais altos.

PARTE 3

CAPÍTULO 24

A QUEDA DAS CARTAS DO BARALHO

Acontecimentos imprevisíveis ou a coincidência de acontecimentos importantes que ocorrem paralelamente têm seu papel reservado na História. Durante as últimas décadas do século 18, uma combinação imprevista de acontecimentos exerceu uma força especial sobre o surgimento dos Estados Unidos da América, das nações da América do Sul, da África do Sul, do Canadá e da Austrália. Muitos desses acontecimentos giraram em torno do destino da França, cuja influência foi extremamente decisiva, quando estava perdendo ou quando estava ganhando suas guerras. De todas as línguas européias, a língua francesa tinha os motivos mais fortes para reivindicar sua posição de língua internacional quando esses acontecimentos estavam começando a se desdobrar, mas, quando chegaram ao final, as bases já estavam prontas para que o inglês se tornasse a língua mundial do século 20.

Em 1750, o continente americano havia sido dividido em dois ou três mundos sobrepostos. Dezenas de tribos e micronações ainda se autogovernavam, principalmente nos extremos gelados do Norte, do Sul e nas pradarias da América do Norte, mas sua influência sobre o restante do mundo era insignificante. Ao contrário, muitas partes do continente sob influência européia, que estava principalmente concentrada na costa, estavam transbordando de vitalidade e um sentimento de que o futuro estaria totalmente a seu favor. A população dessas colônias estava crescendo, sua riqueza aumentando rapidamente, e sua influência

237

sobre a Europa Ocidental e o oeste da África se espalhava cada vez mais. Ainda assim, as colônias eram governadas por Paris, Londres, Lisboa e Madri, uma combinação que já persistia há gerações, mas que poderia não durar para sempre. Em 1750, a soma do poder econômico de todas as colônias européias nas Américas era, provavelmente, maior do que o de cada nação da Europa.

A questão intrigante não era se a América se tornaria independente, mas de qual nação européia ela permaneceria dependente. Em 1763, no término da Guerra dos Sete Anos entre a França e a Inglaterra, o controle do Canadá e da Nova Escócia passou da França para os vitoriosos. No Leste, a metade mais européia da América do Norte, a Inglaterra, tinha agora um domínio que parecia propenso a crescer. Praticamente toda a extensão que ia da Baía de Hudson, no Canadá, até o Golfo do México, estava sob o domínio dos ingleses. Além disso, a maior parte dos colonos da América do Norte era a favor de continuar sob controle britânico, principalmente aqueles de Boston, Nova York e Filadélfia, muitos dos quais haviam lutado na recente guerra; não tinham nenhum desejo de serem governados pela França católica ou seu regime comercial.

Uma vez que a guerra havia acabado, as relações entre a Inglaterra e seus colonos na América do Norte perderam um pouco do antigo fervor. O custo de participar na Guerra dos Sete Anos havia dobrado a dívida interna da Inglaterra, mas os colonos americanos pouco contribuíram para sanar essa dívida. Uma das principais fontes de receita para o governo eram as taxas colhidas sobre as importações, mas muitos importadores americanos tentavam se evadir das taxas, preferindo contrabandear para os portos nacionais artigos como o melaço das Antilhas, o qual era destilado e transformado em rum. Esse mesmo rum era apenas um dos canais americanos de evasão de impostos. Como resultado, os colonos norte-americanos pagavam, em média, um xelim em impostos, no início da década de 1760, enquanto os britânicos pagavam, em média, 26 xelins. As tentativas de corrigir essas distorções acabaram causando ressentimento e ira.

Os Estados Unidos que ninguém esperava

Muitas das colônias americanas já dispunham de parlamentos através dos quais podiam dar vazão a seus agravos. Os parlamentos, por sua própria natureza, davam um indício enfático de que essas colônias, se necessário, podiam se governar completamente livres do controle britânico. As 13 colônias britânicas localizadas numa das extremidades do território, agora chamado de Estados Unidos, geriam seu próprio parlamento. Rhode Island e Connecticut tinham o direito de eleger seu governador, representando um grande contraste em relação à maioria das colônias, que se submetiam a um governador enviado pela Inglaterra. Os americanos já tinham uma estrutura de independência; não concordavam, no entanto, se deveriam buscar essa independência, pois os legalistas eram dominantes no Canadá. Mesmo nas 13 colônias do sul, os que permaneciam leais à Inglaterra eram inicialmente mais numerosos do que os que defendiam a rebelião. Os colonos tinham descendência ou naturalidade predominantemente britânica, exceção feita aos alemães da Pensilvânia e àquele um sexto da população que consistia de escravos negros, que não tinham voz política.

239

A Inglaterra e as 13 colônias se afastaram. Em 1775, colonos armados começaram a lutar contra as guarnições britânicas. O líder rebelde era George Washington, um proprietário de plantações de naturalidade americana que havia lutado contra os franceses como miliciano. Nos primeiros 12 meses, suas forças tiveram sucesso em alguns lugares; ao tomarem Montreal, foram enfraquecidos por um surto de varíola e fracassaram tremendamente em expulsar as tropas britânicas do Canadá. Mas Washington expulsou os britânicos do porto de Boston, mostrando, assim, uma perspectiva enorme

> GEORGE WASHINGTON EXPULSOU OS BRITÂNICOS DO PORTO DE BOSTON, MOSTRANDO, ASSIM, UMA PERSPECTIVA DE SUCESSO MILITAR QUE GANHOU APOIO DA FRANÇA E DA ESPANHA, VELHOS INIMIGOS DA INGLATERRA.

de sucesso militar que começou a ganhar apoio substancial e secreto da França e da Espanha, que eram velhos inimigos da Inglaterra e estavam ansiosos em retaliar, agindo em segredo. Sem essa ajuda, a rebelião americana teria sido derrotada como resultado final.

Se a guerra tinha de ser vencida, a força da marinha era de extrema importância. A marinha européia que controlava o Atlântico podia enviar seus próprios reforços à América do Norte ou evitar que seu adversário mandasse buscar ajuda. A Inglaterra era a principal potência naval, mas,

8 COLÔNIAS EUROPÉIAS NO CARIBE E AMÉRICA DO NORTE, POR VOLTA DE 1755

após 1778, sua superioridade foi reduzida pela interferência da marinha francesa e pela inimizade declarada da Holanda e da Espanha. A guerra continuou se arrastando, tornando-se outra guerra de sete anos. Em novembro de 1782, a Inglaterra aceitou a paz em vez de continuar uma guerra tão dispendiosa.

A maior parte do atual território dos Estados Unidos ainda estava nas mãos das potências colonizadoras. Se essas fronteiras tivessem persistido, os Estados Unidos, com sua imensa área de recursos e sua habilidade de atrair imigrantes, poderiam, ainda assim, ter um dia se tornado uma potência mundial importante, mas nunca teriam tido a esperança de se tornar uma das potências soberanas. Confinada ao lado leste do Rio Mississipi, sua população teria, por muito tempo, permanecido em local inadequado.

Ao ver os acontecimentos em retrospectiva, eles parecem perfeitos e previsíveis, mas, olhando adiante, são temperados de imprevistos. Com a ajuda dos franceses, a vitória das colônias rebeldes americanas teve fortes repercussões na França; muitas dívidas foram contraídas e, com isso, o rei se viu obrigado a aumentar impostos para lutar na guerra. Mas os acontecimentos do outro lado do Atlântico haviam mostrado que mesmo o monarca mais poderoso tornava-se vulnerável se as pessoas, ao exigirem liberdade, o enfrentassem. A explosão, em 1789, de uma revolução popular na França, resultado de um remoinho de grandes e pequenas causas, foi fortemente impelida pela revolta dos Estados Unidos e pelos princípios enunciados nessa revolta.

Explodindo em Versalhes e em Paris em maio de 1789, a Revolução Francesa inicialmente parecia ser uma declaração de esperança e, não, um prelúdio ao tumulto; em julho, porém, uma multidão já corria solta em Paris. No mês seguinte, a assembléia francesa emitiu uma declaração dos "direitos do homem". Tais declarações, que vieram a ser quase que um acontecimento mensal durante alguns anos no fim do século 20, eram uma raridade, bem como um ato de traição, no século 18. Três meses após a declaração, as propriedades extensivas da Igreja Católica na França foram nacionalizadas, e muitos sacerdotes e monarquistas começaram a sabiamente fugir do reino. Em 1791, o rei da França já era prisioneiro em sua própria terra; ainda assim, o colapso do velho regime na França inicialmente agradou ou deleitou muitos liberais. Em Londres, em fevereiro de 1790, onde a tradição democrática há muito era mais vigorosa que na França, a Câmara dos Comuns ainda debatia se os acontecimentos tumultuosos na França deveriam ser bem acolhidos ou temidos.

Enquanto isso, a França estava em guerra com as principais monarquias européias. Com grande fervor, proclamou ter o dever de impor sua própria revolução popular secular sobre todas as terras que havia conquistado. Originalmente voltada para o povo francês, a revolução agora recebia o carimbo de "produto de exportação". Mas o comando da revolução, e daí sua mensagem, estava lentamente passando das mãos de políticos radicais para as mãos de um soldado mais jovem, Napoleão, que havia gostado de sua primeira célebre vitória em Toulon, em 1793, quando tinha ainda cerca de 25 anos. Provou ser um brilhante general, que afirmava que quase nada era impossível e, por cerca de duas décadas, sua palavra foi cumprida. Em 1799, tornou-se o chefe do governo ou primeiro-cônsul da França; em 1804, tornou-se imperador e, em Paris, foi formalmente coroado pelo papa Pio VII.

242

Os Estados Unidos, ainda jovens, ficaram de fora das guerras revolucionárias da França, recusando-se, assim, a continuar uma aliança com a nação que os tinha provavelmente salvo de uma derrota militar no final da década de 1770. Daí em diante, foi lançada sua longa tradição de isolamento auto-imposto em relação aos acontecimentos na Europa. Mais uma vez, as brigas na Europa deram oportunidade para que os Estados Unidos se expandissem. Napoleão tinha retomado da Espanha, que se encontrava muito frágil para dizer não, a Louisiana e o lado oeste do Mississipi. Conhecida simplesmente como a Compra da Louisiana, ela assegurou aos Estados Unidos, a três centavos de dólar o acre, a propriedade do maior sistema de rios da América do Norte e uma imensa área que ia desde o Canadá até o Golfo do México. Essa transação abrangia o território hoje ocupado por um quarto de todos os estados dos EUA.

Se essa extensão de terreno, bem maior que qualquer nação européia, exceto a Rússia, tivesse permanecido nas mãos dos franceses, ou se tivesse passado às mãos de um grupo de colonos liderados pelos franceses, poderiam ter existido duas Américas rivais, mas independentes, uma mostrando a bandeira de estrelas e listras na costa leste, e a outra mostrando uma versão da bandeira tricolor da França no interior. É impossível dizer se os Estados Unidos teriam conseguido anexar o Texas e a Califórnia posteriormente, caso as barreiras francesas em terra tivessem continuado a interferir. É mais provável que tivessem continuado a ser uma nação de tamanho médio com todos os seus portos voltados para o Oceano Atlântico.

O que Napoleão vendeu em 1803 foram terras pertencentes a muitas tribos e nações nativas da América. Originalmente, era a intenção dos britânicos, e talvez dos governantes franceses, que essas tribos e nações ficassem com a maior parte de suas terras a oeste. Em 1763, os ingleses, ainda em controle de boa parte da América do Norte, tentaram traçar no mapa uma linha de proclamação, que não poderia ser ultrapassada pelos colonizadores brancos. Aos americanos foi permitido ficar com as terras a oeste ou, na verdade, o imenso interior, ainda que não por muito tempo.

243

Em breve, a linha reapareceu mais para oeste, como em um truque de invisibilidade. Após os Estados Unidos terem se tornado uma jovem nação, a linha de divisão oficial entre os americanos nativos e os europeus buscou o pôr-do-sol. Os direitos dos povos nativos foram empurrados em direção ao oeste ou simplesmente ignorados. Se tivessem sido um povo unido, poderiam ter tido sucesso em frear a expansão. Mas nunca tinham sido unidos e, na verdade, os colonizadores europeus há muito desestimulavam a união. Boa parte da história do mundo foi moldada pela desunião.

Os Estados Unidos, ao ganharem a independência, estabeleceram um precedente que foi mais contagiante do que poderia ter sido previsto. Uma das colônias de açúcar nas Antilhas foi a primeira a seguir o caminho da jovem nação dos Estados Unidos. Santo Domingo, uma ilha comprida e montanhosa, era ocupada pelos espanhóis, a leste, e pelos franceses, a oeste, onde a colônia era chamada de Saint-Domingue. A revolução francesa temporariamente enfraqueceu o controle da França sobre sua colônia. Da mesma forma, em 1791, a mensagem dos revolucionários que dizia que todas as pessoas eram iguais foi aproveitada sem hesitação pelos habitantes da colônia francesa, que decididamente não eram iguais: de um lado, os escravos africanos das plantações de açúcar de propriedade dos franceses e, de outro, os mulatos, que não eram escravos nem cidadãos. Numa insurreição repentina, eles tomaram o controle; em 1803, um homem negro se proclamou imperador dessa nova nação do Haiti. Agora, as Américas contavam com duas nações independentes: os Estados Unidos e o Haiti.

Os acontecimentos turbulentos na Europa abriram caminho para mais nações independentes. Quando, em 1808, Napoleão invadiu a Espanha, as colônias espanholas do outro lado do Atlântico tiveram sua chance de ficar do lado da Espanha ou de conquistarem a liberdade. Em 1810, desde a parte espanhola do México até os portos das colônias espanholas próximos aos Andes, houve guerras civis ou guerras de libertação, batalhas no mar e em terra, execuções de amotinados e inúmeras represálias.

Em 1821, o atual mapa da América Central e do Sul havia praticamente tomado forma, com um México livre, um novo conjunto de repúblicas centro-americanas, um Peru livre, um Chile livre, um Paraguai livre, junto com uma República do Rio da Prata, que, mais tarde, foi dividida em Argentina e Uruguai. Um ano depois, o Brasil rompeu totalmente com Portugal e se tornou uma monarquia. Três anos depois, a Bolívia se formou, tomando seu nome de Simão Bolívar, seu libertador. Os espanhóis se retiraram também da América do Norte, cedendo a Flórida para os Estados Unidos.

Embora, em 1775, as nações de navegadores da Europa Ocidental tivessem reivindicado as Américas, desde a gelada tundra do norte até a extremidade rochosa da América do Sul, todas elas praticamente se retiraram nos cinqüenta anos seguintes. As brigas e rachas solaparam seus impérios, e a maioria de suas colônias havia se tornado independente.

Em 1830, as Américas praticamente se constituíam de países independentes. Ao norte, as principais exceções eram a parte inglesa do Canadá e o Alasca, pertencente à Rússia, onde os russos negociavam peles de animais, seus missionários ortodoxos conduziam suas missões e o esporádico navio de bandeira russa chegava trazendo novidades ultrapassadas de São Petersburgo. O Alasca foi comprado pelos Estados Unidos em 1867.

Ao sul do Golfo do México, em 1830, o movimento pela independência estava quase completo. Dificilmente uma bandeira européia era vista, exceto nos mastros dos navios visitantes. Somente no Caribe é que as potências européias permaneciam soberanas. A Inglaterra ainda ocupava a Jamaica e boa parte das Antilhas. A França ocupava a Martinica e outras ilhas. Os dinamarqueses ocupavam parte das Ilhas Virgens e a Espanha se garantiu com Cuba, a mais rica de todas as ilhas. Nunca, na história das nações, uma área tão grande se reorganizara com tamanha rapidez e, mesmo assim, as línguas, a religião e muitas das instituições sociais e políticas dos conquistadores praticamente permaneceram em seu lugar. Até mesmo a escravidão permaneceu intacta.

Nessa seqüência de acontecimentos, que, olhando em retrospectiva, encaixam-se perfeitamente como as cartas de um baralho – porém, são na verdade imprevisíveis –, as Américas não foram o único continente afetado. A seqüência contínua de acontecimentos nas Américas teve repercussões na Austrália, na África do Sul e em outras terras mais.

245

Além do Cabo da Boa Esperança

A perda de muitas de suas colônias americanas serviu para a Inglaterra voltar sua atenção para longe do Oceano Atlântico, em direção aos oceanos Índico e Pacífico. A guerra contra a França, que começou em 1792 e continuou intermitentemente por quase um quarto de século, deu à Inglaterra oportunidades de apoderar-se de colônias francesas e algumas possessões holandesas, pois a Holanda havia se tornado um satélite da França. No grande arco marítimo que se estendia desde o Cabo da Boa Esperança até o Cabo Horn, a Inglaterra não havia sido a potência dominante. Embora a principal possessão da Inglaterra naqueles mares, em

1780, tenha sido uma simples base em várias partes da Índia, tornou-se, incomparavelmente, a potência colonial dominante dessa imensa parte do globo nos 50 anos seguintes. Controlava o importantíssimo porto da Cidade do Cabo e a costa da África do Sul, as ilhas estratégicas de Maurício e o Ceilão (Sri Lanka), a maior parte da Índia, partes da Península da Malásia e toda a Austrália, com um possível ou real controle da Nova Zelândia, muitas outras ilhas do Pacífico e boa parte da costa do oceano onde hoje se encontra o Canadá.

A Inglaterra passou a ser mais forte nos oceanos Índico e Pacífico do que jamais havia sido na América. Governava agora uma população bem superior à que havia governado na América. Quase totalmente derrotada em outro continente, havia se voltado para novos oceanos e rapidamente erguido o maior império que o mundo havia visto.

Uma das mudanças impulsionadas por esses acontecimentos foi a ascensão do inglês até se tornar, na segunda metade do século 20, a primeira língua que podia ser chamada de mundial. Em 1763, fora das Ilhas Britânicas, somente três milhões de pessoas falavam inglês como primeira ou segunda língua, e praticamente todos viviam na América do Norte. Nada poderia ter ajudado mais o inglês a se tornar uma língua global, a longo prazo, do que a consolidação de um território imenso nas mãos dos Estados Unidos e a aquisição pela Inglaterra de tantas colônias espalhadas pelos oceanos Índico e Pacífico. Se os Estados Unidos tivessem se restringido a uma pequena área, atendo-se somente à costa do Atlântico, e se a maior parte da Índia nunca tivesse estado sob controle inglês, a perspectiva de o inglês se tornar uma língua mundial teria sido mínima.

> NADA PODERIA TER AJUDADO MAIS O INGLÊS A SE TORNAR UMA LÍNGUA GLOBAL DO QUE A CONSOLIDAÇÃO DE UM TERRITÓRIO IMENSO NAS MÃOS DOS ESTADOS UNIDOS E A AQUISIÇÃO, PELA INGLATERRA, DE COLÔNIAS ESPALHADAS PELOS OCEANOS ÍNDICO E PACÍFICO.

A queda de uma carta do baralho às vezes deixa cair outra carta. A Inglaterra não planejou estabelecer um povoamento na parte leste do continente australiano, que havia sido descoberto pelo Capitão Cook. O plano foi forçado pela rebelião das colônias americanas. A Inglaterra já vinha enviando muitos de seus condenados para seus portos ao sul, onde, na verdade, seus serviços tinham sido leiloados a proprietários de escravos, e eles haviam sido usados como supervisores. O rompimento final com os americanos forçou a Inglaterra a olhar para outros lugares para onde os condenados pudessem ser enviados e ser úteis. "Ser útil" eram as palavras-chave, pois a Inglaterra dominava um império mercantil e tentava usar a mão-de-obra no interesse de seus proprietários de navios e mercadores.

Finalmente, baseado nos relatórios trazidos para casa pelo *Endeavour* de Cook, o governo britânico escolheu a Baía de Botany, às margens arenosas da atual pista de decolagem do aeroporto de Sydney. Esperava-se que, na Baía de Botany, os condenados, em breve, estivessem cultivando todos os alimentos de que precisassem. Perto desse local, havia um bônus: na desabitada Ilha de Norfolk, a nordeste de Sydney, crescia um tipo de pinheiro único e bem alto, do qual parecia ser possível tirar mastros de primeira linha para as esquadras inglesas, e uma espécie superior da planta do linho que, esperava-se, produziria pano para as velas e corda para os navios da marinha inglesa.

Uma esquadra inglesa que transportava condenados e marinheiros chegou à Baía de Botany em janeiro de 1788. Em pouco tempo, descobriram, naquele mês de grande calor, que a paisagem não era a utopia verde que havia sido vista naquele abril de clima fresco, aproximadamente dezoito anos antes, por Cook e Banks. Abandonando a Baía de Botany e retomando sua viagem por algumas horas ao longo da costa, os 11 navios se dispersaram pelas passagens dos penhascos perpendiculares e entraram no ensolarado Porto de Sydney, no qual, conforme observou o comandante, havia espaço para mil navios se reunirem com segurança.

No Porto de Sydney, a nova colônia fez todos os esforços possíveis para cultivar alimentos em quantidade suficiente. Somente quando os colonos atravessaram o estreito espinhaço costeiro chamado de Montanhas Azuis e começaram a dispersar enormes rebanhos de ovelhas nas imensas planícies quentes do interior, a Austrália surgiu como lugar de importância aos olhos do mundo. Uma geração mais tarde, dezenas de milhões de pessoas, enfrentando os invernos gelados do extremo Hemisfério Norte, já se vestiam com roupas ou dormiam embaixo de cobertores feitos com a lã australiana.

Os aborígines, que silenciosamente observavam os navios ingleses amarrados às árvores no litoral e assistiam à construção de cabanas e armazéns, à fervura de água em vasilhas, ao barulhento tiro de armas, ao rápido acendimento de fogueiras e à derrubada de árvores com machados de ferro – considerando-se que eles desconheciam todos os metais –, nada mais podiam fazer senão maravilhar-se com tudo. Provavelmente, foi o conjunto mais estranho de encontros nos registros da história do mundo, pois as formas de vida desses novos e antigos povos eram muito mais distantes entre si do que quando os espanhóis confrontaram-se com os astecas, quando os holandeses se estabeleceram nos portos da Cidade do Cabo e de Jacarta, e mesmo quando os navegadores franceses e ingleses se viram cara a cara com os polinésios, que há muito viviam nas ilhas do Taiti e da Nova Zelândia.

Ao contrário, os povos da Austrália ainda estavam isolados de quase todas as mudanças radicais que haviam acontecido na maior parte do mundo durante os últimos 10 mil anos. A lacuna existente entre os recém-chegados e os nativos era quase um abismo. Os talentos dos aborígines, tão diferentes dos europeus, raramente podiam ser compreendidos ou apreciados pelos recém-chegados; não havia como pudessem inicialmente entender que a maioria dos aborígines conhecia várias línguas e vários dialetos, tinha um enorme conhecimento da botânica e da zoologia de cada região, habilidades sutis e simples em caça e pesca, e uma dieta que oferecia mais variedade do que a disponível à maioria do povo europeu. Não podiam entender que os aborígines, em seus casamentos, sua dieta, seus rituais e seus conceitos de propriedade e terras, obedeciam a um conjunto de regras há muito tempo estabelecidas que, embora difíceis de

compreender, de certo modo eram tão sofisticadas quanto os rituais que norteavam as aristocracias de Estocolmo e de Varsóvia.

Tampouco podiam os aborígines entender a forma de vida dos ingleses, suas leis e instituições, religião, maneiras e trajes, métodos de agricultura e de manufatura, os atos da leitura e da escrita, o armazenamento de alimentos em barris, sacas e depósitos. Não conseguiam enxergar a profundidade do conhecimento científico da civilização que os recém-chegados, muitos deles incivilizados, haviam deixado para trás. A tecnologia dos estranhos, fossem grandes navios, armas de fogo ou relógios, era desnorteante. Os animais domesticados eram completamente novos para os aborígines, que, às vezes, davam por certo que as ovelhas e o gado deveriam ser as esposas que viajavam com os homens brancos.

Os aborígines da Austrália não defenderam seu território com eficácia. Comparados com os neozelandeses, eles viviam em grupos menos populosos, não eram tão bem organizados, não construíam fortes e não se uniam facilmente a grupos vizinhos com a intenção de resistir a um ataque. Uma década após outra, essa procissão inexplicável de rostos brancos e novos animais movia-se cada vez mais rumo ao interior do continente, esparsamente povoado. Em mil lugares isolados, ouviram-se tiros e viram-se lanças arremessadas. Pior ainda, a varíola, o sarampo, a gripe e outras doenças novas varriam todos os acampamentos aborígines, assim como haviam percorrido toda a América quando os primeiros espanhóis lá chegaram, aproximadamente três séculos antes. O principal conquistador dos aborígines veio a ser a doença, e o seu aliado, a desmoralização. Para essa tragédia, os cientistas, na primeira fase da ciência, não tinham resposta.

249

> O PRINCIPAL CONQUISTADOR DOS ABORÍGINES VEIO A SER A DOENÇA, E SEU ALIADO, A DESMORALIZAÇÃO.

CAPÍTULO 25
ALÉM DO SAARA

Durante séculos, a maior parte da África esteve praticamente além do alcance dos povos e impérios da Europa. Talvez fosse mais acessível na época dos romanos do que mais tarde. Na verdade, foram os romanos que, possivelmente, colonizaram a África com mais sucesso do que qualquer outra potência européia antes de 1900, embora tivessem colonizado somente as margens mais ao norte.

Até que ponto o Saara era uma barreira que impedia o movimento de povos e até que ponto era uma miragem? Muitas evidências sugerem que o deserto era uma barreira tão formidável que, até nos tempos modernos, impedia que os impérios europeus e asiáticos entrassem na maior parte do continente. De fato, o coração da África provou ser menos acessível a várias gerações de europeus do que o coração da Ásia, que ficava bem mais distante da Europa. Além do mais, o continente era muito grande para que qualquer país a seu redor conseguisse controlá-lo completamente.

O ENIGMA DO DESERTO

Esse deserto, o maior do mundo, cobria um quarto de todo o território da África. Consistindo de extensões de pedra e areia, era enorme o suficiente para cobrir a parte continental dos EUA. Talvez devesse ser comparado mais propriamente com o mar do que com a terra, um mar seco no qual as pessoas se aventuravam, às vezes perdendo suas vidas enquanto viajavam entre os distantes portos do deserto. Como o mar, ele escondia piratas que arrebatavam os comerciantes, e era varrido por tempestades. Com muita sensatez, era costume do povo tuaregue usar véus de pano sobre a boca para se proteger da areia cortante que vinha com os ventos.

Em alguns lugares, surgindo no meio do deserto, havia montanhas rochosas que recebiam chuva. Normalmente, a chuva caía com algumas fortes pancadas estrondosas, sendo rapidamente evaporada pelo sol e pelo calor do chão. O deserto sofria mudanças e, através dos milênios, encolhia-se e expandia-se, conforme o clima mudasse um pouco, ou conforme as cabras e o gado provocassem erosão nas zonas de seu entorno, formadas por mato e arbustos espinhosos.

> O DESERTO SOFREU MUDANÇAS E, ATRAVÉS DOS MILÊNIOS, ENCOLHEU-SE E EXPANDIU-SE.

251

O deserto estava longe de ser uma barreira completa; caravanas de camelos riscavam seu mapa para todos os lados. Século após século, comerciantes islâmicos atravessavam-no e ganhavam uma enorme quantidade de convertidos. Os potentados da região oeste da África cruzavam-no e, em 1324, o imperador do Mali chegou ao Cairo onde, por muito tempo, foi lembrado pelo ouro que borrifava, como se fosse confete, sobre aqueles que o agradavam. Os mercadores europeus cruzavam o deserto mais freqüentemente do que se imagina. Em 1470, na época do Renascimento, foram observados alguns mercadores de Florença comercializando na cidade africana de Timbuktu, do outro lado do deserto. Mas a pele branca era raramente vista nas ricas cidades muradas e irrigadas do entorno do Saara.

Com suas tamareiras balançando ao vento, visíveis ao viajante que se aproximava, a cidade tropical de Timbuktu, por muito tempo, transmitiu uma aura de mistério aos ouvidos de europeus que escutavam seu nome. A cidade era um depósito no interior que servia a terça parte da

África situada ao norte; um depósito para as caravanas que cruzavam o Saara, para as cargas transportadas nas cabeças dos carregadores ou no lombo de burros e bois do Sudão, e também um terminal para as cargas esporádicas vindas do sul da Europa. Podia-se chegar a esse lugar, porém com menos freqüência, vindo da costa mais próxima, no oeste da África, em vez da costa do Mediterrâneo e da cidade de Marrakesh, no interior do Marrocos. No fim do século 16, Marrakesh acolhia mulas e camelos carregados com ouro vindo de Timbuktu, junto com cargas esporádicas de escravos. Uma dessas cargas consignadas chamou muito a atenção por ser nada menos que 15 virgens. As mercadorias que cruzavam o deserto e sua caríssima rota de comércio eram aquelas que, como o ouro, o marfim e as mulheres bonitas, exigiam um alto valor por quilo.

Exatamente como o deserto da África era uma barreira de proteção contra forasteiros, assim também eram seus rios; a maior parte era interrompida por quedas-d'água, cachoeiras e cataratas. Nenhum navio conseguia navegar rio acima ou abaixo de seus trechos turbulentos e espumantes encontrados em quase todos os rios de maior importância. O Zaire e o Congo tinham suas cachoeiras. A vazão do majestoso Zambeze era interrompida pelas Cataratas de Vitória. A história da Europa teria sido diferente se o Danúbio, o Reno, o Ródano e o Elba também fossem interrompidos por quedas-d'água.

Rios navegáveis promovem o comércio e a troca de idéias, mas a África possuía somente um rio longo e navegável, o Nilo. É possível que o sucesso do Egito como criador de civilizações deva muito ao papel do vale desse rio, como estrada e fonte de alimentos, e ao fato de que esse mesmo rio desaguava em um mar, não muito longe do centro de outras civilizações primitivas. Se o Nilo desaguasse no oceano do lado ocidental da África, sua influência não teria sido tão grande assim.

Ao sul do Saara, na imensidão da África tropical, não havia outro rio que se igualasse ao Nilo. Além disso, a África, como um todo, não era atrativa nesses golfos e baías profundas, nos braços de mar que permitiam que navios ou galeras penetrassem a uma distância considerável até o interior. Enquanto mais de 33% do território europeu era formado por penínsulas e ilhas, somente 2% da África era assim formada. Eram desvantagens consideráveis para a África, às quais deve-se acrescentar a imensa área de selvas.

Nas florestas úmidas da África tropical, a mosca tsé-tsé, sugadora de sangue, não maior que uma mosca caseira, era um perigo para todos os animais de carga, infeccionando seu sangue e enfraquecendo-os com a doença do sono. Em aproximadamente um quarto da área da África, essa infecção matava todos os animais domesticados, exceto as aves. A malária, a doença do sono e outras doenças tropicais ajudaram a construir uma muralha em torno da África tropical, dispersando ou matando os forasteiros e os próprios africanos. A doença do sono, principalmente, obstruiu o desenvolvimento econômico. A falta de animais de fazenda numa área tão grande assim não só privava os africanos de proteínas em sua dieta, mas também lhes roubava os animais de carga e, assim, eles mesmos tinham de fazer o papel desses animais, como carregadores e cavalos. A ausência de animais domesticados significava que o adubo era escasso e, assim, as plantações não contavam com esse fertilizante disponível em outras partes da África onde, por ser a tsé-tsé desconhecida, os rebanhos de gado existiam em abundância.

253

Outros obstáculos limitaram os contatos externos tão úteis com o coração da África durante os últimos cinco milênios. Talvez a África não tivesse a diversidade botânica da Ásia. Se as partes central e sul da África tivessem sido as primeiras do mundo a produzir café, chá, pimenta, noz-moscada, seda, tinturas e uma variedade de outros produtos que mexiam com o paladar e despertavam o consumo dos povos ao longo das margens do Mediterrâneo, as barreiras geográficas dentro da África não teriam sido tão significativas. As barreiras não são um impedimento quando algo valioso espera do outro lado.

Durante muitos séculos, foi a Ásia, tanto quanto a Europa, que influenciou a África. O Oceano Índico era a principal porta de entrada no leste da África, e os navios e as embarcações que vinham da Pérsia, Índia, Arábia e, até mesmo, do arquipélago da Indonésia, geralmente entravam em seus excelentes portos. Esses já eram movimentados numa época em que nenhum europeu ainda era visto por lá. Na Ilha de Zanzibar, os persas já estavam estabelecidos por talvez 500 anos ou mais antes de os primeiros portugueses passarem pela região em seus navios.

Os lugares situados próximos das vias de cruzamento do mundo têm vantagens. São estimulados por novas idéias, bem como esmagados por novos exércitos. A África, fora sua costa do Mediterrâneo e faixas de suas costas ocidental e oriental, era muito distante para ser estimulada.

O TRÁFICO DE ESCRAVOS

A África, durante muito tempo, exportou uma mercadoria polêmica que tinha alta demanda em quase todos os lugares: os escravos.

Deve-se imediatamente ressaltar que a escravidão foi de extrema importância em vários outros países e tribos. A China antiga possuía milhões de escravos, e essa prática de vender pessoas para elas se tornarem escravas só foi proibida em 1908. Os indianos possuíam escravos antes e depois de Cristo. Muitas tribos e alguns estados da América, muito antes da chegada de Colombo, possuíam escravos e semi-escravos. O regime de servidão na Europa, que sobreviveu na Rússia até exatamente a mesma década em que a escravidão chegou ao fim nos Estados Unidos, era uma versão da escravidão.

Os escravos eram uma visão comum nas cidades-estado gregas. Em terras governadas por Roma, eles eram vistos aos milhares, espalhados pelas propriedades rurais. Cada escravo era, na verdade, uma picareta, um machado ou uma pá a mais, um par de mãos a mais na época da colheita, nas equipes de construção e de reparos das estradas ou na cozinha das casas. Desde que produzissem mais do que comiam, eram um importante patrimônio.

Em muitas partes de mundo, era quase uma regra nos conflitos de guerra que os prisioneiros fossem mortos ou escravizados. Como as guerras eram freqüentes, o total de novos escravos a cada século era alto, mas ser escravo era preferível à alternativa de se tornar um cadáver.

254

Em seu início, o cristianismo, assim como o judaísmo e o islamismo, entendia que a escravidão era uma instituição antiga e útil, na qual não se devia mexer. De acordo com a visão culta e compassiva do século 21, não se pode entender como a escravidão pôde, por tanto tempo, ser aceita sem questionamentos, mas, por outro lado, o novo século herdou as idéias de igualdade e dignidade humanas, que eram raras em séculos anteriores. Além disso, hoje, os países prósperos não têm necessidade econômica de terem escravos. Graças à tecnologia, eles possuem um excedente, em vez de uma escassez, de força bruta não qualificada. Indo um pouco mais além, eles contam com um novo e incansável escravo conhecido como combustível fóssil, que não era conhecido das civilizações antigas.

Muito antes de os navios europeus começarem a levar escravos da África, os africanos mesmos eram atarefados comerciantes de escravos. Desde 1500, provavelmente foram vendidos mais escravos africanos às terras islâmicas do que às terras cristãs, e os muçulmanos foram seus principais comerciantes na África. Presume-se ainda que havia na África um comércio ativo desse tipo, bem antes de o islã chegar.

255

Na África, muitas pessoas eram escravizadas pelos próprios parentes. Pais, às vezes, vendiam seus próprios filhos para a escravidão; irmãos vendiam irmãos. Talvez metade dos escravos que terminaram seus dias em terras ou regiões estrangeiras tenham sido

> PAIS, ÀS VEZES, VENDIAM SEUS PRÓPRIOS FILHOS PARA A ESCRAVIDÃO; IRMÃOS VENDIAM IRMÃOS.

escravizados pelo grupo ou sociedade africana da qual faziam parte. Os escravos eram geralmente devedores, criminosos, desajustados, rebeldes e, principalmente, prisioneiros de guerra.

No século 16, a maioria dos escravos exportados da parte ocidental da África era de mulheres, e elas eram vendidas para terras islâmicas. Um século depois, a maioria deles era de homens, e eles eram despachados em navios de bandeira européia para as colônias cristãs na América. Os portugueses foram os pioneiros do comércio de escravos para as Américas – eles já os usavam em suas próprias plantações de açúcar, nas Ilhas de

Cabo Verde e da Madeira –, e os britânicos e outras nações de navegadores logo se juntaram a esse comércio insensível, mas altamente lucrativo. Uma longa faixa da costa oeste da África, indo desde o Rio Senegal até Camarões, fornecia a maioria dos escravos e, nos anos mais movimentados do século 18, eles eram enviados de navio pelo Atlântico, na proporção de 100 mil por ano. Levados a trabalhar em plantações de açúcar, tabaco e algodão espalhadas desde a foz do Amazonas até a Jamaica e a Virgínia, eles nunca mais viram a terra natal. A maior parte do açúcar consumido na Europa era cultivada por escravos africanos trabalhando no exílio.

A viagem em pequenos navios cruzando as águas equatoriais, partindo da parte ocidental da África, deve ter sido extremamente penosa. A maioria dos escravos ficava amontoada no porão, na escuridão e no calor, geralmente acorrentada. Seu suprimento de água potável era mínimo, e eles nunca tinham estado no mar. Para a tripulação européia, a viagem também era arriscada, e muitos morriam de doenças tropicais.

Gerações de afro-americanos nasceram na escravidão, mas poucas rotas de fuga lhes foram abertas. Uma criança nascida de mãe negra e pai branco – geralmente o proprietário ou supervisor – era praticamente livre. Outra escapatória era simplesmente fugir. Muitos escravos corriam com medo do chicote que estava por vir ou como resultado desse mesmo chicote que já havia deixado sua marca. Às vezes, eram perseguidos por cães; muitos dos que acabavam escapando para uma floresta ou pântano vizinho voluntariamente retornavam à escravidão, a seu suprimento seguro de alimentos e abrigo, e à fé religiosa e consoladora de seus companheiros escravos.

A escravidão era uma loteria em seu ritmo de trabalho, seus castigos e suas recompensas. Muito dependia da personalidade do proprietário, de sua mulher e de seu supervisor, que era geralmente negro também, e das atitudes do governo sob cujas leis o escravo trabalhasse. É praticamente certo que os Estados Unidos foram superiores ao Brasil e outras terras em seu tratamento com os escravos. Alguns observadores da escravidão americana concordam que, em uma típica plantação de algodão ou arroz, os barracos dos escravos eram pelo menos tão confortáveis quanto os das pessoas mais pobres da Escócia e da Sicília; mas, fora dos barracos, não havia liberdade.

Os portos dos Estados Unidos receberam no total, até 1820, um pouco mais de escravos africanos do que de imigrantes europeus livres, mas os europeus, com a vantagem de uma taxa de mortalidade menor e uma taxa de natalidade maior, formaram a grande maioria da população americana. Após a década de 1820, a imigração africana acabou diminuindo, pois o próprio conceito e legitimidade da escravidão estavam sendo ameaçados.

Parecia que a África estava quase fadada ao azar; parecia estar separada das partes pulsantes do mundo. Sua particularidade geográfica nas vendas, no século 16, era de que podia fornecer milhões de escravos, aclimatados ao trabalho sob o calor tropical e vivendo a uma pequena distância por mar das plantações em desenvolvimento nas Américas. Mas, então, o comércio de escravos começou a entrar em perigo.

257

CAPÍTULO 26
NOBRE VAPOR

E m 1801, o Annual Register, um popular livro de crônicas sobre os acontecimentos do ano, declarou que o século que findava havia sido notável. A ciência e a tecnologia, mais do que em qualquer outro século anterior, haviam dado um grande salto adiante. Embora a Europa estivesse freqüentemente em guerra consigo mesma, estava ocupadíssima espalhando ciência, religião e civilização às florestas e desfiladeiros mais afastados. Nunca antes se haviam explorado "as regiões mais desconhecidas e remotas do globo". A sede por conhecimento, afirmava o livro, havia suplantado a sede por ouro e conquistas. Nunca o comércio a longa distância havia crescido tanto. Nas vias marítimas conhecidas, os navios veleiros se movimentavam com muito mais rapidez do que antes; até a longa viagem da Europa à Índia já não era temida como uma provação.

O mundo havia encolhido, mas, mesmo assim, os ricos não viajavam muito longe à procura de conhecimento ou prazer. Uma rainha raramente viajava para além dos limites de seu reino. Pouquíssimos missionários europeus atravessavam os mares para trabalhar em terras estranhas. No leste da Ásia, alguns peregrinos, às vezes, viajavam para longe, a fim de visitar os grandes templos budistas, mas poucos peregrinos islâmicos se dispunham a viagens tão longas para participar de seus cultos em Meca. Os estudiosos – em todas as nações havia alguns – ficavam em casa e aprendiam sobre o mundo através dos livros. Quando o jovem poeta londrino John Keats escreveu as palavras "Muito viajei nos reinos de ouro, e muitos estados e reinos formosos encontrei", ele queria dizer que viajava pela leitura; nessa época, ele nunca havia ido muito além de seu local de nascimento.

As pessoas mais viajadas do mundo não eram estudiosos e sacerdotes, mas marinheiros comuns da Europa e da Arábia que, em sua mobilidade, eram como a tripulação de um avião de sua época. Entre 1700 e 1800, a maior categoria de viajantes de longa distância do mundo consistia daqueles que não tinham nenhum desejo de viajar: os milhões de escravos africanos levados como prisioneiros em seu próprio continente ou embarcados em navios cruzando o mar tropical até as Américas.

O mundo era composto por dezenas de milhares de pequenas localidades auto-suficientes. Até mesmo dormir uma noite fora de casa era uma experiência incomum. Isso se provava verdadeiro em relação à China, Java, Índia, França ou México, embora não se aplicasse à Austrália e a seus aborígines. As pessoas passavam toda a vida em um único lugar e daí vinham praticamente todos os alimentos que consumiam e os materiais que usavam para suas roupas e calçados. Aí surgiam as novidades e boatos que lhes proporcionavam excitação ou medo, aí encontravam seus maridos e esposas.

Férias na praia ou nas montanhas pertenciam ao futuro; estâncias hidrominerais, onde as pessoas bebiam água mineral em benefício de sua saúde, eram as únicas cidades turísticas especializadas da Europa. Nesses locais abundantes em água, as pessoas bebiam-na segundo fórmulas rígidas que prescreviam tantas jarras ou copos por dia. No início do século 19, talvez a mais internacional das estâncias hidrominerais fosse Carlsbad, uma bela cidade cercada de pedreiras de granito e florestas de pinheiros a uma distância de poucos dias de Praga e de Leipzig. Em 1828, não mais de dez visitantes, em média, chegavam a cada dia com a intenção de compartilhar a água medicinal. Sua principal fonte ainda jorra em um jato quente e perpétuo, e a água ainda possui um gosto fortíssimo que ajuda a melhorar a amnésia.

A cidade industrial, não a estância e o balneário de férias, simbolizava a nova era. No norte da Inglaterra, especialmente a partir da

259

> **A CIDADE INDUSTRIAL SIMBOLIZAVA A NOVA ERA.**

década de 1780, surgiram cidades industriais cheias de máquinas engenhosas que fiavam e teciam lã ou algodão. Os visitantes de outros países se maravilhavam com o vigor de Manchester, Leeds, Birmingham e das novas cidades industriais, mas se espantaram ao visitar as minas e fábricas e constatar o número de crianças que ali trabalhavam. Um americano, ao descrever uma fiação de lã em Yorkshire, em 1815, observou que aproximadamente 50 meninos e meninas estavam trabalhando, chegando às 6 horas e saindo às 19 horas. No inverno, chegavam no escuro e saíam no escuro. A criança mais velha não tinha mais de 10 anos de idade. Todos estavam lambuzados de poeira e óleo vindos da lã crua que eles manipulavam. A nova fábrica, ao contrário dos trabalhos rurais, tais como cuidar dos gansos e ordenhar as vacas, era um tirano incansável que exigia a atenção das crianças o dia inteiro, mesmo quando estavam a ponto de adormecer por exaustão.

O CAVALO A VAPOR

A energia mecânica e humana consumida dentro da nova fábrica fez com que os olhos se abrissem. Em geral, uma roda hidráulica sob forte correnteza fornecia a força motriz para as máquinas. Cada vez mais, as fábricas mais novas passavam a usar carvão e energia a vapor, mas, durante um tempo, a barulhenta máquina a vapor deu muito pouco sinal de que transformaria o mundo.

O vapor, como força motriz, foi usado pela primeira vez com eficácia nas minas da Inglaterra. Em 1698, Thomas Savery aplicou o vapor produzido pelo carvão para fazer funcionar as bombas de uma mina da região da Cornualha. Onze anos mais tarde, um ferreiro de Devon, Thomas Newcomen, construiu uma máquina a vapor alternativa que, finalmente, podia fazer o mesmo que um exército de homens ou cavalos. A esse tipo de máquina, James Watt, um escocês, trouxe melhorias fundamentais.

Seu maravilhoso dispositivo de 1769, o condensador, finalmente produzia cerca de três vezes a quantidade de vapor ou energia com a mesma tonelada de carvão. Praticamente todos os grandes passos na evolução da máquina a vapor foram dados pelos engenhosos britânicos ao tentar resolver os problemas práticos que surgiam no trabalho diário, nas novas indústrias em desenvolvimento.

Mas a máquina a vapor teve pouco efeito sobre o mundo do comércio até que sua força fosse aplicada ao transporte. O rangido das locomotivas a vapor foi ouvido pela primeira vez no norte da Inglaterra, o coração do início da Revolução Industrial. A fumaça e os apitos das locomotivas, a princípio, espantaram muitas pessoas e assustaram os cavalos, que trabalhavam nas estradas e pastavam nos campos vizinhos. A velocidade e a força da locomotiva impressionaram os primeiros passageiros, que mal podiam enxergar através do vapor e da fumaça do carvão.

No transporte terrestre, essa foi provavelmente a invenção mais importante desde a estrada romana. Mesmo quando um trem era puxado por cavalos sobre uma via com trilhos de ferro – os primeiros vagões das ferrovias da Hungria e dos Estados Unidos, por exemplo, eram atrelados a fortes cavalos –, o custo do transporte de bens já era drasticamente reduzido.

O primeiro trem a vapor fez o percurso entre Stockton e Darlington, na Inglaterra, em 1825, e sua principal carga era carvão e outros minerais. A França abriu sua primeira ferrovia a vapor em 1828; a Áustria, em 1832; a Alemanha e a Bélgica, em 1835, época em que o primeiro trem estava prestes a chegar à cidade de Londres. Em direção ao interior da Europa e dos Estados Unidos, saiu um exército de construtores de ferrovias, desfigurando faixas da paisagem tranqüila com seus cortes no terreno e seus impressionantes aterros de contenção feitos de terra e barro. No início da década de 1850, províncias remotas do Novo Mundo estavam construindo suas primeiras ferrovias: Egito, México, Peru, Brasil e o leste da Austrália. Mesmo a atrasada Rússia decidiu que uma ferrovia deveria ligar sua capital, São Petersburgo, à cidade de Moscou, no interior.

Antes da era do vapor, era difícil imaginar um veleiro ou veículo sobre rodas que chegasse na hora certa. É possível admitir que uma carruagem pudesse chegar pontualmente a uma cidade afastada, mas, no inverno, atrasava-se com as enchentes, a neve e a neblina e, mesmo nos dias de tempo bom, podia atrasar-se com o tráfego pesado nos trechos mais movimentados das estradas ou com um acidente ocorrido com um cavalo. O trem, ao contrário, em geral chegava a cada estação no minuto especificado. O neologismo – quadro de horários –, símbolo do ofegante mundo moderno, foi inventado na Inglaterra, em 1838.

Nem todos acolheram bem a nova invenção. Muitos habitantes das áreas rurais, partindo do princípio de que nunca teriam dinheiro suficiente para comprar um bilhete de trem, não conseguiam ver seu propósito. O barulho ensurdecedor dos trens que passavam, achavam eles, assustaria as vacas e faria com que elas dessem à luz bezerros prematuros. George Eliot, em seu romance *Middlemarch*, relatou outros tipos de medo: "Mulheres, tanto idosas quanto jovens, viam as viagens de trem como inconvenientes e perigosas."

Aqueles que viveram durante os primeiros trinta anos da era das ferrovias perceberam que o mundo havia mudado para sempre. O romancista William Thackeray, escrevendo na década de 1860, quando a Inglaterra se tornou o primeiro país a ser riscado por vias férreas, explicou detalhadamente a magnitude da mudança. Ele afirmava que o trem havia mudado de tal modo a vida cotidiana que os aterros de contenção das ferrovias eram como um muro que dividia o passado e o presente. Suba no aterro de contenção, escreveu ele, fique em pé sobre a linha do trem – e olhe para o outro lado... tudo acabou! – Uma velha forma de vida, na qual poucas pessoas viajavam para longe de seus vilarejos nativos, havia desaparecido.

A escura locomotiva a vapor se impôs em quase todos os aspectos da vida. Carne e ovos frescos chegavam à cidade vindos de longe. A moda das cidades rapidamente chegava aos vendedores de tecidos nos vales mais afastados. Na maioria dos países, o jornal diário da nação tornou-se possível pela primeira vez, porque os velozes trens mensageiros podiam transportar fardos de jornais até a maioria das cidades no mesmo dia da publicação. O jornal tornou-se também mais barato, pois era impresso pela imprensa a vapor, inventada na Alemanha.

Quase tudo, dos serviços de correios e períodos de férias à guerra, foi transformado pelos trilhos de ferro. A rápida guerra entre a França e a Prússia, em 1870 e 1871, foi bastante influenciada pela habilidade de organização dos generais prussianos em usar trens para reunir seu enorme exército e desembarcar nos pontos cruciais da fronteira com a França. Os prussianos invadiram a França aos milhares, enquanto muitos soldados franceses, ainda em suas cidades de origem, estavam abotoando suas túnicas e despedindo-se de suas namoradas.

O vapor levou mais tempo para transformar o transporte marítimo que o terrestre. Os primeiros barcos a vapor tinham rodas propulsoras feitas de madeira, incapazes de fazer longas viagens a não ser que usassem velas e motores de combustão de carvão. Em 1840, velozes barcos a vapor cruzavam regularmente o Atlântico Norte, na mesma época em que os imigrantes europeus estavam chegando aos milhares à América. Charles Dickens, o famoso romancista inglês, decidiu visitar os Estados Unidos com sua esposa, Kate, e embarcaram em um navio a vapor em Liverpool, em janeiro de 1842. Ao depararem com mares bravios, ambos sofreram enjôo por pelo menos cinco dias e, à noite, observaram com espanto como as chamas dançavam acima do topo da alta chaminé vermelha. Nos navios a vapor, o medo de incêndios acidentais era enorme.

263

Uma vantagem indiscutível do navio a vapor era poder navegar sem vento, recuar em lugares de difícil passagem e navegar por canais estreitos, tarefas impossíveis para um veleiro. O navio a vapor tornou possível construir o estreito Canal de Suez, em 1869, unindo o Mediterrâneo e o Oceano Índico, evitando a longa viagem ao redor da África. A Índia viu-se repentinamente arrastada para mais perto da Europa. O Canal de Suez encurtou em 56% a distância marítima de uma viagem entre Bombaim e o sul da França. Como resultado dessa iniciativa tomada pelos financistas franceses, o Oriente Médio, que um dia fora o centro do

> O NAVIO A VAPOR PODIA NAVEGAR SEM VENTO, RECUAR EM LUGARES DE DIFÍCIL PASSAGEM E NAVEGAR POR CANAIS ESTREITOS.

mundo conhecido, mas estava reduzido a um lugar atrasado, voltou a adquirir importância. Um exemplo disso é a descoberta de óleo no Irã, quatro décadas mais tarde.

As máquinas a vapor não seriam o fim das mudanças rápidas no transporte. Os operadores dos primeiros trens de ferrovia decidiram que precisavam de um mensageiro que chegasse antes dos trens. Adotaram o que foi batizado de telégrafo, uma palavra que deriva da junção de duas antigas palavras gregas que significam "de longe" e "escrever". Um telégrafo era uma linha contínua, feita de um fio de ferro ou cobre apoiado numa sucessão de postes altos que corriam paralelamente à linha férrea. Com a ajuda de uma bateria elétrica, o fio transmitia sinais de uma estação para outra mais próxima. Um sinal poderia advertir uma locomotiva que se aproximava de que a linha férrea já estava ocupada. Outro sinal poderia anunciar que um trem havia quebrado, e uma locomotiva de emergência fazia-se necessária. Provavelmente, a primeira linha pública de telégrafo do mundo começou a funcionar em 1843, paralela à ferrovia inglesa que ligava a estação de Paddington, em Londres, à cidade de Slough.

Os inventores apressaram-se em melhorar o sistema de telégrafos usado inicialmente nas ferrovias inglesas. O dr. Samuel Morse, americano, criou a versão inicial de seu Código Morse para a ferrovia que ia de Washington a Baltimore, em 1844. Muitas linhas de telégrafo foram construídas entre cidades que não possuíam ferrovias. Em 1849, uma rede de linhas telegráficas se estendia por 15 mil quilômetros dos Estados Unidos.

Passar com as linhas telegráficas sob oceanos e estreitos era o objetivo seguinte. A solução mais aceita era envolver o fio ou cabo com um material acolchoado, a guta-percha, um tipo de borracha extraído da seiva de uma árvore do arquipélago da Indonésia. Em 1850, uma linha telegráfica cruzava o leito do mar do Canal da Mancha, entre a Inglaterra e a França. Cruzar o Atlântico Norte era uma tarefa mais árdua. A penosa colocação de um cabo sobre o leito do mar por um navio foi completada em 1858, em meio a muito júbilo. Infelizmente, transmitiu mensagens por apenas quinze dias. Um cabo permanente que cruzasse o Atlântico foi finalmente colocado em 1866. No espaço de uma década, uma combinação de linhas telegráficas em terra e no mar já chegava a quase todas as principais cidades da Ásia, da África e da América do Sul.

Os fios e cabos telegráficos haviam quase alcançado as mais remotas colônias australianas em meados da década de 1870. Caminharam a passos largos na Ásia e, depois, por terra e sobre o leito do mar, passaram pelo arquipélago da Indonésia. Chegando à costa norte da Austrália, no porto de Darwin, o fio continuou se esticando, numa sucessão de postes, atravessando o deserto até Adelaide, na costa sul. Outro cabo telegráfico cruzava o Mar da Tasmânia até a Nova Zelândia. Era possível agora enviar um telegrama a Londres, a partir de praticamente qualquer porto afastado da Austrália e da Nova Zelândia.

Com um pouco de sorte, uma mensagem podia atravessar o mundo em 24 horas. Uma noite mágica em que se quebrou um recorde foi 16 de fevereiro de 1871. De Karachi, no Paquistão, na época pertencente à Índia Britânica, um telegrama foi enviado a Londres. Passando de estação em estação, chegou a seu destino em 50 minutos. Em comparação, o Sol no dia seguinte levaria quatro horas e meia para cobrir a mesma distância de quase 9 mil quilômetros, incitando, assim, um jornalista inglês a relatar esse fato do mais veloz telegrama sob a manchete "O Sol foi ultrapassado". A mesma mensagem teria levado semanas para chegar a Londres num navio a vapor.

Tornou-se comum creditar importantes invenções ao trabalho de um ou dois indivíduos que se destacam na multidão. Mas as invenções são o resultado de um jogo em equipe, bem como uma competição entre indivíduos. O esforço para inventar e melhorar as máquinas a vapor, as ferrovias, o telégrafo, os produtos de ferro e as máquinas têxteis aconteceram em muitas nações e centenas de oficinas empreendedoras. Algumas das mudanças mais importantes vieram de uma enorme quantidade de contribuições feitas por pessoas hoje esquecidas. Somente alguns desses heróis inventores são lembrados.

Nada, até então, na história do mundo, havia feito tanto para unir todas as terras como aquele fio delgado que cruzava estepes e planícies,

265

selvas e vales gelados, subúrbios industriais e vilarejos nas montanhas e, até mesmo, o próprio leito do mar. Em 1876, quando o telégrafo internacional chegava às partes mais afastadas do mundo, surgia nos Estados Unidos o telefone. As casas de negócios próximas umas das outras podiam conversar entre si. Não que pudessem discar diretamente para um telefone próximo; eles dependiam de uma longa fila de mulheres, que trabalhavam numa central de atendimento e comandavam uma série de tomadas e chaves interruptoras que, operadas manualmente, ligavam um telefone a outro. Quando as mulheres iam para casa, à noite, as linhas telefônicas silenciavam.

Uma conversa a longa distância feita por telefone continuava sendo difícil, com as vozes distorcidas e difíceis de escutar. O oceano era mais que um obstáculo para o telefone. A Inglaterra e a França estavam ligadas por cabos telefônicos que cruzavam o Canal da Mancha em 1891, mas os oceanos mais extensos permaneciam intransponíveis aos cabos. Durante décadas, o telefonema de longa distância se restringia aos grandes homens de negócios ou àqueles que dispunham de altas rendas.

A CORRIDA PARA AS CIDADES CHEIAS DE FUMAÇA

A fazenda familiar ainda era o foco de milhões de sonhos e esperanças, especialmente no Novo Mundo, onde a terra era barata e abundante. Durante os vários séculos antes de os governos oferecerem seguridade social, uma fazenda, se fosse grande o suficiente, era em si a principal forma de seguridade social. Fornecendo comida, abrigo e matérias-primas para vestuário, também mantinha a família unida, pois ali a maioria dos filhos e filhas podia viver e trabalhar antes de se casar, e os pais podiam ali viver na velhice, se chegassem até essa idade. Em vários países, desde o Chile até o Transvaal, na África, novos fazendeiros batalhadores se viam derrotados pela seca ou por pestes, dívidas e preços injustos, mas o sonho de ser fazendeiro permanecia vivo.

Uma cena vívida das terras de fazendas de Massachusetts sobrevive desde cerca de 1820. O inverno havia chegado e, sob a luz fraca da tarde, a pequena fazenda da família Whittier estava em pleno vapor: as mulheres trabalhavam na cozinha; no celeiro, o velho cavalo relinchava por seu milho; nos currais, o gado era alimentado com o feno preparado no verão; o galo cantava, e o vento do leste soprava prenunciando uma forte nevasca; as toras e os gravetos de lenha serrada eram empilhados para o pronto acendimento do fogo na sala, onde a família se reunia após mais um dia de trabalho. Essas cenas simples são descritas no poema "Snowbound", de John Greenleaf Whittier, impresso pela primeira vez meio século mais tarde.

Cenas semelhantes se repetiam em fazendas que iam do Ohio até a Suécia e a Sibéria, mas foi o poema de Whittier que capturou o sentimento aconchegante de segurança que tantas famílias fazendeiras desfrutavam quando seu próprio trabalho diligente lhes havia proporcionado tudo de que precisavam para o longo inverno. Assim, sentavam-se eles, o tio fumando o cachimbo, a mãe enrolando a lã em sua roda de fiar manual, e uma história era lida em voz alta até que se dessem conta de que já eram quase 9 horas da noite, hora de ir para cama.

Enquanto os Whittier se sentavam ao lado do fogo, a Europa dava sinais de uma das mais extraordinárias mudanças na história da humanidade, uma mudança que ainda hoje continua envolvendo todos os países. Em algumas nações, a maioria das pessoas não lavrava mais o solo. A Inglaterra e a Bélgica foram, talvez, as primeiras nações da Europa, e provavelmente do mundo, em que a maioria da força de trabalho não era mais necessária para a produção de alimentos. Somente 30% da força de trabalho da Inglaterra era necessária para as atividades rurais. Na Austrália, Chile e Argentina, de forma semelhante, só uma pequena parcela da força de trabalho era direcionada para os trabalhos rurais. Essas terras estavam agora produzindo muito mais alimentos, assim como lã e couro de gado, do que podiam utilizar. Uma forma de vida que surgiu aos poucos, há cerca de dez mil anos, e se espalhou por praticamente todo o globo, estava prestes a ser suplantada como principal fonte de trabalho. A maioria das fazendas estava produzindo mais do que no passado e necessitando de menor número de trabalhadores.

Uma prova do aumento de suprimento de alimentos é que graves períodos de fome, tão comuns na França no século 18, tornaram-se raros depois de 1800. A escassez de alimentos na Irlanda e no baixo Reno, na década de 1840, foi o último período de fome envolvendo mortes na Europa Ocidental.

Outra tendência era visível na Europa: a população estava aumentando mais rapidamente do que em qualquer outra época, desde os anos de clima quente, entre 1000 e 1250. As pragas eram mais raras e maior o conhecimento de como combater as doenças. Além disso, em boa parte da Europa, cada hectare de terra arável conseguia produzir mais alimentos para uma população que se multiplicava. Entre 1750 e 1850, a população da Europa deu um salto de mais de 80%, uma taxa de crescimento que foi tida como impressionante, até que as populações das nações do Terceiro Mundo começassem a crescer num ritmo ainda maior após a Segunda Guerra Mundial.

Em toda a Europa, a maior parte das cidades cresceu e várias se tornaram tão grandes quanto as maiores da China. Em 1800, a população de Londres havia passado de um milhão. Em 1860, estava em três milhões, com certeza, a maior cidade que o mundo havia conhecido. No início do novo século, de acordo com alguns cálculos, Londres beirava a casa de 10 milhões de pessoas, que consumiam trigo, manteiga, geléia, bacon, carne de carneiro e maçãs, que vinham não só das fazendas inglesas, mas de terras distantes, em navios cargueiros. A maior parte desse aumento na população da Europa Ocidental se concentrou nas cidades. Em 1600, a Europa tinha somente 13 cidades com mais de 100 mil habitantes. Em 1900, esse número chegava a 143.

As cidades que cresciam eram sujas, e a maioria das casas eram pequenas. Em 1850, mesmo em algumas das melhores cidades, a maioria das casas não tinha acesso à água corrente limpa. Cidades grandes geralmente surgiam ao longo de um rio, e a água para cozinhar e lavar era retirada desse mesmo rio poluído ou de poços vizinhos. A maioria das pessoas tinha de carregar a água até suas casas em baldes ou caçambas de madeira. Como a água era escassa, a lavagem de roupas era pouco freqüente. Por outro lado, a lavagem do corpo nu supostamente fazia escoar os óleos essenciais e, assim, as doenças ganhavam uma fácil porta de entrada ao corpo.

O esgoto achava seu caminho até os rios e, correnteza abaixo, poluía a água usada pela próxima cidade. As infecções, que traziam a morte, eram espalhadas pelo saneamento precário. A cólera asiática havia aparecido pela primeira vez na Rússia, em 1823, e nove anos depois uma forma violenta dessa doença chegou a Nova York, enchendo as ruas de apreensão. Voltou várias vezes à Europa, enchendo os cantos de muitos cemitérios, aproximadamente uma vez a cada década. A Rússia, um dos países mais precários em saneamento, perdeu para a cólera 250 mil de seus habitantes em 1892.

Cada vez mais, engenheiros construíam reservatórios de suprimento de água potável para as cidades, assentavam tubos subterrâneos e cavavam túneis para escoar o esgoto diário das cidades. A taxa de mortalidade das cidades também caiu devido aos avanços na Medicina. Foi em meados de 1870 que o bacteriologista alemão Robert Koch realizou a importantíssima descoberta de que as bactérias, tão pequenas que milhões delas podiam se alojar em uma gotícula de saliva, causavam as doenças. Em 1882, em Berlim, ele anunciou que havia localizado a causa bacteriana da tuber-culose, uma doença identificada por Hipócrates, na Grécia Antiga, e há muito tempo conhecida como "o capitão dos homens da morte".

269

A facilidade das viagens na era do vapor acelerou a corrida-relâm-pago de descobertas na Medicina. Koch correu para o Egito, esperando estudar a última epidemia de cólera, mas chegou lá apenas a tempo de concluir que já havia acabado. Mais tarde, partiu em um navio a vapor pelo recém-construído Canal de Suez, a caminho da Índia, o lar da cólera. Lá, em 1883, com a ajuda de seu poderoso microscópio, realizou a descoberta do bacilo que transmitia a doença. Quinze anos mais tarde, Ronald Ross, um oficial médico que trabalhava na Índia, desco-

A FACILIDADE DAS VIAGENS NA ERA DO VAPOR ACELEROU A CORRIDA DE DESCOBERTAS NA MEDICINA.

briu que a malária não emanava, como tradicionalmente se acreditava, do ar dos pântanos ou de água estagnada. Pelo contrário, era propagada pela picada do mosquito de asas malhadas, como ele o denominou, identificando assim a causa da mais catastrófica das doenças tropicais.

Como reflexo desse século de invenções, confiante modelador do mundo, em muitos círculos europeus a morte já não era mais vista como um ato de Deus que podia ocorrer a qualquer hora. Em muitos círculos, a raça humana era vista com otimismo exagerado como a arquiteta e inventora de seu próprio futuro. Deus estava sendo desafiado no céu por engenheiros, construtores de navios, bacteriologistas, cirurgiões e todos os outros heróis da nova tecnologia, e pelos líderes políticos, que fizeram saber que estavam agora atacando muitos dos males do mundo, existentes há muito tempo, incluindo a pobreza e a escravidão.

CAPÍTULO 27
SERÁ QUE TODOS SÃO IGUAIS?

A luta para abolir a escravidão, em parte, foi uma luta igualitária, conduzida por pessoas de bom coração. A vitória contra os donos de escravos, porém, dependia de muito mais além de bom coração. A luta dos dois lados do Atlântico foi conduzida por nações cada vez mais ricas que já não dependiam da escravidão para uma parcela significativa de sua riqueza. Assim, em 1790, a Dinamarca aboliu o comércio de escravos em suas ilhas nas Antilhas, e a França revolucionária aboliu a escravidão em suas colônias. Para essas nações, era mais fácil libertar os escravos que ainda trabalhavam nas colônias tropicais, pois sua vida econômica era bem menos dependente do trabalho escravo do que os Estados Unidos.

Os Estados Unidos tardaram em dar sua contribuição contra a escravidão. O encabeçamento do movimento abolicionista encontrava-se nos ricos estados do Norte, que dependiam não de escravos, mas de oficinas metalúrgicas,

> OS ESTADOS UNIDOS TARDARAM EM DAR SUA CONTRIBUIÇÃO CONTRA A ESCRAVIDÃO.

fábricas, fazendas livres e estaleiros. Em suas mãos, os Estados Unidos estavam se tornando uma grande potência industrial e, em 1860, sua produção de ferro e aço, na época o barômetro do sucesso industrial, já estava em terceiro lugar no mundo, logo atrás da Inglaterra e da França. Os americanos podiam, então, abolir a escravidão, mas o custo político e econômico ainda era alto. Esses lutadores, a maior parte devotos das igrejas, estavam querendo pagar o preço, embora o custo real provavelmente recaísse sobre os próprios donos de escravos e sobre os estados cuja economia dependia do seu trabalho.

Nos Estados Unidos, a importação de novos escravos já era proibida, forçando, assim, as plantações a dependerem dos filhos e filhas de escravos. Tal tipo de trabalho ainda era considerado fundamental para a vida cotidiana dos estados subtropicais do Sul e foi aí, em 1861, que onze desses estados se rebelaram, separaram-se dos Estados Unidos e criaram sua própria nação, os Estados Confederados. Em meio a essa tensão, Abraham Lincoln assumiu a presidência dos antigos Estados Unidos. Um mês depois, em abril de 1861, a Guerra Civil começou com a vitória dos confederados em Fort Sumter, na Carolina do Sul.

O principal objetivo de Lincoln ao conduzir sua nação à guerra não era a abolição da escravatura. Ele lutou, antes de mais nada, para preservar o país e sua unidade em face da secessão de alguns de seus estados mais antigos e importantes. Lincoln estava tentando achar uma conciliação; se necessário, permitiria que a escravidão continuasse, desde que a nação permanecesse unida. Queria simplesmente salvar a nação de um grande desfalque.

Hoje parece um tanto estranho que o democrata mais famoso do mundo estivesse proclamando a marca registrada da igualdade política, conhecida como democracia, enquanto tolerava, ainda que com relutância, a severa desigualdade da escravidão. Mas a democracia, em sua versão moderna, ainda estava em seus primórdios, ao passo que a escravidão, ao contrário, era uma instituição antiga. Além disso, os Estados Unidos haviam sido construídos sobre o princípio federativo de que vários estados ganhavam força com a união, mas podiam seguir suas diferenças políticas e econômicas. A essência do federalismo era que os inimigos e opositores podiam coexistir, e Lincoln tinha de consolidar essa coexistência. Em 1861, a seu ver, o sul escravocrata do país pecou não tanto pelo apoio que dava à escravidão, mas pelo fato inaceitável de que se opunha ao federalismo e à própria existência dos Estados Unidos.

O herói da guerra contra a escravidão veio de família humilde. Em 1816, seus pais haviam se mudado do Kentucky, onde o clima era mais quente, para o estado de Indiana, mais ao norte, onde possuíam uma pequena fazenda. Abraham Lincoln, que na época tinha oito anos de idade, aprendeu a usar um machado e tornou-se adepto do árduo trabalho de cortar árvores e parti-las em mourões, com os quais, nessa época, dezenas de milhares de cercas simples de fazendas eram feitas por todas as planícies norte-americanas. Quando, como jovem advogado, Lincoln entrou na política, seus seguidores o chamavam de "o cortador de mourões", mas nessa época ele estava mais orgulhoso da educação que tinha adquirido do que com o início de sua vida como filho do trabalho árduo.

Seus pais participavam do culto da Igreja Batista Independente, um dos muitos segmentos do protestantismo que floresceram na América do Norte e, como a maioria dos fiéis dessa seita, opunham-se às corridas de cavalos, às danças, ao consumo de álcool e à posse de escravos. Sua oposição à escravidão era baseada não só na religião, mas também nos próprios interesses financeiros. Em estados escravocratas como Kentucky, a família Lincoln e outros pequenos fazendeiros brancos não podiam competir com os grandes fazendeiros que empregavam a mão-de-obra barata e injusta de escravos.

273

Como a maioria dos políticos numa democracia, Lincoln teria de nadar a favor da corrente, se quisesse apelar para o apoio popular necessário para grandes tarefas; pois ele nadou a favor da corrente, inclusive na questão da escravidão. Embora tivesse opiniões definidas sobre o assunto, ele não defendeu a igualdade entre brancos e negros.

Em 1862, Lincoln apoiou a idéia de criar uma nação independente para os negros na África, "pelo bem da humanidade". Quando os líderes negros disseram não, ele aceitou o não. Um ano se passou até que ele finalmente conferisse liberdade, ainda uma liberdade teórica, aos escravos que viviam nos estados do norte. Em seguida, não aboliu a escravidão nos estados do sul: a constituição do país, na verdade, tinha de sofrer emendas antes que a escravidão pudesse ser abolida.

Logo depois da batalha vitoriosa de Gettysburg, os mortos da União foram reenterrados em um belo cemitério de guerra, em dedicação ao dia

19 de novembro de 1863. Para a cerimônia no cemitério, Lincoln vestiu um terno preto novo e um chapéu tipo cartola, que o fez parecer ainda mais alto do que era. A cartola estava envolta por uma faixa preta em sinal de luto, assim colocada não para homenagear aqueles que morreram em batalha, mas devido a seu próprio filho, Willie, que havia morrido há pouco tempo, após uma doença fulminante. Lincoln ouviu um longo discurso, em seguida levantou-se e proferiu seu próprio discurso num espaço de mais ou menos cinco minutos.

Ele mesmo teria ficado impressionado ao saber que as palavras de seu discurso ficariam marcadas para sempre; afinal, eram apenas algumas frases. Contudo, ressoou eternamente. O discurso concluía com uma frase que permaneceria viva: "Aqui, devemos assumir que esses mortos não hão de ter morrido em vão, que essa nação, sob a autoridade de Deus, há de renascer em liberdade, a fim de que o governo do povo, pelo povo e para o povo não pereça na terra."

A posição de Lincoln pela união de sua nação veio a ser, na história do crescimento da liberdade humana, ainda mais influente do que sua campanha contra a escravidão. Se os Estados Unidos, desde a década de 1860, tivessem sido divididos em duas nações, com pouca coisa em comum, a influência da América do Norte sobre os negócios mundiais teria sido bem menor, e o resultado da Segunda Guerra Mundial poderia ter sido muito diferente.

Um pouco antes do fim vitorioso da guerra de quatro anos, em 1865, Lincoln estava descontraído, assistindo a uma peça de teatro em Washington, quando foi assassinado. A escravidão já estava condenada nas Américas: foi abolida nos Estados Unidos naquele ano e, cada vez mais, era ameaçada em Cuba e no Brasil. Nenhum escravo novo estava chegando da África, e as crianças nascidas de famílias de escravos eram declaradas livres. Finalmente, em 1886, a escravidão foi abolida em Cuba e, dois anos depois, o último escravo foi libertado no Brasil; porém, em muitas partes da África e em algumas partes espalhadas da Ásia, a escravidão continuava. Só foi abolida oficialmente nas planícies arenosas do estado africano da Mauritânia em 1980. As nações continuam a condená-la, mesmo na década de 1990, mas, em alguns lugares, ela ainda persiste.

Rebelião na China

As duas guerras mais mortais durante o longo período de relativa paz entre 1815 e 1914 ocorreram dentro das próprias nações e, não, entre nações. Além disso, ocorreram dentro de nações importantes e, conseqüentemente, o resultado final teve fortes efeitos sobre o peso e o equilíbrio do poder mundial. Enquanto a Guerra Civil americana é bastante conhecida, já que a televisão e os filmes mantiveram viva sua memória, a outra guerra, a Rebelião de Taiping, é pouco conhecida fora da China. Os mortos na guerra civil americana excederam os 600 mil, mas, na guerra chinesa, talvez tenham passado dos 20 milhões, tornando-a mais mortal que a Primeira Guerra Mundial.

Essa insurreição de simples camponeses foi um clamor por igualdade numa época em que a população estava crescendo vertiginosamente, e as áreas cultivadas eram escassas. A nutrição e as moradias dos camponeses chineses eram mais precárias do que as dos escravos nos Estados Unidos. Mas a pobreza e as dificuldades não levam automaticamente a uma insurreição: se a pobreza realmente levasse a uma rebelião, a história do mundo não seria nada além de uma sucessão de rebeliões. Para isso, era necessária uma faísca, que foi acesa por Hung Hsui-Chüan.

Hung tinha as ambições de um brilhante jovem chinês, mas, entre 1828 e 1843, fracassou quatro vezes no exame de admissão ao serviço público. Foi obrigado a fazer-se professor em seu vilarejo em vez de um burocrata honrado, até cair sob o feitiço de um missionário americano, pertencente à Igreja Batista do Sul que, sem perceber, reacendeu a ambição do frustrado professor. Recebendo visões cristãs, Hung as envolveu com o patriotismo chinês e pôs-se a guiar as pessoas em direção ao "Reino Celestial da Grande Paz". Em chinês, o termo para "grande paz" é taiping, e esse foi o nome dado à rebelião que ele liderou.

Marchando pelo interior do país, as tropas de Hung estavam determinadas a conquistar suas primeiras vitórias, enquanto o governo, em total desordem, ainda estava juntando suas forças. A surpresa estava do lado de Hung: um vilarejo após o outro, uma cidade após a outra, talvez

275

600 ao todo aderiram às suas forças armadas, que, com o tempo, chegaram a um contingente de aproximadamente um milhão.

Esse teólogo e general amador pregava sua própria mistura de Confúcio e Cristo. Havia também uma corrente igualitária e, se houvesse controlado o interior do país em vez das cidades, é possível que tivesse redistribuído as terras em larga escala e estabelecido comunas. Mas, em 1856, um momento decisivo, os postos mais altos entre os rebeldes foram divididos por disputas e eliminados por diferenças de opinião; daí em diante, as tropas tiveram menos sucesso.

Em 1º de junho de 1864, depois de quase catorze anos em campo, Hung enxergou a certeza da derrota e, nesse dia, suicidou-se. Mas os taipings tinham abalado o que parecia inabalável. Daí por diante, a perspectiva de rebeliões foi acentuada nas mentes de um grande número de intelectuais e dissidentes chineses. O exemplo de luta de Hung influenciou profundamente o nacionalista dr. Sun Yatsen que, meio século depois, acabou derrubando o imperador da China. Até os comunistas, que mais tarde derrubaram a república nacionalista, foram ajudados pelo vendaval que Hung havia desencadeado.

UMA ÉPOCA DE EXPERIÊNCIAS SOCIAIS

As sementes da planta da igualdade já estavam sob a terra há milhares de anos. Os filósofos gregos conhecidos como estóicos enfatizavam que todos os seres humanos, escravos ou homens livres, partilhavam do poder da razão e da capacidade de mostrar boa vontade, e que essas qualidades os distinguiam de outras criaturas. O Império Romano e o conceito de leis da natureza enfatizavam os direitos comuns e, no ano 212, a maior parte dos homens do império nascidos livres tornou-se igual perante a lei.

Tais idéias de igualdade, embora de pouca influência na Idade Média, foram ressuscitadas pelo Renascimento, com ênfase na individualidade, e pela Reforma, que insistia em que todos os que lessem com humildade a

Bíblia tinham o direito de ser os próprios intérpretes da palavra de Deus e, até mesmo, o direito de ser os próprios sacerdotes e pastores. Uma ênfase na igualdade levava a uma ênfase na educação para todos; aquelas terras protestantes que construíam escolas partiam do pressuposto de que todas as crianças tinham potencial e que ler e escrever eram a chave para abrir essa porta. A democracia nos Estados Unidos devia muito às centenas de milhares de pessoas alfabetizadas que, governando suas próprias assembléias, acreditavam

> A DEMOCRACIA NOS ESTADOS UNIDOS DEVIA MUITO ÀS CENTENAS DE MILHARES DE PESSOAS ALFABETIZADAS.

também ter direito a um assento em seus parlamentos regionais.

Na Europa da segunda metade do século 19, as exigências por igualdade econômica tornaram-se fortes em determinados anos. Foram mais fortes nas cidades porque nelas era mais fácil organizar movimentos de protestos não oficiais do que nos vilarejos. O grito por igualdade também foi estimulado pelos extremos aviltantes de riqueza; embora a monarquia, a nobreza, os grandes proprietários de terras e os mercadores tivessem sido visivelmente ricos, a ascensão dos donos de fábricas, que ganhavam grandes quantidades de dinheiro, aumentou a noção de que suas riquezas haviam sido geradas principalmente pelo suor dos empregados atuais. As exigências por reformas econômicas foram estimuladas pelo aumento do desemprego nos anos difíceis e pelo fato de que estar desempregado numa cidade grande era muito pior do que no interior, onde, pelo menos, podia-se conseguir lenha e onde os parentes podiam ser visitados à procura de comida e abrigo.

A maioria dos fortes movimentos de protesto ocorria nas cidades e, em 1848, o ano das revoluções, estava à beira do sucesso. Enquanto muitos dos protestos iniciais não reivindicavam nada além de pão barato em ano de pão caro, os novos movimentos por reformas eram geralmente abrangentes e sofisticados. Karl Marx e Friedrich Engels, os jovens arquitetos alemães do chamado comunismo, mostraram grande visão em relação aos novos rumos que estavam sendo tomados pelas rápidas mudanças

277

na economia européia. Com visão aguçada, Marx previu que, nas nações industriais, as novas máquinas e as novas habilidades produziriam uma enorme riqueza e um enorme abismo entre os ricos e os pobres. Em 1875, ele já enfatizava drasticamente a igualdade: "De cada um de acordo com suas capacidades, para cada um de acordo com suas necessidades."

Os reformadores econômicos não tiveram de apontar para a necessidade de ação. Na Itália, grande número de crianças andava descalça em pleno inverno. Nas grandes cidades alemãs, a maioria das famílias vivia em apartamentos de um só cômodo. Na Rússia, inúmeras famílias tremiam no inverno gelado porque não podiam comprar combustível suficiente para manter o fogo aceso. Nas cidades industriais, o desemprego excedeu os 10% em alguns anos da década de 1880, e a maioria dos desempregados era composta de pessoas que queriam muito trabalhar e que tinham a experiência de uma vida inteira de trabalho pesado. A lenta oscilação entre progresso econômico e depressão era agora uma característica da vida econômica da Europa industrializada, e os níveis de desemprego subiam e desciam como um ioiô.

Inicialmente, a exigência por igualdade foi ouvida mais na vida política do que na vida econômica; lutar pelo direito de voto era menos revolucionário do que exigir que todas as terras fossem redistribuídas igualmente entre pobres e ricos. O direito de votar, entretanto, era uma raridade, mesmo na Europa: em 1800, somente uma pequena parcela das nações do mundo possuía um parlamento que exercia algum tipo de poder, e somente a um número limitado de cidadãos era permitido votar nas eleições ou tomar um assento nos poucos parlamentos existentes. O mundo de língua inglesa estava à frente dos governos parlamentares, mas a assim chamada mãe dos parlamentos, às margens do Tâmisa, foi bem menos democrática do que os Estados Unidos durante as primeiras décadas do século 19.

No fim da década de 1850, três das cinco colônias australianas serviram de laboratório político e, nelas, praticamente todos os homens adquiriram o direito de votar, incluindo o direito ao voto secreto e o direito a candidatar-se à câmara dos comuns do parlamento. Nessa época, as cinco principais nações européias – Inglaterra, França, Alemanha, Áustria e Rússia – estavam muito atrás da Austrália, Canadá e Estados Unidos em sua busca e prática da democracia.

No fim do século, a Nova Zelândia e a Austrália ainda eram pioneiras na expansão da democracia. Na verdade, a grande extensão de direitos a voto e a prática de remuneração dos membros do parlamento levaram à eleição do primeiro governo trabalhista do mundo, em Queensland, Austrália, em dezembro de 1899. Era uma primeira prova de uma época em que a maior parte da Europa seria governada intermitentemente por governos socialdemocratas.

As mulheres ganharam com o novo interesse em igualdade, embora o direito de votar tenha chegado a elas a passos lentos. O território americano de Wyoming foi o primeiro a dar às mulheres o direito de votar. Essa mudança radical ocorreu em 1869, na esperança de atrair mais mulheres a ocuparem seu território, composto, em sua maioria, por homens portadores de armas e, assim, dar um tom mais suave a uma sociedade de fronteira. Um ano depois, o estado vizinho de Utah deu às mulheres o voto. Como Utah era praticamente uma sociedade de mórmons, e muitos dos chefes de família viviam com várias mulheres, não se podia classificá-lo facilmente como um refúgio do feminismo. O efeito da nova lei era simplesmente o de dar mais votos às famílias mórmons que já habitavam o estado há mais tempo, em detrimento dos recém-chegados a Utah.

Admitir mulheres em escolas de medicina também era um passo ousado; nos Estados Unidos, Elizabeth Blackwell, obcecada pelo desejo de estudar medicina, teve de contratar vários professores particulares até que, finalmente, em novembro de 1847, aos 26 anos de idade, fosse admitida na escola de medicina da pequena faculdade de Geneva College, numa cidadezinha do estado de Nova York. Sua vitória foi prematura e, inicialmente, não lhe era permitido assistir às aulas práticas e ver o corpo humano na companhia de homens. Por fim, ela acabou abrindo, em Nova York, um hospital para mulheres pobres.

Mesmo na Europa, uma geração depois, uma mulher que trabalhasse em qualquer profissão além do magistério era uma raridade.

279

A PRIMEIRA CIENTISTA A GANHAR A ESTIMA MUNDIAL FOI MARIE CURIE, QUE INVENTOU A PALAVRA "RADIOATIVO" PARA DESCREVER UMA DE SUAS DESCOBERTAS.

A primeira cientista a ganhar a estima mundial foi provavelmente Marie Curie, a médica nascida na Polônia que, na França, em 1898, inventou a palavra "radioativo" para descrever uma de suas descobertas. Nessa época, uma mulher no parlamento ainda era um fato desconhecido no mundo inteiro, embora a rainha Vitória, chefe formal do maior império, já tivesse reinado por 63 anos, um mandato muito maior do que qualquer primeira-ministra em qualquer país democrático jamais terá. Somente em 1924 é que a primeira-ministra de gabinete do mundo, Nina Bang, tomou posse na Dinamarca.

A agitação de um estado da Europa Ocidental, onde o bem-estar dos cidadãos era responsabilidade do governo, era outro sinal da moda de igualdade. Se todos os povos de uma nação eram dignos, será que eles não deveriam ser cuidados pelo governo quando estavam doentes, idosos, permanentemente privados do trabalho ou completamente destituídos? Na Alemanha, na década de 1880, Bismarck elaborou um esquema de seguridade nacional, e na Dinamarca, na Nova Zelândia e em partes da Austrália a pensão para idosos passou a ser aplicada em 1900. Sob pressão dos sindicatos de trabalhadores, a Austrália introduziu a idéia ousada de um salário básico para os empregados das fábricas. Em várias nações, o sistema de impostos foi alterado para reduzir o imposto sobre pequenas rendas e aumentá-lo sobre rendas mais altas; alguém tinha de pagar pelo bem-estar, e os ricos foram a escolha popular.

Mesmo nas cidades prósperas, muitas famílias com renda regular viviam precariamente, pelos padrões de hoje. Na cidade inglesa de York, uma família de cinco pessoas que se situasse próxima do último degrau da escada de rendas não podia se dar ao luxo de beber cerveja ou comprar tabaco, comprar um jornal de 50 centavos de libras ou postar uma carta. As pessoas não tinham dinheiro suficiente toda semana para depositarem sequer uma pequena moeda na cesta de coleta de sua igreja e não podiam se dar ao luxo de distribuir presentes de Natal para os filhos a não ser que elas mesmas fizessem os presentes; às vezes, levavam suas roupas de domingo ao agiota na segunda-feira de manhã para terem dinheiro suficiente para comprar comida até que viesse o próximo pagamento. Para a família de um trabalhador que lutava pelo pão de cada dia e que sofresse um acidente no trabalho ou o ataque de uma doença, a perda de renda arruinava tudo. Se o marido morresse, a viúva tinha de alugar quartos para pensionistas, se houvesse cômodos vagos, ou lavar roupas para fora. Com muita sorte, ela poderia se casar novamente.

Havia um consolo, porém, essas famílias geralmente desfrutavam de um padrão de vida melhor que seus avós haviam tido em seus vilarejos rurais. Além disso, viviam mais e com mais conforto e usufruíam mais educação.

A demanda crescente por igualdade se expressava no objetivo da educação primária para todas as crianças e no princípio de que todos os homens jovens deveriam estar prontos para servirem às forças armadas. Chegou também ao campo religioso, onde até então os governos haviam dado forte preferência aos adeptos da religião oficial. Na Inglaterra, ainda no ano de 1820, a lei enfatizava a desigualdade das religiões; assim, os católicos e os judeus não podiam votar ou ter assento no parlamento, e os batistas e a maioria dos metodistas não podiam ensinar em universidades. Membros de religiões diferentes não podiam ser casados em suas próprias igrejas por pastores da própria religião. Bem antes do fim do século, entretanto, os adeptos de todas as religiões se tornaram iguais em quase todos os quesitos nas Ilhas Britânicas, embora ainda não fosse assim em todas as nações européias.

A onda européia pela igualdade expressou-se numa crescente desconfiança dos direitos hereditários e na preferência por alguma forma de republicanismo. Veneza, durante séculos, havia sido uma poderosa república aristocrática, mas a ascensão de uma nação poderosa como os Estados Unidos e a nova corrente de repúblicas sul-americanas foram os anunciadores de uma época mais republicana no mundo inteiro. A França, após ter abolido e, em seguida, restaurado a monarquia, tornou-se uma república em 1870. A China, talvez a mais antiga monarquia contínua do mundo, tornou-se uma república em 1912. Na maioria das nações euro-péias, parecia provável que a monarquia, com o poder bastante reduzido, sobrevivesse, mas o tumulto gerado no final da Primeira Guerra Mundial eliminou três das fortes monarquias da Europa e não voltaram a ser restauradas. As novas nações fundadas na Europa, em sua maior parte, acabaram optando, após a guerra, por se tornarem repúblicas.

As GARRAFAS DA IGUALDADE

Essa sede por igualdade foi um marco da época, mas a igualdade foi rotulada e vendida em garrafas de diferentes formatos e tamanhos. Em algumas garrafas assim rotuladas, estava uma bebida espumante de desi-gualdade; o nacionalismo estava em uma dessas garrafas. Enquanto todos os cidadãos de uma nação podiam ter um sentimento de união e igualdade na presença de seus parentes, a igualdade não se estendia tão facilmente assim aos povos de outras nações. Embora houvesse uma apreciação mais intensa da igualdade no ar, nem sempre ela se estendia às pessoas pertencentes a outras classes sociais, e poderia não se estender aos novos imigrantes.

O interesse em igualdade, às vezes, colidia com o interesse em raça, partilhado por muitos europeus. Uma característica da segunda metade do século 19, a fascinação com a raça, originou-se de uma mistura pouco comum de fatores. Foi um século em que a busca por leis gerais em rela-ção à natureza humana e a confiança de que tais generalizações podiam ser encontradas foi intensa. Ao mesmo tempo, o drástico aumento no contato entre as pessoas que, por muito tempo, tinham estado distantes, geográfica e culturalmente, voltou a atenção para as diferenças gritantes que realmente existiam, diferenças que eram maiores do que provavel-mente as existentes hoje. Boa parte desses comentários sobre raças era inofensiva, mas alguns deles eram agressivos.

Os povos da Europa Ocidental estavam encantados com seu próprio progresso nessa época do vapor e da educação compulsória. Da plataforma elevada em que se encontravam, era fácil achar que eram inerentemente superiores, mental e fisicamente, e assim permaneceriam. Não tinham dúvidas de que, nesse aspecto, sua civilização estava bem à frente das civilizações da África Central e da China e, certamente, estava bem mais à frente em termos materiais também.

Muitos dos que acreditavam que havia algo de especial com seu próprio ramo de civilização européia eram românticos e, geralmente, generosos em espírito. Muitos estavam ávidos por espalhar sua cultura entre os diversos povos em suas próprias colônias. Em quase nenhum lugar da Europa, considerava-se o fato de que essa onda emergente de idéias raciais e nacionalistas poderia trazer consigo perigos tão alarmantes.

Os judeus vieram a ser as vítimas trágicas dessa onda de idéias, mas, em 1900, eram poucos os sinais no mundo, exceção feita ao Império Russo, de que essa onda fosse necessariamente malevolente. Aos judeus, pela primeira vez, foi permitido chegar à vida pública em muitas nações européias; pareciam ser um dos beneficiários especiais das ondas igualitárias da época. Na verdade, a Alemanha era vista como relativamente amiga, e milhares de judeus emigraram para cidades alemãs onde exaltavam a vida profissional e intelectual, eram proeminentes em música, pintura e escrita, e construíram maravilhosas sinagogas.

> A ALEMANHA ERA VISTA COMO RELATIVAMENTE AMIGA, E MILHARES DE JUDEUS EMIGRARAM PARA CIDADES ALEMÃS.

O principal lar dos judeus era na parte central e leste da Europa. Numa enorme faixa de terras que ia desde o Mar Báltico até o Mar Negro – uma distância de mais de 1.200 quilômetros –, os judeus eram em média mais de 10% da população total em cada um dos principais distritos. A Rússia governava a maior parte dessa área e, ao contrário da maioria das outras nações européias, restringia com firmeza os direitos dos judeus, os quais tinham de viver em áreas específicas, o assim chamado "limite de povoamento", e não podiam entrar em certas profissões.

Como povo, os judeus eram facilmente identificados, pois realizavam seus cultos aos sábados. Para os propósitos religiosos, falavam e escreviam em sua própria língua, o hebraico, e no discurso diário falavam principalmente o iídiche, um dialeto do alemão medieval. Em alguns círculos europeus, eram alvo do preconceito cristão, sendo vistos como os descendentes daqueles que supostamente haviam crucificado Cristo; alguns teólogos e intelectuais europeus até discutiam que Cristo não era judeu.

Como banqueiros e agiotas, os judeus geralmente se sobressaíam. Parte do anti-semitismo, particularmente nos anos de sério desemprego, tinha um lado econômico: era dirigido contra aqueles judeus ricos que formavam uma minúscula minoria ou contra os judeus agiotas que operavam em pequenas cidades do Leste Europeu.

No final do século 19, fosse nas artes, nas ciências, na medicina ou no direito, os judeus se sobressaíam acima de qualquer proporção em relação a seus números na Europa Ocidental. Na Inglaterra, onde eram poucos, conseguiram atingir altos cargos. O primeiro-ministro conservador que presidiu a Inglaterra de 1874 a 1880, o eloqüente Benjamin Disraeli, descendia de judeus italianos e portugueses, e seu próprio pai, quando jovem, havia freqüentado a sinagoga.

Dessa lenta sublimação da igualdade, várias centenas de milhões de pessoas que viviam na África e na Ásia nada ganharam. A exigência por igualdade e liberdade em grande parte da Europa coincidiu com algumas perdas de liberdade em partes de outros continentes. Com tantos povos asiáticos e africanos agora governados por monarcas ou parlamentos europeus, não era fácil conversar convincentemente sobre igualdade no Cairo, em Tashkent, Xangai ou Calcutá. Talvez, pela primeira vez na história da humanidade, a igualdade era louvada como uma virtude, mas, ironicamente, centenas de milhões de pessoas viviam sob o domínio colonial das nações européias que se destacavam na pregação dessa mesma igualdade.

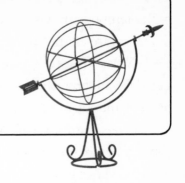

CAPÍTULO 28
O GLOBO DESVENDADO

N a Birmânia, em 1900, os donos de lojas ao longo do rio Rangum estavam a par dos acontecimentos na Europa; os professores das escolas nos vilarejos africanos sabiam algo da China, uma terra sobre a qual suas avós talvez nunca tivessem ouvido falar. Um esboço do conhecimento sobre essas terras remotas agora fazia parte dos currículos de milhares de escolas. Mapas coloridos do mundo tornaram-se comuns; nos dias de Napoleão, é provável que nem mesmo uma pequena fração da população européia tivesse posto os olhos em um mapa do mundo, mas, um século depois, a maioria das crianças européias em idade escolar havia visto, pelo menos, um desses mapas ou um globo, e podia até recitar os nomes dos rios e montanhas de cada continente.

Foi a última era de explorações do globo. Em quase todas as décadas do século 19, aconteceu uma descoberta geográfica de grande importância: a descoberta da nascente do Rio Nilo; a escalada do Matterhorn e de outras montanhas que haviam sido vistas anteriormente como inatingíveis; a descoberta das nascentes dos rios Amazonas, Mississipi e Congo; expedições ao interior da Austrália, castigado pelo sol; a descoberta de Humboldt, a maior geleira do mundo, na Groenlândia; e as viagens pelos rios cercados de florestas da Nova Guiné. Um dos poucos marcos simbólicos ainda não visitados era o Pólo Sul, que veio a ser alcançado em 1911 pelo explorador norueguês Ronald Amudsen, só cinco semanas antes do inglês Robert Scott, que acabou morrendo na neve. Muitos desses marcos remotos, agora vistos e mapeados por descendentes de europeus, há muito tempo eram vistos pelos nativos das regiões. Os europeus apenas os colocaram em perspectiva e os imprimiram sobre os mapas.

Novas visões da longa história do mundo vinham daqueles poucos que viajavam grandes distâncias. Charles Darwin navegou lentamente ao redor do mundo num navio inglês na década de 1830, visitando lugares tão inacessíveis quanto as Ilhas Galápagos, no leste do Pacífico, e adquirindo conhecimentos que levaram à teoria da evolução biológica, publicada pela primeira vez em 1859.

Nos estreitos e ilhas do sudeste da Ásia, outro naturalista inglês descobriu independentemente a teoria de Darwin, deduzindo também a existência de uma impressionante linha divisória que separava os hábitats de muitas espécies de plantas e animais. Alfred Russel Wallace, professor e supervisor, tinha aproximadamente 25 anos de idade quando se apaixonou pela história natural; decidindo colecionar aves exóticas, em parte pelo prazer dos colecionadores europeus que desejavam ficar em casa, ele navegou em 1848 até o Rio Amazonas para colher amostras e conservá-las. Em sua viagem de regresso, porém, seu navio pegou fogo, e muitos de seus espécimes e de suas anotações zoológicas se perderam.

Wallace não se deteve. Partindo para o arquipélago da Indonésia, foi de ilha em ilha, colhendo espécimes de todas as coisas vivas que fossem diferentes e extraordinárias. Em 1862, com a coleta e suas observações quase terminadas, voltou com as primeiras aves-do-paraíso vivas a chegarem à Europa. Seus olhos atentos e grande memória montaram os fatos que lhe possibilitaram provar que entre o sudeste da Ásia e a Austrália, especialmente visível entre as ilhas de Bali e Lombok, havia uma barreira marítima profunda e permanente, daí em diante conhecida como linha de Wallace.

Ainda não se percebera que uma nova dimensão dos oceanos estava esperando para ser explorada. Enquanto o olho humano consegue ver, pelo menos sob tempo claro, as mais altas montanhas da Terra, não consegue ver as cadeias de montanhas presentes no fundo do mar, pois o mar bloqueia a luz do sol. Poucas pessoas cultas sabiam que os mares ocupavam duas vezes mais superfície do mundo do que as terras, e a existência de cadeias de montanhas abaixo do nível do mar não era conhecida. Foi quando um navio inglês feito de madeira, o HMS Challenger, equipado para sondar o fundo dos oceanos em partes remotas do mundo, partiu em 1872 e, em sua viagem, sistematicamente jogava ao mar um fio bem comprido para medir a profundidade do oceano. Sua primeira descoberta de importância foi uma cadeia sinuosa de montanhas situada bem abaixo da superfície do Atlântico e que corria pelo fundo do mar numa linha Norte–Sul. Em nenhum ponto essa serra, ou Dorsal do Atlântico, chegava perto dos continentes americano e africano.

Em 1874, o Challenger aventurou-se até o Sul, tornando-se o primeiro navio a vapor a atravessar o Círculo Polar Antártico. Ao dragar o fundo do gelado Oceano Antártico, seus cientistas encontraram fragmentos de rocha continental cuja superfície havia se tornado mais lisa pela ação das geleiras. Essa descoberta, um pequeno pedaço de terra ou grupo de ilhas, transmitindo o forte indício de que uma grande massa de terra situava-se ao Sul, foi a evidência mais convincente até então encontrada da existência de um continente antártico.

287

O mar ainda encobria mistérios. Será que os continentes, agora separados, um dia foram um só? Um jovem meteorologista alemão, Alfred Wegener, depois de viajar até a Groenlândia, fez uma observação abrangente de profunda importância. Em 1912, ele elaborou a teoria da movimentação dos continentes; sugeriu que havia existido originalmente um único continente maciço, que a parte tropical da África e a América do Sul haviam sido ligadas, que a América do Sul e do Norte nem sempre foram unidas, que as montanhas do Himalaia surgiram da pressão dos continentes que lentamente colidiram uns com os outros, e que os atuais continentes não eram fixos, mas estavam aos poucos se separando ou se aproximando mais. Suas brilhantes idéias foram consideradas absurdas e só ganharam respeito na década de 1960, muito tempo depois de sua morte.

Com um maior conhecimento do globo e a influência do movimento romântico, vieram uma percepção de que o mundo era salpicado de lugares estranhos que poderiam arrancar suspiros de admiração dos amantes da natureza. Os gregos antigos haviam listado suas maravilhas do mundo, sendo praticamente todas elas construções criadas pelos seus próprios artistas e arquitetos dentro de um pequeno raio das cidades de Atenas e Alexandria. Em 1900, ao contrário, muitos viajantes preferiam os grandes espetáculos da natureza às grandes construções da Grécia, Roma, China e Índia. Alguns apontavam para as Cataratas do Niágara, os Alpes Suíços, o Himalaia, os portos de Hong Kong, o monte em forma de mesa da Cidade do Cabo; as árvores de Yosemite, na Califórnia; o fiorde de Milford Sound, na Nova Zelândia; as águas barrentas do rio Irrawaddy, na Birmânia; enquanto outros colecionavam um conjunto diferente de cartões-postais coloridos. Supunha-se, na época, com muito mais confiança do que hoje, que essas maravilhas nunca poderiam, de forma alguma, ser postas em perigo.

Muitos viajantes de sorte se maravilharam com as plataformas vulcânicas e as escadarias rochosas da Ilha do Norte, na Nova Zelândia. Uma dessas enormes plataformas era de um rosa delicado com cristais parecidos com pingentes de gelo rosados. As águas de outra plataforma foram descritas, com grande admiração, pelo historiador inglês J. A. Froude em 1885: "A coloração da água era algo que eu nunca havia visto e nunca hei de ver novamente deste lado da eternidade." Não era da cor da violeta nem dos jacintos da Inglaterra – as flores que ele tanto adorava –, nem da safira, nem azul-turquesa; um mestre da prosa inglesa, ele confessou não conseguir achar uma forma de transmitir "o sentido daquela beleza sobrenatural." Um ano depois, essas plataformas rosadas e brancas foram totalmente destruídas, quando pedras, cinzas e lama quente jorraram do vulcão situado próximo ao local.

Em 1901, no centro árido da Austrália e longe da ferrovia mais próxima, uma ligação milagrosa foi feita entre o século 20 e a era dos nômades. O prof. Baldwin Spencer e F. J. Gillen captaram as danças dos aborígines com uma das primeiras câmeras existentes e gravaram suas canções assombrosas no cilindro de cera de um fonógrafo. Como os ilustres visitantes não tinham baterias nem eletricidade, foram forçados a rodar a manivela da câmera continuamente para fornecer a força motriz;

além disso, não tinham alternativa a não ser fixar a câmera numa determinada posição por longos períodos de tempo para que ela apontasse continuamente na direção certa. Spencer decidiu virar a câmera para um grupo de homens seminus que, batendo seus pés descalços e levantando poeira, executavam a dança de uma antiga cerimônia para fazer chover. Os dançarinos, sabiamente não interessados na posteridade, de repente começaram a fazer um "grande movimento circular" e, aos poucos, saíram do ângulo de visão da câmera. Assim, uma grande parte do precioso filme foi desperdiçada.

Foi uma ocasião e um sinal do tempo notáveis. Aí estavam os representantes de uma forma de vida quase extinta que havia dominado o mundo inteiro em 10000 a.C., encontrando-se cara a cara com o mais recente passo da tecnologia. Os dançarinos aborígines mantinham a percepção de que eles possuíam a chave do universo. Enquanto dançavam, suas vozes, pois eram mímicos impressionantes, imitavam o grito das tarambolas ou maçaricos, espécies de aves e comuns na região. Os aborígines acreditavam que sua imitação do grito dessa ave faria com que a chuva caísse sobre o chão cheio de poeira, que há muito havia ressecado.

No encolhimento do mundo, os sobreviventes dos caçadores e lavradores, que um dia haviam tido todo o poder na face da Terra, foram os maiores perdedores. Mais tarde, a maioria de seus descendentes provavelmente seria readmitida num mundo mais amplo, mas a geração que enfrentou pela primeira vez a nova, poderosa e incompreensível forma de vida européia não podia fazer nada senão sentir-se aturdida. Eles já ocupavam suas terras há milhares de anos, e o futuro parecia eterno. Nesse sentido, foram excepcionalmente privilegiados. Eles conseguiram reter, por muito mais tempo do que todas as outras sociedades humanas, uma forma de vida tradicional baseada no luxo de um pequeno número de pessoas que possuía espaços enormes e, geralmente, de grandes atrativos. Mas, no final, a extinção da antiga forma de vida nômade havia sido incentivada pelo monopólio aristocrático e ineficaz do que estava se tornando o mais escasso dos patrimônios mundiais: terra na qual plantar alimentos e encontrar abrigo.

O avanço material da raça humana e a multiplicação de seus números dez dez mil anos anteriores tinham sido resultado principalmente do uso habilidoso e criativo da terra, das plantas, dos animais e das matérias-primas. Agora, na Austrália, nas margens geladas do Hemisfério Norte e nos cantos áridos da parte sul da África, os últimos nômades estavam recebendo o chamado, com urgência e, às vezes, violência, para saírem do caminho ou se unirem ao grupo. Como poderiam se unir? Eles não tinham as habilidades, atitudes, valores e incentivos que lhes permitiriam, sem muita dificuldade, tomar parte nesse grupo.

O TAPETE DO MAR

Novas rotas de navegação estavam unindo os continentes com uma velocidade e segurança nunca vistas antes. A navegação era barata, e o custo do transporte de mercadorias tinha sido reduzido. Mercadorias a granel, como o carvão, o trigo, o algodão, o ferro-gusa e o petróleo, eram transportados por baixo custo de uma extremidade do mundo à outra; porém, algumas gerações antes, somente mercadorias preciosas como a pimenta, o marfim e o ouro podiam se dar ao luxo de serem transportadas por longas distâncias em navios. Os filhos dos faroleiros do Cabo Horn, se tivessem curiosidade pelos navios que passavam por ali, podiam apreciar, sob tempo bom, uma procissão esporádica de imponentes veleiros com seus mastros altíssimos carregando nitrato, da costa seca do Chile até a Alemanha, onde o produto estava se tornando um valioso fertilizante. Talvez conseguissem avistar navios carregando fardos de algodão da Austrália para a Inglaterra, ou madeira do pinheiro de Oregon para a Europa, vinda da costa noroeste da América. O Canal do Panamá, esse notável atalho situado na América, só terminou de ser construído em 1914.

A migração livre ou semilivre nunca havia acontecido em tão larga escala, fossem alemães e irlandeses rumando para os Estados Unidos, italianos e ibéricos para a América do Sul, japoneses para o Havaí, ingleses para o Canadá e Nova Zelândia, chineses para a Península da Malásia e

Java, gauleses para a Patagônia ou indianos para Fiji e para a província sul-africana de Natal.

Mensageiros de cultura também atravessavam o mundo em número sem precedentes. Missionários médicos e cristãos, homens e mulheres, chegavam aos milhares à China, à Índia, à África do Sudoeste (de colonização alemã), à Indochina francesa e aonde quer que fosse permitida sua entrada: na prática, a entrada era permitida em quase todas as terras durante o auge da Europa. Na África, um dos famosos exploradores foi David Livingstone, um operário fabril escocês que se tornara missionário cristão, enquanto o missionário médico Albert Schweitzer, nascido na Alsácia, passou a maior parte de sua vida ajudando as vítimas da lepra e da doença do sono no Gabão. Missionários, tais como o Padre Damien, de origem belga, que morreu enquanto ajudava os leprosos no Havaí, eram heróis do povo, numa época em que ainda não se pensava em aclamar jogadores de futebol como heróis. Músicos também riscavam o mundo e, na virada do século, o jovem tenor italiano Enrico Caruso dividia seu ano entre casas de ópera em Buenos Aires, Nova York e Europa. Os impérios globais facilitaram a abertura de trilhas profissionais ao redor do mundo.

291

Esse processo de muitas caras acabou sendo chamado, no fim do século 20, de globalização. Certamente era internacional e global, mas também era radicalmente nacional. Embora o mundo estivesse se tornando um só, continuava dividido. O mapa foi fragmentado em impérios controlados a partir da Europa. Uma grande parte do mundo havia sido dividida entre as potências imperiais européias antes de 1850, e a fase final da subdivisão aconteceu nos cinqüenta anos seguintes, quando colônias tão distantes entre si, como a Nova Guiné e o leste da África, foram adquiridas pela Alemanha, o Congo tropical dominado pela Bélgica, partes do nordeste da África rendidas à Itália, a Nova Caledônia e a maior parte da Indochina dominadas pela França, uma imensa área de rochedos e planícies na parte central da Ásia absorvidas pelo Império Russo, e um conjunto de ilhas e enormes pedaços de terra do continente rendidos à Inglaterra, que era, com certeza, o maior possuidor de colônias. Até os Estados Unidos, com certa relutância, entraram na corrida comprando o Alasca e tomando colônias espanholas que iam desde Cuba até as Filipinas. Em 1900, a maior parte do mundo era governada pelas potências coloniais.

Os mapas coloridos do mundo eram pontilhados e tracejados com o vermelho que era bastante usado pelos cartógrafos para simbolizar o Império Britânico. A Rainha Vitória, que veio a morrer em 1901, governou um império incomparavelmente superior ao dos mongóis. Seu império foi o primeiro onde o sol nunca se pôs.

O TÍMIDO IMPÉRIO DAS IDÉIAS

Se o Império Romano, em sua extensão e longevidade, foi um prodígio, vários impérios que estavam florescendo em 1900 foram ainda maiores. A Rússia, os Estados Unidos e a China ocupavam, cada um, uma área maior que a do Império Romano. Da mesma forma, os impérios da Inglaterra e da França por todos os mares eram mais extensos em área do que o total das colônias de Roma, embora o controle da Europa sobre a vida cotidiana de suas colônias provavelmente fosse menos abrangente do que o de Roma, nos limites de seu império.

Existem duas categorias de império: uma é a física, consistindo, como os impérios romano e britânico, de colônias e possessões; a outra categoria é o tímido império de idéias. No século 19, a Europa expandiu sua influência muito mais através de seu império de idéias do que através da posse de novas colônias.

Ao mesmo tempo, um tímido império de idéias estendia-se na direção oposta. Por volta de 1900, um oceano de grandes idéias silencio-samente correu da África e da Ásia para a civilização européia. Na arte, o cubismo francês foi bastante influenciado pela arte da parte oeste da África. Escritores famosos, tais como Jack London e Rudyard Kipling, enxergaram virtudes nos inuítes e nos indianos. Um novo respeito pela natureza, em partes da sociedade ocidental, significava que os assim chamados "povos primitivos", que viviam próximos à natureza do outro lado do globo, tinham virtudes anteriormente ignoradas. A fundação do movimento internacional dos escoteiros, em 1907, refletia a crença de que muito podia ser aprendido com os lobos, assim como nos livros de Cambridge e Tübingen.

O conhecimento profano estava predominando, embora devesse muito aos impulsos religiosos. Desde que certos segmentos do protestantismo haviam incentivado a idéia de que todos deveriam ser seus próprios sacerdotes e sacerdotisas, a capacidade de leitura tornou-se fundamental. A Prússia, a Holanda e a Escócia protestantes, cada uma relativamente pequena em população e área, lideravam a corrida da alfabetização, bem como a busca geral do conhecimento. Os locais de aprendizagem da Escócia continuavam a produzir tantos jovens talentosos que o país não os podia usar com eficácia e, assim, eles marcharam para o sul, rumo a Londres, onde a indústria de publicação de livros, provavelmente a maior do mundo, tornou-se um reduto escocês longe de casa. Os judeus também se destacaram na busca por educação. Seu papel na indústria do conhecimento foi mais influente do que seus pequenos números sugeriam; o conhecimento era seu bem imóvel, seu título de propriedade.

Tradicionalmente, na maior parte do mundo, a posse de terras havia conferido renda, *status* social e direitos políticos àqueles que as possuíam. O conhecimento agora desafiava o papel econômico das terras, embora ainda não fizesse incursões profundas no *status* proveniente da posse de terras. Em 1900, nos Estados Unidos, na França, na Inglaterra e na Alemanha, o número de pessoas que tiravam seu sustento do conhecimento de forma satisfatória e bem remunerada era praticamente o mesmo das pessoas que o tiravam da posse de terras, minerais e outros recursos naturais. O conhecimento era a nova

293

> NA MAIOR PARTE DO MUNDO, A POSSE DE TERRAS CONFERIA RENDA, *STATUS* SOCIAL E DIREITOS POLÍTICOS ÀQUELES QUE AS POSSUÍAM. O CONHECIMENTO AGORA DESAFIAVA O PAPEL ECONÔMICO DAS TERRAS.

fronteira; houve praticamente uma corrida pelo conhecimento, assim como havia acontecido a corrida pelo ouro na Califórnia e na Austrália, meio século antes.

A capacidade de expandir o conhecimento era quase um certificado de qualidade das nações líderes, e nenhum outro período havia visto tal acúmulo de conhecimentos de grande utilidade. Albert Einstein, o físico, foi praticamente visto como o gênio da primeira metade do século 20, mas ninguém poderia dizer isso com certeza, pois as teorias cultas formuladas por esse brilhante e modesto judeu-alemão eram entendidas por poucos. Cada campo do conhecimento era agora o domínio de especialistas, e pouquíssimos especialistas conseguiram pular as altas cercas projetadas para separá-los dos campos externos.

A especialização era o segredo do sucesso da Europa, mas trazia consigo grandes perigos para os especialistas, mais ainda do que para a civilização que ganhava com suas pesquisas. Às vezes, reclamava-se em sussurros, pois era herético o pensamento de que, se o conhecimento, ou seja, a sabedoria, era realmente tão importante, por que a maioria dos especialistas estava satisfeita com a posse de uma porção tão pequena e concentrada de conhecimento?

Nenhuma terra podia esconder-se dessa invasão de conhecimento. O Japão tivera períodos em que se escondera e, apesar disso, mantivera a vitalidade e a criatividade em seu isolamento. No fim do século 16, no encerramento de seu primeiro período de contato com a Europa, o Japão manufaturava mais mosquetes que qualquer outro país da Europa. Na década de 1850, estendeu suas mãos ao mundo novamente, abrindo seus portos aos navios estrangeiros. Na década de 1860, começou a moldar o seu exército com base nos franceses, e sua marinha, com base nos ingleses. Em 1876, a proibição do uso de espadas era outro sinal da rejeição de seu passado feudal. A construção de ferrovias, fortemente criticada por alguns japoneses, foi mais um sinal. A remodelagem do Japão foi enérgica e decisiva. Em 1895, saiu vitorioso em sua breve guerra com a China e dez anos depois venceu, para a surpresa do mundo, sua breve guerra com a Rússia.

294

A longa e orgulhosa fase de auto-isolamento da China, ao contrário, terminou em humilhação. Em muitos de seus portos, os europeus faziam suas próprias leis, e Xangai rapidamente estava se tornando uma cidade européia. O trono da China, que um dia fora todo-poderoso, em breve veio a cair. Havia até uma perspectiva de que a China seguisse o destino da África e fosse dividida entre as potências européias.

Foi um salto extraordinário nas relações entre a China e a Europa. Se essa humilhação no trono e na cultura tivessem sido possíveis, por exemplo, em 1400, os chineses é que teriam enviado missionários budistas a Dublin, que operariam as alfândegas em Hamburgo e Constantinopla e que ameaçariam dividir a Europa se as pessoas não se comportassem adequadamente.

Ao redor do mundo, a maioria dos portões fechados foi aberta, com exceção dos de Meca, que permanecia uma cidade proibida para os infiéis. Mesmo assim, muitos árabes que partiam em suas peregrinações legítimas gostavam de usar tecidos coloridos feitos em Manchester.

295

A ASCENSÃO DO NOROESTE DA EUROPA

Por vários milhares de anos, houve somente dois centros duradouros de inovação e poder econômico: um foi o leste da Ásia e o outro foi o Mediterrâneo, principalmente as terras próximas às suas margens do leste. Dos impérios ocidentais influentes antes de 1500, os egípcios, os mesopotâmios, os gregos, os romanos, os helênicos e os bizantinos situavam-se nessa zona relativamente pequena. O leste do Mediterrâneo foi não só o local de nascimento das três religiões ocidentais mais influentes – o judaísmo e seus segmentos, o cristianismo e o islamismo –, mas também o berço da maioria das inovações ocidentais, indo desde os métodos de agricultura e metalurgia até a escrita, a aritmética e, até mesmo, o Estado.

A ascensão do noroeste da Europa ao domínio do cenário mundial, nunca conquistado pelos antigos impérios do leste do Mediterrâneo e da

Ásia Menor, não podia ter sido prevista no ano de 1600. A ascensão não podia ser evitada, mas, revendo o passado, alguns fatores fortes já estavam promovendo esse fato. Com a descoberta das Américas e a abertura da longa rota marítima que passava pelo Cabo da Boa Esperança até a Índia, as Índias Orientais e a China, o noroeste da Europa tinha uma vantagem, pois, com certeza, Amsterdã e Londres encontravam-se numa posição tão favorável quanto a costa oeste da Itália e a costa mediterrânea da Espanha para escoarem as riquezas do Novo Mundo pelos oceanos.

O protestantismo foi parte dessa energia do noroeste da Europa. Esse movimento religioso floresceu principalmente no lado norte dos Alpes. Pode-se afirmar, quase com certeza, que era mais fácil que uma reforma obtivesse sucesso quando acontecia longe de Roma e daquelas outras cidades e principados italianos em afinidade com o papado e com interesse econômico e emocional em apoiá-lo. Além disso, a Reforma, em seus primeiros anos, foi adotada e promovida pelos expoentes desse comércio e capitalismo, bastante concentrado em tecidos, que já eram vigorosos no noroeste da Europa. Com algumas exceções importantes, as crenças protestantes eram mais solidárias com o espírito de pesquisas que o desenvolvimento da ciência e da tecnologia exigia.

A geografia promoveu a ascensão do noroeste da Europa de outra forma. Essa região fria, com seus longos invernos, era uma grande consumidora de combustível. Como a Inglaterra, a Bélgica e outras partes da região começaram a ficar sem o fornecimento barato de lenha, voltaram-se para as jazidas rasas de carvão situadas na costa. Aconteceu que essa região era maravilhosamente abundante em carvão em comparação com a Itália, a Grécia, o Egito, o Crescente Fértil e todas as terras do leste do Mediterrâneo e do Golfo Pérsico. Com o tempo, a exploração do carvão levou, embora não automaticamente, à máquina a vapor e ao alto-forno de combustão de carvão. A máquina a vapor foi o agente mais poderoso da globalização até então vivida, pois levou direta e indiretamente aos motores dos carros e das aeronaves e à era do gás e do óleo.

Portanto, uma mistura de fatores mais e menos importantes ajudou o noroeste da Europa a suplantar regiões mais quentes e mais secas:

o Mediterrâneo e o Oriente Médio. A Europa Ocidental explorou sua geografia com um espírito de aventura intelectual e comercial como o mundo provavelmente nunca havia visto antes.

Os Estados Unidos mostraram o mesmo espírito de aventura, com mais efeito ainda. Um prato cheio de recursos e energia de conhecimento: eram potencialmente mais ricos que o noroeste da Europa e, já em 1900, tinham mais habitantes do que a combinação de quaisquer dois países europeus juntos. Eram também unidos, ao passo que a Europa era dividida. Nada moldou mais o século 20 do que a união cada vez maior da América do Norte e a crescente desunião da Europa.

CAPÍTULO 29
AS GUERRAS MUNDIAIS

A história do mundo poderia ser escrita como uma seqüência de guerras entre clãs, tribos, nações e impérios. Inúmeras guerras, registradas ou não, aconteceram nos últimos dez mil anos. Certamente, a paz é uma condição mais normal que a guerra, mas a guerra e a paz estão unidas em sua causa. Assim, um período memorável de paz depende do resultado da guerra anterior e da imposição desse resultado. A paz entre as nações de uma determinada região é geralmente resultado de um acordo baseado na classificação de importância de cada uma delas, o qual é fruto de uma guerra ou de uma ameaça de guerra. Na Europa, em 1914, infelizmente, não se conseguiu chegar a nenhum desses acordos.

A última guerra de importância da Europa, travada entre a França e a Prússia em 1870 e 1871, havia sido rápida e, por conseguinte, acreditava-se que as guerras de curta duração seriam o padrão daí em diante. A Primeira Guerra Mundial foi iniciada acreditando-se que a guerra em si ainda era a solução mais rápida e eficiente para os problemas. Ambos os lados esperavam vencer, e vencer rapidamente, uma vez que a tecnologia militar parecia muito mais decisiva do que antes.

UMA GUERRA EM IMPASSE

A guerra começou em agosto de 1914 e acreditava-se que fosse vencida antes do Natal ou logo depois. Quando os alemães e seus aliados, os austro-húngaros, entrechocaram-se com os russos no Leste Europeu, lutando contra os exércitos francês e inglês nas planícies do norte da França, e os austríacos lutavam contra os sérvios, a guerra parecia estar caminhando rapidamente para um fim bem próximo. A Alemanha acabou saindo como vencedora precoce, mas as baixas foram enormes.

O poder de fogo das metralhadoras mais modernas e das armas pesadas, puxadas por cavalos, era tão devastador que os soldados que avançavam contra o inimigo eram dizimados aos milhares, e os que os substituíam também acabavam tendo o mesmo destino. No espaço de alguns meses, na maior parte dos campos de batalha, os soldados tinham de cavar centenas de quilômetros de trincheiras e fazer muros de arame farpado para sua própria proteção. As longas trincheiras dos campos de batalha, com profundidade suficiente para um soldado ficar em pé e não ser visto pelo inimigo próximo, eram, na verdade, nada mais que uma forma de escudo.

Mas os exércitos inimigos pararam de mover-se rapidamente, como nas guerras passadas, e a guerra, então, tornou-se defensiva. Qualquer tentativa de um exército de deixar o abrigo das trincheiras e movimentar-se para a frente geralmente levava à conquista de uma faixa minúscula de território, até que uma chuva de granadas e balas vindas do lado oposto forçassem uma retirada. Em dias como esses, as mortes eram contadas às dezenas de milhares.

9 A EUROPA EM GUERRA NO FIM DE 1914

Na maioria das frentes de batalha, nas últimas semanas de 1914, a guerra atingiu um impasse. O que era para ser a Grande Guerra de 1914 tornava-se a Grande Guerra de 1914-1915, e, mesmo assim, os meses continuavam a passar. Em abril de 1915, numa tentativa de acabar com o impasse, ingleses e franceses, junto com os australianos e os neozelandeses, lançaram uma nova frente nas praias da Turquia, junto a Galípoli, na entrada do Estreito de Dardanelos. Esperavam derrotar a Turquia em poucas semanas, usar o Dardanelos liberado como rota marítima aos portos do sul da Rússia e, assim, enviar armas e munições que poderiam equipar os enormes exércitos russos; e esperava-se, ainda, que os exércitos russos pressionassem os alemães na frente oriental. Os turcos, porém, cavaram trincheiras como escudo, impediram o progresso desse setor da guerra e forçaram os invasores a se retirar no fim daquele ano.

O impasse militar desafiou as previsões de todos, com exceção de alguns generais de grande talento e de estrategistas teóricos. Nada parecido havia sido visto na história do mundo. É comum culpar os generais, mas, na maioria dos países em guerra, até as mães, esposas e namoradas inicialmente estavam dando apoio, acreditando que, com a ajuda da propaganda, o eterno derramamento de sangue terminaria milagrosamente com a derrota do inimigo exausto.

A guerra, com todas as suas surpresas e incertezas, foi temperada de hipóteses. Se a Rússia pudesse ter recebido apoio em 1915, o czar e seus ministros poderiam ter mantido controle sobre a agitação de seu país. Mas o fracasso de três anos consecutivos de lutas dizimou as forças de um czar já ofegante. Em 1917, duas revoluções, uma atrás da outra, explodiram com Lênin e seus comunistas assumindo o controle, e com a Rússia, conseqüentemente, retirando-se da guerra.

No início de 1918, a Alemanha ainda tinha uma chance de lutar e vencer a guerra ou negociar uma paz favorável. Os Estados Unidos, entrando na guerra mais tarde, não eram vistos como capazes de exercer forte influência. Além disso, o principal aliado da Alemanha, o império austro-húngaro, ainda estava com o controle firme da linha de frente nas montanhas, contra a Itália. Com grande coragem, os alemães começaram uma ofensiva que, em março de 1918, ganhou território e aproximou-se de Paris.

Aos poucos, o destino da guerra virou contra a Alemanha, que começou a sofrer porque o acesso a comida e matérias-primas, bem como o fornecimento de munições e de homens, favoreciam os inimigos. Suas linhas de frente foram atacadas a golpes de martelos. Em setembro de 1918, os aliados da Alemanha estavam prestes a se render. Os búlgaros se renderam; os turcos, lutando para manter seu antigo Império no Oriente Médio, estavam também próximos da rendição. O império Austro-Húngaro estava em vias de se despedaçar e, em outubro, como conseqüência, a Iugoslávia e a Tchecoslováquia se proclamaram repúblicas. Na Alemanha, à medida que o inverno se aproximava, o moral dos civis, e mesmo o dos soldados, começou a dar sinais de fadiga. Alimentos e roupas eram escassos: o bloqueio do inimigo havia causado seus danos. Em 3 de novembro de 1918, marinheiros alemães se amotinaram em Kiel. Em 9 de novembro, uma revolução socialista tomou conta de Munique, enquanto o imperador da Alemanha, o *Kaiser* Guilherme, abdicava de seu trono em Berlim. Dois dias depois, em 11 de novembro, a Alemanha e seus aliados assinaram o armistício.

Para os soldados, foi a mais terrível das guerras que o mundo havia conhecido; para os civis, a Rebelião de Taiping havia sido pior. Dos 8,5 milhões de soldados e marinheiros que morreram na Primeira Guerra Mundial, a Alemanha foi a que mais perdeu, seguida pela Rússia, França, Austro-Hungria, Inglaterra e seu império. Além disso, mais de 20 milhões de soldados foram feridos, e a lista dos mortos e mutilados não incluía talvez cinco milhões de civis que morreram como resultado direto da guerra. De apartamentos lotados em Moscou a fazendas de ovelhas na Nova Zelândia, havia milhões de consoles de lareiras com seus porta-retratos e fotografias em preto-e-branco, mostrando jovens sérios ou sorrindo, mortos na guerra que todos agora chamavam de a "Grande Guerra", sem perceber que uma guerra ainda maior estava apenas vinte anos à frente.

Sem a Grande Guerra, provavelmente a Revolução Russa e a vitória comunista não teriam ocorrido. Mas se não fosse essa guerra, os monarcas ativistas teriam continuado em todo o seu esplendor a reinar em Viena, Berlim-Postdam e São Petersburgo, e o sultão teria presidido o Império Turco, um império que também acabou desaparecendo. Se não tivesse acontecido essa guerra, Hitler provavelmente seria desconhecido, pois foi da amargura da derrota alemã que ele surgiu, assim como Mussolini surgiu como ditador da Itália, principalmente por explorar a grande decepção pós-guerra de seu povo.

Nas discussões ocorridas nas mesas da Conferência de Paz de Versalhes em 1919, estavam presentes grandes esperanças e também um desejo de vingança. Muitas nacionalidades aproveitaram a chance de estabelecer suas próprias nações: foi uma festa para os cartógrafos. Na Europa, havia agora 31 estados e nações onde, na véspera da guerra, havia somente 20. Alguns dos novos estados eram pequenos e alguns grandes, tais como a Polônia e a Hungria. A maioria optou por tentar implantar a democracia, nem sempre obtendo sucesso. Alguns se tornaram ditaduras.

> A GUERRA FOI UM CHOQUE PARA O OTIMISMO, QUE HAVIA CRIADO RAÍZES NA MAIOR PARTE DA EUROPA DESDE A DERROTA DE NAPOLEÃO.

A guerra, muito mais longa do que se havia esperado em 1914, foi um choque para o otimismo, que havia criado raízes na maior parte da Europa durante os 99 anos relativamente pacíficos, prósperos e civilizados desde a derrota de Napoleão. Ainda assim, muitos europeus tomaram coragem. Uma mesa-redonda permanente de diplomacia, chamada Liga das Nações, foi estabelecida em Genebra. Como parlamento de paz, era possivelmente o experimento mais corajoso da história de todas as nações até aquela época. Esperança dos liberais e idealistas do mundo, acabou se tornando meramente um clube de debates.

Sem a Grande Guerra, a Inglaterra e a Europa teriam permanecido dominantes no mundo das finanças; de fato, durante o evento, tiveram de tomar dinheiro emprestado de outros. Assim, os Estados Unidos, principalmente nos anos da guerra em que se mantiveram neutros, tornaram-se os financistas do empenho de guerra. Uma das causas da depressão mundial que estava por vir foi o novo poder financeiro dos Estados Unidos na década de 1920. Relativamente inexperientes como líder mundial, tolerantes com os ciclos de crescimento e de revés, e felizes em assistir à bolsa de valores de Wall Street agir como maestro da banda, eles levaram um mundo já instável em direção a uma instabilidade crônica. Outra causa visível da virada econômica de 1930 foi a tentativa da Inglaterra de restaurar financeiramente o mundo pré-1914 e sua ânsia por preços estáveis. Mas não se deve ser muito crítico com essas tentativas; depois da catástrofe de uma guerra como essa, uma tentativa determinada de montar as peças do quebra-cabeça pacífico desse passado perdido era quase inevitável.

Em muitas nações, na década de 1920, o desemprego nos meses mais difíceis excedeu os 10%. Era, em parte, o resultado dos deslocamentos causados pela velocidade das mudanças. Novas indústrias e regiões industriais surgiam e desapareciam. A mudança de trabalho das fazendas para as fábricas continuava, porém as fábricas tinham mais probabilidade de sofrer com sérias quedas repentinas dos preços do que as fazendas. Nas fazendas, quando os preços estavam em baixa, as mãos continuavam a trabalhar a salários mais baixos ou, pelo menos, podiam plantar a maior parte de seus alimentos. Nas fábricas de carros, pneus ou tecidos, quando as quedas vinham, os trabalhadores ficavam em casa e não tinham de onde tirar o sustento. Os governos e os economistas, além disso, não tinham certeza de como lidar com a depressão; o princípio que prevalecia era de que não deveriam fazer nada e que a economia, após engolir seu remédio na forma de alto desemprego e baixos salários e lucros, rapidamente se restabeleceria.

O desastre financeiro do mercado de ações de Wall Street, em outubro de 1929, é hoje visto como o pontapé inicial. A confiança financeira despencou, as pessoas pararam de comprar e, por conseguinte, mais empregos foram destruídos. A taxa de desemprego subiu, excedendo 30% em algumas nações industrializadas em 1932, seu pior ano. Uma depressão econômica desse nível não tinha precedentes; foi o empurrão

303

de que o comunismo e o fascismo precisavam, levando à Segunda Guerra Mundial, que, na verdade, foi o resultado do que cada vez mais era visto como uma Primeira Guerra Mundial inacabada.

Hitler, na Alemanha, e Stalin, na Rússia, moldaram a guerra que estava por vir; foram os líderes decisivos quando a guerra explodiu em 1939, uma data de sua escolha, e rapidamente se tornaram aliados.

Adolf Hitler vinha de uma cidade à beira de um rio, na Áustria, onde seu pai era um oficial secundário da alfândega. Um suposto artista, ele assimilou parte do anti-semitismo de Viena e parte do patriotismo que borbulhava em Munique quando da deflagração da Primeira Guerra Mundial. Alistando-se no exército alemão, ganhou a Cruz de Ferro por sua coragem na frente ocidental. Tendo sido um dentre os soldados alemães que, em 1918, ficaram atordoados com a perda de moral em casa, quando o moral ainda estava sólido em muitas partes do exército sob forte pressão, Hitler deu vazão a seu senso de traição no regresso à vida civil, infiltrando-se nas margens da política. Em 1919, com 30 anos de idade, ele se tornou chefe de um pequeno partido político da Baviera, o Partido Nacional-Socialista Alemão do Trabalho. Seu partido desenvolveu um exército particular, que se sobressaía em lutas de rua contra os marxistas e outros partidos de esquerda.

Hitler conhecia a Alemanha; sua brilhante oratória, auxiliada pelos treinamentos astuciosos que recebera, aquecia os corações de muitos alemães que sentiam que sua nação e seu mundo haviam sido injustamente torpedeados em 1918. Falava com tanta energia física e emocional que sua camisa, depois de um discurso de duas horas, ficava encharcada de suor. O recém-inventado alto-falante e o rádio ajudaram a difundir sua mensagem; poucos líderes de partido na Europa foram mais velozes do que ele em lançar mão de inovações.

A depressão mundial, no início da década de 1930, fomentou ansiedade e uma premonição de caos. Hitler prosperou com base exatamente nesses medos. Muitos alemães viam Hitler como um defensor bem-vindo da lei e da ordem. O medo do comunismo lhe rendeu cada vez mais apoio dos pequenos fazendeiros e donos de lojas. Ele e sua oratória apelaram para o orgulho alemão e exploraram o ressentimento generalizado de que a Alemanha havia sido derrotada injustamente num jogo no qual há muito tempo o país se sobressaía, o jogo da guerra.

> MUITOS ALEMÃES VIAM HITLER COMO UM DEFENSOR BEM-VINDO DA LEI E DA ORDEM.

Nas eleições de 1930, o partido de Hitler ampliou sua votação. Em 1932, novamente duplicou sua votação, tornando-se o maior partido político alemão; em janeiro do ano seguinte, juntou uma coalizão de partidos menores de direita, e Hitler foi formalmente apontado como chanceler. Em pouco tempo, tornou-se efetivamente um ditador. A perseguição aos judeus, a supressão dos sindicatos de trabalhadores e a opressão das liberdades civis estavam em andamento. Em 1934, o então presidente, já idoso, veio a falecer, e Hitler, com consentimento popular, assumiu total controle.

Na verdade, ele era mal preparado para o poder, não gostava de administração e de trabalho de escritório; até chegar ao poder, seu posto oficial mais elevado tinha sido o de um humilde cabo do exército.

UM DITADOR MAIS AO LESTE

Joseph Stalin não era o nome verdadeiro do governante da Rússia. Organizador e agitador que havia cumprido sentenças nas prisões da Sibéria como punição por suas atividades políticas, assumiu o nome de Stalin, que significava "homem de aço", logo após a revolução vitoriosa de 1917. Como editor do jornal comunista Pravda, tinha acesso a informações sigilosas, tornando-se cada vez mais poderoso. Chefe do governo, após a morte de Lênin em janeiro de 1924, ele começou a eliminar os rivais pessoais e imaginários. Fortaleceu as forças armadas e, para a economia, lançou o primeiro de seus ousados Planos dos Cinco Anos, em 1928. Embora a nova União Soviética ainda sofresse de muitos males e descontentamentos econômicos, não vivia nenhuma fase oficial de desemprego e garantia que quase todas as mãos ociosas seriam colocadas a trabalhar.

A nação, com isso, acabou escapando da depressão, e o fato serviu como um maravilhoso impulso para seu prestígio.

Com várias novas usinas elétricas, fábricas e minas, Stalin conseguiu converter a Rússia em uma potência industrial. Executou a mudança mais radical na agricultura já feita por qualquer outro governante: transformou as fazendas particulares em fazendas coletivas, uma mudança radical e impressionante, pois seu povo estava muito mais envolvido em agricultura do que qualquer outra nação européia em qualquer época, e a maioria dos camponeses tinha um sentimento de posse muito forte em relação às suas terras e um grande ódio das fazendas coletivas por ele criadas. Os camponeses que resistissem à política de coletividade eram deportados, mortos ou subjugados pela fome.

Stalin acreditava que o comunismo pereceria, que ele mesmo pereceria, a não ser que agisse sem piedade. Em época de paz, seu estado policial costumava ordenar ou sancionar a morte de seus concidadãos em grande escala. Apesar disso, o patriotismo nacional achava-se em nível mais alto sob o governo de Stalin do que quando esteve sob o domínio dos czares. O vigor e a coragem dos soldados russos na Segunda Guerra Mundial foi simplesmente impressionante.

Hitler e Stalin tinham muito em comum, incluindo o fato de que cada um chegou ao poder como um forasteiro, sendo Hitler da Áustria, e Stalin, da Geórgia. Eram ambos praticamente desconhecidos, sem nenhum poder aos 35 anos de idade e extremamente subestimados por seus opositores. O rearmamento da Alemanha, feito por Hitler na década de 1930, tomou a França e a Inglaterra de surpresa, assim como aconteceu com o rearmamento da Rússia por Stalin. Os dois líderes cultivavam uma certa aptidão por contar mentiras plausíveis a seu povo e ao mundo; foram os marechais-de-campo da propaganda numa época em que sua influência era ainda mais ampliada pelo rádio e pelos filmes.

Stalin, Hitler e o ditador italiano Benito Mussolini, que assumiu o poder em 1922, comungavam uma forte determinação de reescrever os resultados da Primeira Guerra Mundial e, se necessário, retomar a guerra. A luta que começou em 1939 era a oportunidade que há muito tempo esperavam, feita sob medida.

Tradicionalmente, na Europa, uma longa guerra de maior vulto levava geralmente a um longo período de paz. Ao estabelecer uma classificação clara de importância entre as principais nações, uma guerra decisiva tornava possível que muitos problemas fossem resolvidos com diplomacia. Além disso, nas primeiras décadas de paz, as realidades e as terríveis perdas humanas na guerra eram geralmente lembradas com imagens bastante vivas. A diplomacia era, conseqüentemente, preferida à guerra como forma de resolver as disputas entre nações. Assim como a vitória decisiva nas longas Guerras Napoleônicas introduziram um longo período de relativa paz no imenso mundo europeu, esperava-se também que o fim da Primeira Guerra Mundial, vista com otimismo como a guerra que terminaria todas as outras guerras, introduzisse um período de paz ainda mais favorável. A tragédia dessa guerra foi exatamente porque, voltando no passado, ela não tinha sentido algum. A vitória foi logo esquecida, e outra guerra já estava em processo de desenvolvimento.

Por que a vitória foi tão breve? Infelizmente para os vitoriosos, e para a paz do mundo, o poder em massa que venceu a Primeira Guerra Mundial foi logo dissipado. Os Estados Unidos, cujo poder industrial era fundamental mesmo antes de os primeiros soldados terem partido em seus navios para lutar em 1917, retiraram-se mentalmente logo depois de a guerra ter terminado. Isolaram-se, fechando os olhos e os ouvidos para a Europa. O Japão, cuja potência naval havia colaborado durante os meses iniciais da guerra, também bateu em retirada. Assim, duas potências de importância, com grande interesse em preservar a vitória que haviam ajudado a conquistar, deixaram de usar seu peso contra as potências derrotadas. Isso raramente havia acontecido, se é que um dia chegou a acontecer, no resultado de uma guerra de tal vulto. Além disso, a Itália, também do lado vitorioso, estava desiludida por não lhe terem sido concedidas as colônias alemãs na África e outras posições que lhe foram prometidas pelos aliados. A Itália se tornou a terceira nação vitoriosa a não cumprir o tratado de paz, conquistado com unhas e dentes. A Rússia veio logo em seguida, tornando-se a quarta. Permaneceu do lado vitorioso até março de 1918 quando, exausta e revolucionada, retirou-se de sua guerra com a Alemanha. Como resultado, ela perdeu ou rendeu um imenso território, que incluía a Letônia, a Estônia e a Lituânia, tendo assim um incentivo para derrubar a nova Europa nascida em 1919.

Das nações poderosas que estavam do lado vitorioso em 1918, somente a Inglaterra e a França continuaram com forte incentivo de defender o tratado de paz e de desarmar a Alemanha e mantê-la desarmada. Esse era o sinal da incrível erosão da vitória de uma guerra.

Em seguida, veio a depressão, e um sentimento de impotência tomou conta de muitas nações industriais que haviam lutado na guerra. A depressão entregou o poder a Hitler, que estava determinado a quebrar o tratado de paz. Quando ele começou seu rearmamento, a Liga das Nações se encontrava frágil demais para intervir. Em março de 1936, Hitler menosprezou novamente o tratado, ocupando o Vale do Reno. Se a França e a Inglaterra juntas tivessem agido imediatamente, os soldados de Hitler poderiam ter marchado em retirada novamente.

Hitler continuou o rearmamento. A construção de estradas de alta velocidade e a recuperação da indústria automobilística serviu quase tanto quanto o rearmamento para abolir o desemprego. O moral e o amor próprio alemão alavancaram a Alemanha. Em março de 1938, as tropas de Hitler invadiram a Áustria; em outubro, ele subitamente ocupou a parte de língua alemã da Tchecoslováquia. Página por página, ele havia rasgado o Tratado de Versalhes. O principal perdedor da Primeira Guerra Mundial havia recuperado agora a maior parte de suas perdas territoriais dentro da Europa.

A nova guerra começou em 1939 com a invasão de Hitler à Polônia. A União Soviética uniu-se à invasão; a Polônia foi esmagada antes que a França e a Inglaterra pudessem dar-lhe a ajuda que haviam prometido. Nos anos de 1940 e 1941, Hitler tomou quase toda a parte central e ocidental da Europa, exceto a Itália e a Romênia, que eram aliadas, e Espanha, Portugal, Turquia, Suécia e Suíça, que eram neutras. Pegou Stalin de surpresa, invadiu a Rússia e, no final de 1941, sua vanguarda chegou às adjacências de Moscou. Mas quanto mais os alemães avançavam, mais suas linhas de suprimento tornavam-se vulneráveis. A invasão da Rússia por Hitler provou ser o ponto crítico tardio de uma guerra que, até então, lhe havia favorecido.

A Segunda Guerra Mundial consistia de duas guerras distintas: uma travada principalmente na Europa, e a outra, travada principalmente no leste da Ásia. A guerra na Ásia aconteceu mais cedo; começou quando o Japão invadiu a Manchúria em 1932 e tornou-se mais intensa em 1937, quando o Japão começou a ocupar a parte leste da China. A impressionante vitória de Hitler na Europa Ocidental, em 1940, expôs a fraqueza das colônias inglesas, holandesas e francesas no Sudeste Asiático, e as bases americanas nas antigas Filipinas espanholas. O Japão aproveitou-se dessa fraqueza e, em dezembro de 1941, atacou repentinamente os territórios e as bases que iam desde a Birmânia e Hong Kong até Pearl Harbor.

Imediatamente, as duas guerras – a européia e a asiática – se transformaram em uma só, com a Alemanha e o Japão lutando de um lado, e os Estados Unidos, a Inglaterra, a China e a maioria das outras nações do mundo, do outro. Essa, sim, era uma guerra mundial, enquanto a Primeira Mundial havia sido principalmente um conflito europeu com algumas pontas e farpas.

Nenhum acontecimento anterior, na paz ou na guerra, tinha refletido tanto o encolhimento do mundo. As aeronaves e o rádio saltavam pelos continentes. O Oceano Pacífico era agora atravessado como o Mediterrâneo na época das galeras. Fora um sinal da nova era da guerra mecânica em que, durante a decisiva Batalha do Mar de Coral, travada próximo à parte leste da Austrália em maio de 1942, as esquadras guerreiras do Japão e dos Estados Unidos não se viram uma à outra. Simplesmente lançaram uma aeronave que bombardearia os navios de guerra do inimigo e determinaria a vitória.

Nos últimos meses de 1944, depois de mais de cinco anos de guerra, o fim da luta surgiu à vista. A Alemanha e o Japão se depararam com a derrota total, mas era difícil prever se essa derrota viria em 6 ou 36 meses. Poucos acontecimentos humanos são tão imprevisíveis quanto a eclosão da paz.

> ESSA, SIM, ERA UMA GUERRA MUNDIAL. NENHUM ACONTECIMENTO ANTERIOR, NA PAZ OU NA GUERRA, TINHA REFLETIDO TANTO O ENCOLHIMENTO DO MUNDO.

CAPÍTULO 30
A BOMBA E A LUA

N o início do século 20, talvez a Física fosse a mais dominante das ciências. Ocupada em desvendar e inspecionar o mundo físico há muito tempo mantido em segredo, ela começou a ganhar um certo glamour. Parte de sua fama, entretanto, veio com uma percepção tardia. Se a bomba atômica não tivesse sido inventada, talvez a física não fosse vista com tanta admiração.

Durante muito tempo, o átomo fora proclamado como o último "tijolo" da obra. Um átomo era tão pequeno que, se 10 bilhões deles fossem colocados lado a lado, eles cobririam somente o espaço de 1 metro. Em 1704, em sua obra *Tratado de Óptica*, Isaac Newton escreveu que o átomo era tão duro e tão elementar que nunca poderia ser quebrado em pedaços, "nenhuma força comum poderia dividir o que o próprio Deus havia tornado único em sua Criação". Mais tarde, porém, veio a ser descoberta uma unidade ainda menor e mais complexa, chamada de núcleo. A enorme força do átomo e do núcleo para criar energia e infligir destruição não fora prevista no início da Primeira Guerra Mundial. Somente depois de pesquisas feitas pelo emigrante neozelandês Ernest Rutherford, o dinamarquês Niels Bohr e físicos de outras nações ocidentais é que sua força foi claramente conhecida.

Como a Alemanha estava à frente no ramo da Física, era de esperar que fosse também enérgica em tentar atrelar essa ciência à guerra. A Alemanha, entretanto, colocava a pureza racial acima da procura pelo

310

10 EXPANSÃO JAPONESA NA ÁSIA, 1941-42

conhecimento. Muitas de suas estrelas da física eram judeus e, na década de 1930, com muito bom senso, eles acabaram encontrando refúgio do outro lado dos mares. Os Estados Unidos demoraram a assumir a liderança das pesquisas nucleares. Em dezembro de 1942, conseguiram o domínio da divisão nuclear, mas ainda havia um longo caminho de experiências e pesquisas a ser percorrido.

A Alemanha foi finalmente conquistada em 1945, antes de os Estados Unidos estarem prontos para testar sua primeira bomba atômica. Mesmo assim, os americanos continuaram empenhando-se em suas pesquisas, pois ainda restava o Japão para ser derrotado. Em 16 de julho de 1945, a primeira bomba foi testada no deserto do Novo México; a explosão gerou tanto calor que a superfície do deserto, num raio de aproximadamente um quilômetro, foi derretida, transformando-se em vidro. Estava aí a arma mais extraordinária da história dos conflitos de guerra. Para a pergunta "Deveríamos usá-la contra as forças japonesas?" não havia resposta fácil, e a resposta escolhida ainda é debatida com grande impasse até os dias de hoje. Entre os líderes políticos americanos, havia um desejo de vingar Pearl Harbor. Na mente dos cientistas nucleares, havia a resolução, de certa forma compreensível, de testar a eficiência da arma pela qual eles haviam trabalhado tanto. Na mente dos generais americanos, havia o medo de que o Japão lutasse até o fim e de que, talvez, meio milhão de vidas americanas se perdessem antes de o Japão ser finalmente derrotado.

Em julho de 1945, cinco milhões de soldados japoneses estavam prontos para defender muitas de suas conquistas iniciais, incluindo a maior parte da China, o arquipélago da Indonésia, a Península da Malásia, Taiwan e o atual Vietnã. Os arsenais de munição dentro do Japão ainda eram altamente produtivos. Os japoneses mantinham mais de cinco mil aviões camicases, com pilotos corajosos dispostos a sacrificar suas vidas chocando-se contra os porta-aviões e as bases aéreas inimigas, e, além disso, ainda não estavam querendo admitir a derrota.

Hoje, muitos historiadores denunciam a decisão americana de lançar bombas atômicas sobre o Japão como outro passo na infâmia humana; argumentam que a bomba inaugurou uma nova era de massacre de civis. E, apesar disso, talvez essa nova era já houvesse chegado. Ataques aéreos sobre cidades alemãs e japonesas com bombas convencionais já eram mortais o suficiente. Um desses ataques realizados sobre Tóquio, no mês de maio anterior, havia matado 82 mil civis ou quatro décimos dos japoneses que foram mortos pela primeira bomba atômica. E se a guerra continuasse indefinidamente e somente bombas altamente explosivas fossem usadas, centenas de milhares de civis japoneses seriam mortos pelos ataques e bombardeios aéreos, e talvez, por fim, pela invasão das ilhas do Japão.

Esses argumentos foram amplamente aceitos pelo presidente Truman, em Washington. Um fator crucial, entretanto, não foi percebido. A bomba atômica, quando lançada, faria o que nenhuma outra bomba normal podia fazer: sua radiação criaria danos genéticos, punindo assim as crianças ainda não nascidas pelos fracassos e pecados da geração japonesa da guerra. Mas mesmo que a radiação tivesse sido inteiramente compreendida pelos cientistas, eles ainda assim poderiam ter chegado à mesma conclusão, de que a bomba atômica deveria ser usada contra os japoneses. Por aproximadamente seis anos, essa terrível guerra generalizada fora travada. A vitória não devia ser adiada: esse argumento tem muito mais impacto sobre aqueles que viveram o momento do que sobre aqueles que a viram décadas depois.

Em 6 de agosto de 1945, um pesado bombardeiro americano voou das Ilhas Marianas em direção ao Japão, e a bomba foi então lançada. A maior parte de Hiroshima virou praticamente um alto-forno e aproximadamente 90 mil japoneses foram mortos. Na vizinha Tóquio, não havia nenhum sinal de rendição. Três dias depois, uma segunda bomba atômica, a última bomba desse tipo no arsenal americano, foi lançada sobre a cidade de Nagasaki. Mesmo assim, a mensagem esperada com tanta ansiedade não chegou de Tóquio. Cinco dias depois, o imperador do Japão pessoalmente anunciou no rádio que sua nação havia se rendido. Era um sinal da frieza e da majestade do imperador que sua voz estivesse sendo ouvida no rádio pela primeira vez. Estava aí um imperador exercendo relíquias de seu poder divino numa era moldada por Marconi e Henry Ford.

Os primeiros tiros oficiais da Segunda Guerra Mundial haviam sido dados nas planícies do norte da Europa e, agora, os documentos de paz eram assinados num navio de batalha ancorado na Baía de Tóquio. No decorrer da guerra, mais de 107 milhões de pessoas haviam se alistado nas forças armadas. Talvez 11 milhões de soldados russos tenham sido mortos, um número maior que o total das forças que lutaram dos dois lados na Primeira Guerra Mundial. As mortes nas forças japonesas e alemãs juntas atingiram quase cinco milhões. As mortes de civis foram muito maiores que as da guerra anterior. Na China, talvez tenham atingido o número de 20 milhões e, na Rússia, talvez 11 milhões.

Os judeus, cuja população antes da guerra em toda a Europa era pequena comparada com a população da Alemanha, haviam sofrido mais mortes no total do que as forças armadas alemãs e os civis alemães que viviam nas cidades bombardeadas. Ironicamente, muitos judeus um dia chegaram a se sentir seguros na Alemanha. Na verdade, um enorme contingente de judeu-alemães havia assumido posições de honra no direito, nas universidades e na medicina. Alguns haviam viajado para a Alemanha com esperança, vindos de terras problemáticas, rejeitando a oportunidade de emigrar para os crescentes povoamentos judeus na Palestina: na época, o estado de Israel ainda não havia sido criado. Mas, em 1942, talvez antes, os líderes alemães já haviam resolvido exterminar os judeus em todas as terras que dominavam. Pelo menos cinco milhões foram mortos.

> EM 1942, OS LÍDERES ALEMÃES JÁ HAVIAM RESOLVIDO EXTERMINAR OS JUDEUS; PELO MENOS CINCO MILHÕES FORAM MORTOS.

314

A esse projeto de liquidação os líderes nazistas deram o nome de "a solução final da questão dos judeus". Mais tarde, "o holocausto" tornou-se a descrição mais simplificada. Em meio à selvageria e ódio, esse evento não foi único. A história da humanidade, através dos séculos, é temperada com atos de selvageria em grandes proporções, bem como de generosidade e boa vontade. Mas o holocausto foi aterrorizador devido à proporção dos massacres e à recusa em isentar os mais idosos e os mais jovens. Foi um choque para a idéia de progresso humano, pois havia sido projetado e executado por uma nação que era vista por muitos olhos imparciais, no início do século, como a mais civilizada e culta do mundo.

A existência de armas nucleares também foi um choque para a idéia de progresso humano. A maioria das pessoas do mundo teria se sentido segura se os Estados Unidos sozinhos tivessem possuído essa arma tão superior a todas as outras. Mas um país, a União Soviética, não se sentiu seguro e, por isso, tinha de possuir uma arma semelhante. Finalmente, em 1949, os russos secretamente testaram sua primeira bomba atômica. Como resposta, foi apresentada em 1951, pelo presidente Truman, uma arma ainda mais poderosa: a bomba de hidrogênio.

JUNTANDO OS PEDAÇOS DO MUNDO NOVAMENTE

Depois de 1945, a Europa dividiu-se em duas. As democracias dominavam a metade ocidental. A União Soviética controlava a metade oriental, incluindo parte da Alemanha. Duas outras nações comunistas, Albânia e Iugoslávia, formavam uma área isolada na metade ocidental. A tensão entre o comunismo e o capitalismo democrático foi então chamada de Guerra Fria, embora, observando hoje o passado, na verdade houve muito mais paz do que guerra.

A Alemanha, ocupada pelos vitoriosos, havia perdido praticamente todo o seu poder. Até mesmo a Inglaterra, a França e a Holanda tinham menos poder do que em 1939. Os danos causados pela guerra tiveram enormes proporções, e essas nações haviam incorrido em pesadas dívidas ou vendido patrimônios no exterior para financiar a guerra. Além disso, suas colônias ultramarinas, que eram uma fonte de orgulho e de possível renda, mais do que uma renda real, pareciam dispostas a buscar ou a forçar sua independência.

A maioria dos líderes se recusava a enfrentar o fato de que as nações se encontravam agora mais enfraquecidas em sua influência. A Europa havia seguido as pegadas dos centros de poder anteriores que, quando estavam no auge de sua confiança, acabavam brigando internamente. As cidades-estado gregas haviam travado guerras autodestrutivas entre si e perdido coletivamente sua supremacia. O império de Roma havia sido enfraquecido por conflitos internos e guerra civil. O Islã e o cristianismo também haviam sofrido cismas. A China e o império sul-americano dos incas, exatamente quando sua autoconfiança estava em alta, foram dilacerados por disputas internas. A colisão pós-guerra entre o comunismo

315

na Rússia e o capitalismo no ocidente foi outra fase na longa história das disputas européias. Apesar disso, a Europa conseguiu ser salva da decadência através de uma crescente união.

Essa união começou simplesmente como a proposta de uma pequena zona de livre comércio, abrangendo as indústrias de carvão, ferro e aço dos tradicionais inimigos, Alemanha Ocidental e França. Quando foi inaugurada, em 1952, contava com seis nações-membro. Em 1970, já era o maior mercado comum da história, envolvendo mais pessoas e comércio do que o outro antigo mercado comum, os Estados Unidos da América. Em 1993, quando se tornou uma união política e econômica, abrangeu 15 nações, estendendo-se, com duas exceções, desde Portugal e Irlanda, a oeste, até a Grécia e a Finlândia, a leste. Conhecida como União Européia, ela praticamente constitui hoje uma nova nação.

A Europa ressuscitou, embora tenha perdido quase todas as suas colônias. De alguma forma, as colônias eram um fardo, embora não tivessem sido vistas assim durante os quatro séculos e meio em que, uma a uma, foram adquiridas. Mesmo em 1945, a posse de colônias ultramarinas trazia prestígio e, por isso, não foram rendidas tão facilmente.

No início da Segunda Guerra Mundial, aproximadamente um terço dos povos do mundo ainda vivia sob o domínio europeu. Os altos e baixos da guerra, principalmente os apuros militares sofridos pela França, Holanda e Inglaterra em 1940 e 1941, abalaram o controle europeu. As lutas mostraram que as potências coloniais européias não eram invencíveis. Em muitas colônias, os lutadores da resistência aproveitaram sua oportunidade. A moralidade das nações que possuíam colônias foi desafiada nos parlamentos europeus onde, após a guerra, os partidos de esquerda tornaram-se mais fortes.

A primeira grande colônia a ser libertada foi a Índia. Seu principal libertador foi Mahatma Gandhi, um dos mais notáveis políticos do século. Em 1891, com vinte e poucos anos de idade, Gandhi tornou-se advogado em Londres, vestia-se elegantemente, aprendeu dança e elocução. Já no fim da década, era um próspero advogado na África do Sul, mas começando a viver uma vida ascética, fazendo suas próprias roupas e submetendo-se a

316

períodos de jejum, hábito aprendido com sua mãe. Em 1907, o parlamento da região de Transvaal obrigou os residentes asiáticos a portar carteiras de identidade, e Gandhi, pela primeira vez, aplicou sua "resistência passiva". Como resultado, passou um total de 249 noites na cadeia. Ao voltar à Índia, em 1915, ele formulou a campanha pela independência da Índia com uma estratégia de desobediência civil em relação ao domínio inglês. Usando sandálias, um pedaço de pano branco em forma de xale jogado sobre o ombro e outro pedaço ao redor do quadril, formando um tipo de saia, geralmente mostrando seu sorriso desdentado para os fotógrafos dos jornais, ele se tornou o mais famoso de todos os indianos aos olhos do mundo exterior. Tentou mais do que qualquer outra pessoa unir uma terra que não podia ser unida.

> GANDHI TENTOU MAIS DO QUE QUALQUER OUTRA PESSOA UNIR UMA TERRA QUE NÃO PODIA SER UNIDA.

Quando a Índia adquiriu sua independência em 1947, foi dividida em duas nações separadas, uma Índia hindu e um Paquistão islâmico; mais tarde, Bangladesh tornou-se uma terceira nação. Nas convulsões sociais e políticas que cercaram a divisão de 1947, perto de 15 milhões de pessoas saíram como refugiados para que pudessem viver com segurança na Índia de sua escolha. Gandhi foi vítima desse primeiro ano turbulento da independência, vindo a ser morto por um militante hindu.

A Índia realizou sua primeira eleição nacional em 1952, com o direito de voto concedido a quase todos os adultos, alfabetizados ou não. Foi um dos eventos mais impressionantes da história política: a segunda nação mais populosa do mundo estava em processo de implementação de um sistema de governo inventado, primeiramente, para pequenas assembléias democráticas nas cidades da Antiga Grécia, numa época em que o mundo inteiro tinha menos pessoas do que a Índia democrática no ano de suas primeiras eleições.

A China também se libertou. Embora nunca tivesse perdido a independência completamente, esta havia enfraquecido durante os últimos cem anos, por resistir a russos, ingleses, franceses, alemães e, especial-

317

mente aos japoneses, para cada um dos quais ela havia feito concessões ou perdido território. Também foi enfraquecida pela sua própria guerra civil. Mao Tsé-tung, que liderou brilhantemente os comunistas durante uma longa guerrilha, finalmente saiu vitorioso em 1949, deixando para seus opositores somente Taiwan.

Esperava-se que a nova República Popular da China, sendo a nação mais populosa do mundo, aos poucos readquirisse a autoridade que havia tido há uns cinco séculos. Mas o relacionamento entre a população e o poder geralmente tem sido precário e complicado. Em vez de tornar-se uma das principais potências, a China comunista permaneceu em total atraso econômico. O interior do país estava dominado pela pobreza, e o progresso econômico era mais um cântico de propaganda do que um fato real.

O líder da libertação da China, conhecido hoje como "o grande timoneiro", acreditava que as mentes das pessoas eram felizmente "vazias"

> EM 1966, A CHINA FOI O GRANDE CENÁRIO DE UMA REVOLUÇÃO CULTURAL OU DE UM DRAMA POPULAR DE MORALIDADE.

e que ele podia gravar sobre elas uma mensagem indelével. Em 1966, sua nação foi o grande cenário de uma revolução cultural ou um drama popular de moralidade, estreada em grande escala, com mortes, prisões e exílio rural impostos sobre aqueles líderes de opinião que fossem julgados como politicamente imorais ou incorretos. A nação que, cinco séculos antes, provavelmente havia liderado o mundo na utilização dos talentos de seu povo, agora deliberadamente consignava centenas de milhares de seus professores, artistas e intelectuais às tarefas enfadonhas de criar porcos, trabalhar na colheita e tirar água dos moinhos para irrigação. Só na década de 1980 é que a China começou a dar o grande salto adiante que havia sido o orgulho de sua propaganda de partido, três décadas antes.

A Indonésia foi outra das extraordinárias nações que emergiram na década após a Segunda Guerra Mundial. Em 1940, as ilhas da Indonésia tinham aproximadamente 70 milhões de habitantes, somente três milhões a menos que o Japão. Depois de um pouco mais de um século, a Indonésia já tinha mais de 200 milhões de pessoas, sendo excedida somente pela China, Índia e Estados Unidos; tornara-se também a nação islâmica mais populosa do mundo.

A Indonésia foi erguida e, em seguida, quase destruída pelo presidente Sukarno. Nascido de mãe balinesa hinduísta e pai javanês muçulmano, ele desenvolveu um talento para palavras e línguas. Finalmente, aprendeu a falar holandês, em cuja língua recebeu a maior parte de sua

11 COLÔNIAS EUROPÉIAS NA ÁFRICA, NO INÍCIO DE 1914

educação, e inglês, francês, alemão, japonês, javanês, balinês e sundanês (língua falada na parte ocidental de Java). Obviamente, aprendeu árabe também para que pudesse estudar o Alcorão. Ao mesmo tempo, tinha mais conhecimento de tecnologia do que a maioria dos outros que vieram a liderar novas nações e, em 1925, formou-se em engenharia pela Universidade de Bandung, em Java.

Confiante, exuberante, um mágico dos discursos, Sukarno protestou contra o domínio holandês numa época em que as revoltas coloniais no mundo ainda não eram freqüentes. Durante treze anos, ele era encontrado ou na prisão, ou exilado de sua pátria, a ilha de Java. Quando os japoneses ocuparam as Índias Orientais Holandesas em 1942, Sukarno acolheu-os e tornou-se consultor especial, bem como líder de seu povo. Após o Japão ter sido derrotado, ele recomeçou sua luta contra os holandeses, conquistando a independência de sua nação em 1949. Permitiu uma eleição parlamentar em 1955 e, não gostando do resultado inconclusivo, acabou escolhendo o que chamou de "democracia guiada", com ele mesmo como guia e com uma democracia não tão visível assim. Como muitos dos fundadores de novas nações, acabou sendo derrubado de seu pedestal.

Entre 1945 e 1960, as colônias, que somavam um quarto da população mundial, ganharam liberdade. A maioria dos líderes das novas nações não tinha nenhuma experiência de governo. Sua burocracia não era treinada, sua ansiedade em conseguir dinheiro emprestado excedia em muito sua capacidade de quitar as dívidas. Guerras contra vizinhos ou preparos de guerra absorviam dinheiro que poderia ser usado na construção de ferrovias, barragens, hospitais, escolas e cidades. Encontravam-se poucos empreendedores com habilidade para desenvolver os recursos naturais disponíveis nas nações recém-criadas.

O TERCEIRO MUNDO, NOME INVENTADO NA FRANÇA, FICAVA EM TERCEIRO DA LISTA EM TUDO, FOSSE RENDA MÉDIA OU TAXA DE ALFABETIZAÇÃO.

O Terceiro Mundo, nome inventado na França para descrever as novas nações pobres e não estruturadas, ficava em terceiro da lista em tudo, fosse renda média ou taxa de alfabetização. Em um aspecto, porém, ocupava o primeiro lugar: sua população crescia a uma velocidade como nenhuma outra nação havia vivenciado na história do mundo até então conhecida. A difusão do conhecimento em Medicina, a presença de mais médicos e enfermeiros, a vacinação de crianças, a luta contra a malária e as melhorias na higiene pública fizeram baixar a taxa de mortalidade, enquanto a taxa de natalidade continuava alta. Entre 1950 e 1980, numa época em que novas atitudes e a nova pílula anticoncepcional puseram um freio na taxa de natalidade da Europa, a população de várias terras mais pobres praticamente dobrou. O principal desafio, tão formidável quanto o vivido em possivelmente qualquer outra fase da história humana, era simplesmente como alimentar o povo em rápida multiplicação. A assim chamada revolução verde, com suas novas espécies de arroz e outras plantas comestíveis, salvou inicialmente a situação, mas a população ainda se multiplicava. A China já tinha perto de um bilhão de habitantes quando, em um dos experimentos mais raros da história mundial, tentou restringir as famílias a terem um só filho.

A África, a arena mais movimentada da descolonização, em pouco tempo chegou a ter nações demais, palácios presidenciais demais e muitos embaixadores vivendo no luxo em cidades no exterior. Em 1982, a África já contava com 54 nações, mais de duas vezes a quantidade de nações da Ásia inteira. Algumas nações africanas tinham, cada uma, menos de um milhão de habitantes. Em nenhuma nação africana, a educação superior recebeu prioridade e, como conseqüência, o continente inteiro, em 1980, tinha menos universidades que o estado americano de Ohio. A África Negra foi prejudicada pelo tribalismo, e mesmo os colonizadores brancos da África do Sul inventaram sua própria forma de tribalismo, chamado de *apartheid*. Como regra geral, no espaço de uma década, o padrão de vida da maioria das nações africanas permanecia o mesmo.

Fora a Europa, a América do Norte e as outras terras colonizadas principalmente por europeus, as conquistas econômicas no período pós-guerra ficaram bem aquém das expectativas iniciais. O leste da Ásia era uma exceção espetacular. O Japão apresentou, entre 1945 e 1990, um sucesso econômico como nenhuma outra nação européia. Cingapura,

321

Malásia, Tailândia, Hong Kong, Coréia do Sul e Taiwan, a maioria das quais tinha um grande setor de linhagem chinesa, também começaram a ter um desempenho impressionante. Ao contrário, a China em si, por desprover o povo de incentivos econômicos, mal conseguiu rastejar-se no espaço de três décadas. Na história do pós-guerra, havia um contraste notável entre a lentidão da China e a energia sistemática dos relativamente poucos milhões de imigrantes chineses que viviam em terras capitalistas do outro lado do mar.

Nos negócios militares, a Ásia não podia mais ser deixada de fora. Nenhum cientista, em sua posição de neutralidade, havia previsto, em 1945, que a China e a Índia testariam suas próprias armas nucleares dentro de um quarto de século, ou que nações tão pequenas como o Iraque e a Coréia do Norte levariam em frente suas ambições nucleares, ou que o Paquistão possuiria sua própria bomba no fim do século.

Rumo à Lua

A Segunda Guerra Mundial havia despertado a necessidade de novas formas de propulsão. Em 1944 e 1945, na França ocupada, os alemães usaram foguetes poderosos para lançar mísseis que podiam voar em linha reta e atingir Londres, do outro lado do mar. Em períodos de paz, esses mesmos foguetes ofereciam uma forma de lançar transmissores de rádio que, de lá de cima, podiam emitir sinais amplificados a todos os cantos da Terra.

Em 10 de julho de 1962, um dia tão importante quanto qualquer outro do século 20, imagens de televisão e conversas ao telefone entre a Europa e os Estados Unidos foram transmitidas via satélite. Os satélites logo tomaram conta do mundo. Tornaram-se fundamentais para a comunicação mundial e para tarefas tão diversas quanto a previsão do tempo, a exploração de minerais e para permitir que navios e aeronaves conseguissem marcar sua posição nos gráficos. No Golfo Pérsico, em 1991, os satélites foram usados pelos Estados Unidos para guiar suas armas a alvos distantes, alguns dos quais situavam-se no local daquelas mesmas civilizações dos vales que haviam se desenvolvido há milhares de anos.

Com os novos foguetes, o espaço sideral podia ser explorado. Na corrida para explorar esse novíssimo mundo, os soviéticos assumiram a liderança inicial. Em outubro de 1957, lançaram sua primeira nave espacial, que girou na órbita da Terra; não havia piloto a bordo. No ano seguinte, os russos puseram dois cães em órbita, a bordo da Sputnik III, onde, confinados em um espaço mínimo, passearam em, estado de glória, a 500 quilômetros acima da Terra.

Na caríssima competição para enviar a primeira pessoa ao espaço, os russos ganharam por 23 dias, enviando Yuri Gagarin e sua cápsula espacial em uma impressionante órbita em torno da Terra, em 12 de abril de 1961. Esse foi um dos notáveis dias na história da raça humana, sem que nenhum outro feito espacial subseqüente pudesse superá-lo. O corajoso sonho de colocar uma pessoa na Lua foi realizado pelos Estados Unidos em 20 de julho de 1969, quando, diante de uma enorme audiência de televisão, Neil Armstrong e "Buzz" Aldrin, usando roupas um tanto esquisitas, saíram de sua nave e andaram na Lua. Em 1976, uma espaço-nave americana não tripulada pousou em Marte. Como Marte fica mil vezes mais longe da Terra do que a Lua, foi o equivalente ao navio de Vasco da Gama finalmente chegando à Índia, em vez de a Gibraltar.

A exploração do espaço foi um triunfo para os russos e para os americanos. Mas, no final, a enfraquecida economia russa não conseguia financiar os altos objetivos militares e científicos da nação. O custo dos mísseis mais modernos, das enormes forças armadas, da corrida espacial e o golpe sofrido pelo moral nacional, causado por uma guerra frustrada com o Afeganistão, se mesclaram para enfraquecer a União Soviética. Uma economia ineficiente não podia se dar a esse luxo e, assim, o padrão de vida da União Soviética ficou bem atrás do da Europa Ocidental. Enquanto isso, os cidadãos da Polônia, impulsionados pela greve dos estaleiros em 1980, e da Tchecoslováquia, começaram a se rebelar contra o comunismo. De Moscou, não chegou nenhuma retaliação efetiva.

As nações do Leste Europeu desligaram-se da União Soviética e do comunismo. Até mesmo aos estados que compunham a União foi permitido separar-se. Em dezembro de 1991, a própria União Soviética deixou de existir. Seu colapso foi outro passo, embora tardio e imprevisto, no processo de descolonização. De uma só vez, a Rússia perdeu seu império em terra, assim como Inglaterra, Holanda, França e Portugal, no período de 1945 a 1975, haviam perdido a maior parte de seus impérios ultramarinos.

Quando a União Soviética estava em alta, parecia ser possível que o russo se tornasse a principal língua internacional; já era a língua da diplomacia do segundo maior bloco de poder do mundo. Na década de 1950, era a principal língua estrangeira ensinada na China. Vista como a língua do futuro, foi estudada com avidez pelos jovens socialistas na África; no fim do século, entretanto, a língua russa havia perdido sua importância.

A popularidade do inglês como língua mundial era apenas um dos sinais da crescente influência americana durante o século 20. Durante os primeiros quarenta anos do século, a influência americana no mundo era bem menor do que seu tamanho e seu possível poder sugeriam. Não era uma nação comercial dominante e, em política externa, tendia a manter o isolamento.

As décadas de 1940 e 1950 foram as primeiras em que os Estados Unidos exerceram influência contínua e profunda sobre o mundo, e poderiam igualmente ser chamadas de as décadas da Rússia, pois essa nação desempenhou o principal papel na derrota de Hitler, ajudando o comunismo a vencer na China e conquistando para si a liderança inicial na corrida espacial. Daí em diante, os Estados Unidos dominaram o século; nem mesmo o Império Britânico, quando tinha colônias em todos os continentes em quase todas as rotas marítimas importantes, exerceu influência comparável ao atual poder dos Estados Unidos em assuntos econômicos, militares, políticos e culturais.

O poder dos Estados Unidos dependia principalmente de seu tímido império de idéias, atitudes e inovações. Suas idéias se espalhavam sem esforço algum em terras estrangeiras, independentemente de quem possuísse a terra. Uma grande parte de sua influência vinha de inovações como o telefone, a eletricidade, as aeronaves, o carro a preços mais acessíveis, as armas nucleares, as naves espaciais, os computadores e a Internet. Sua influência vinha do *jazz*, dos desenhos animados, de Hollywood, da televisão e da cultura popular; vinha de uma certa excitação pela tecnologia e pelas mudanças econômicas e da crença nos incentivos e nos empreendimentos individuais. Era também o missionário mais fervoroso pela crença da democracia; embora o poder militar e econômico fossem fundamentais para o sucesso dos Estados Unidos, o poder de seu império de idéias foi provavelmente ainda mais abrangente.

O papel mundial dos Estados Unidos talvez seja o último capítulo do longo período de expansão européia, que começou na Europa Ocidental, principalmente nas margens do Atlântico, durante o século 15. A Europa, aos poucos, ultrapassou sua terra original, e seu império cultural acabou formando uma longa faixa que atravessava a maior parte do Hemisfério Norte, mergulhando do outro lado, no Hemisfério Sul. Na história dos povos europeus, a cidade de Washington talvez seja o que Constantinopla, a cidade criada pelo imperador Constantino, foi para a última fase do Império Romano, pois é pouco provável que os europeus, daqui a um século, continuem a marcar o mundo de forma tão decisiva com suas idéias e invenções.

> O PAPEL MUNDIAL DOS ESTADOS UNIDOS TALVEZ SEJA O ÚLTIMO CAPÍTULO DO LONGO PERÍODO DE EXPANSÃO EUROPÉIA, QUE COMEÇOU NA EUROPA OCIDENTAL DURANTE O SÉCULO 15.

CAPÍTULO 31
NEM FRUTAS, NEM PÁSSAROS

U ma das profundas mudanças ocorridas na história da humanidade é tão óbvia que raramente é comentada: apesar de um dia terem sido de extrema importância, as diferenças gradativamente deixaram de ser tão nítidas. As estações perderam suas características de distinção; e assim aconteceu com as diferenças entre noite e dia, verão e inverno. À medida que o céu noturno se tornava menos importante, a Lua também diminuía sua influência sobre as atividades humanas. Trabalho e lazer, cidade e campo deixaram de proporcionar esses contrastes.

No imenso espaço de tempo em que predominaram os caçadores e agricultores, as estações foram de extrema importância. O verão e o inverno, a primavera e o outono determinavam o que as pessoas comiam, as cerimônias de que participavam, os confortos e dificuldades de suas vidas cotidianas. A maioria dos seres humanos, mesmo em 1800, ainda era composta de agricultores e criadores de rebanhos, e profundamente afetada pela mudança das estações. Assim, no inverno, ovos, frutas e até mesmo carne, a não ser que tivesse sido salgada, eram luxos. O verão da fartura cedia seu lugar a um inverno de contenções. Thomas Hood, poeta inglês, uma vez escreveu:

"Nem frutas, nem flores, nem folhas, nem pássaros,
Novembro."

Manuscritos religiosos feitos mil anos antes enfatizavam como as estações eram distintas umas das outras. Para cada mês, pintavam um cenário diferente ou propiciavam um determinado tipo de tarefa, dando um sabor especial a cada período. Hoje em dia, nenhum mês consegue ser marcado da mesma forma por um trabalho ou uma tarefa específicos.

Hoje, se é que há uma tarefa típica de um determinado mês, essa provavelmente seria uma atividade de lazer: armar a árvore de Natal ou assistir à final do campeonato de futebol. Ao contrário, um manuscrito bizantino datado do ano 1100 escolhia as tarefas mensais típicas de um dia de trabalho nos Bálcãs e na Ásia Menor. Em abril, o pastor era representado preparando-se para tirar seu rebanho do curral e levá-lo aos pastos frescos das colinas, após ter passado o inverno alimentando-se do feno previamente estocado. Maio era simbolizado pelas flores. Junho representava homens cortando a grama viçosa para o preparo de feno. Já em outubro, o verão estava terminando, e os caçadores traziam em seus pulsos um pequeno pássaro chamariz para atrair e capturar outros pássaros comestíveis de maior tamanho, antes que migrassem. Em novembro, os lavradores preparavam a terra para a semeadura da safra do ano seguinte. E assim, numa seqüência ordenada, o ano de trabalho era ditado pelas estações, embora as tarefas reais variassem de região para região.

Até os combates de guerra eram afetados pelas estações. No Hemisfério Norte, as guerras internacionais geralmente eclodiam na primavera ou no verão. Nos anos entre 1840 e 1938, um total de 44 guerras foram travadas nas terras do Norte, onde havia um nítido contraste entre inverno e verão. Dessas guerras, somente 3 começaram nos meses de inverno e 26 começaram durante os meses mais quentes de abril a julho. A chegada da primavera oferecia a chance de atacar e derrotar o inimigo, pois os rios eram atravessados com maior facilidade, as estradas rurais ficavam menos obstruídas pela lama e pelo gelo, os dias eram mais longos e os exércitos, que avançavam pelo interior em época de plena floração, podiam roubar ou comprar seus alimentos. Na China, a época tradicional para os combates rápidos era o outono, pois a colheita acabara de ser feita, os rios eram mais fáceis de atravessar, e a terra seca permitia que as tropas marchassem com maior rapidez até a localidade escolhida para seu primeiro ataque.

As viagens eram sempre reguladas pelas estações. Na Ásia, o início ou fim da monção anual indicava a partida das esquadras mercantes, fossem os típicos navios costeiros árabes, de um mastro e uma só vela, ou os paraus, embarcações típicas da Malásia. Na Europa, a maioria das viagens era adiada até que as tempestades de inverno tivessem cessado. No século 16, a maior parte dos peregrinos alemães saía de Veneza rumo à Terra Sagrada, em junho ou julho, partindo da Alemanha logo que a neve dos Alpes tivesse derretido.

Na Europa, o primeiro dia de maio homenageava o limite entre frio e calor, entre fome e fartura. A meia-noite da véspera do dia 1º. de maio era recebida com o toque de tambores e o sopro de berrantes. Havia danças em torno de mastros enfeitados, às vezes envolvendo tantas brincadeiras sexuais que, como conseqüência, o dia acabou sendo denunciado pelos sacerdotes, na época da Reforma religiosa. De repente, o leite e a nata se tornavam abundantes. Em partes da Inglaterra, um dos pontos altos do dia 1º. de maio era ordenhar vacas diretamente num balde contendo vinho xerez ou do porto, de forma que os jatos de leite quente e cremoso tornassem a bebida mais saborosa.

A celebração do 1º. de maio se estendeu às cidades, cada vez mais populosas. Em Londres, no século 18, as mulheres que trabalhavam na ordenha fizeram deste também o seu dia. Um século depois, tornou-se o dia dos limpadores de chaminés que, com a chegada de noites mais quentes, espanavam sistematicamente a fuligem que se havia acumulado nas chaminés das casas durante o inverno. Na parte continental da Europa, os socialistas e sindicalistas acabaram tomando para si o dia 1º. de maio. Sua escolha era natural, pois, por muito tempo, fora considerado um dia de esperança e renovação. Nas regiões da China onde o inverno era rigoroso, a visão de flores frescas nos mercados das cidades era o equivalente ao dia 1º. de maio. As primeiras peônias amarelas eram as favoritas e, até mesmo no século 8º., elas já impunham o alto preço equivalente a "cinco cortes de seda".

A chegada de maio e sua enxurrada de leite, carne, ovos, manteiga e flores tornaram-se menos excitantes devido a certas inovações como o barco a vapor, as ferrovias, as fábricas de enlatados e as máquinas de refrigeração. Na segunda metade do século 19, chegou à Europa uma chuva de novos tipos de alimentos vindos de terras distantes. Já em 1850, um quarto dos pães consumidos na Inglaterra vinha de grãos produzidos nos Estados Unidos e na Ucrânia. Na mesma época, alimentos enlatados eram despachados de navio pelo Atlântico até a Europa: latas de carne bovina, carne de carneiro e peixe seguidas de latas de vegetais, frutas e geléia. Em 1880, carne bovina e ovina eram despachadas para a Europa de lugares tão distantes quanto Buenos Aires e Sydney.

No ano 2000, em cidades prósperas, todas as grandes lojas de departamento exibiam morangos, abacaxis e rosas, todos fora de estação, mas trazidos de longe. Nos séculos anteriores, fosse ao longo do Rio Amarelo, na China, ou do Rio Avon, na Inglaterra, não fazia sentido pedir uma fruta ou uma flor que estivesse fora da estação.

A NOITE E O DIA JÁ NÃO SE DISTINGUEM MAIS

Durante a maior parte da história da humanidade, o contraste entre noite e dia era tão acentuado quanto o contraste entre verão e inverno. A escuridão mantinha as pessoas dentro de sua caverna, em seus abrigos nas árvores, em suas cabanas ou casas de fazenda. O medo de animais selvagens também servia de incentivo para ficarem dentro de casa ou próximos à luz protetora de uma fogueira. A noite estava ligada ao sinistro. Dizia-se que o diabo conduzia orgias, e as bruxas voavam em suas vassouras no meio da noite. Pelo menos duas das principais religiões viam a noite como uma hora em que, no silêncio e na escuridão, Deus poderia lhes falar. Maomé recebeu a maior parte do Alcorão quando já se fazia bem tarde da noite. Os primeiros cristãos viam virtude em rezar à noite porque podiam fazê-lo em silêncio. Muitos esperavam que Cristo retornasse à meia-noite.

À medida que as cidades, pequenas e grandes, tornaram-se importantes, a escuridão perdeu um pouco de seu terror. Mas, mesmo na época de Colombo e Lutero, as principais ruas das cidades eram pouquíssimo iluminadas ao anoitecer. Dentro das típicas casas européias, a luz era fraca demais para se ler um livro, e, de qualquer forma, na maioria das casas, nem mesmo havia um livro sequer.

Em muitas cidades européias, a uma certa hora após o anoitecer, foi decretado por lei que o fogo das casas deveria ser apagado ou coberto. Antes que a família fosse dormir, devia-se ter certeza de que o fogo estava sob controle. Essa regra simples ajudou a evitar que muitas cidades, onde as casas de madeira eram coladas umas às outras, pegassem fogo. Na Inglaterra, Guilherme, o Conquistador, recém-chegado da França, ordenou um toque de recolher às 20 horas, após o qual todo fogo era controlado. Durante a maior parte da história do mundo, o advento da noite era como o fechamento de uma porta. Poucas ocupações continuavam à noite; ser vigia noturno, por exemplo, era seguir uma ocupação solitária.

Durante o século 19, uma mudança extraordinária atingiu algumas cidades da Europa, Austrália, América do Norte e Ásia: a noite deixou de ter um contraste nítido com o dia. Dentro das casas, pela primeira vez na história, a luz artificial à noite era freqüentemente mais clara que a luz natural do dia, graças à abundância de óleo de baleia, ao novo querosene extraído dos campos petrolíferos subterrâneos, à invenção do gás e da eletricidade. Muitas atividades diurnas podiam, se necessário, ser continuadas durante as primeiras horas da noite. Além disso, em 1900, as ruas das grandes cidades eram iluminadas por eletricidade e interligadas por bondes e trens, permitindo às pessoas viajarem pequenas distâncias para executar suas atividades sociais após o anoitecer.

As novas formas de fornecimento de luz também proporcionavam calor no inverno. As casas podiam ficar tão quentes quanto no verão. A lã havia sido a principal matéria-prima para roupas de inverno e cobertores, mas, antes do final do século 20, o aquecimento das casas e escritórios estava tão disseminado, e as fibras sintéticas tão baratas, que a lã não tinha mais uma forte demanda para esse tipo de roupa.

A perda de distinção entre o dia e a noite foi auxiliada de forma inesperada pelas novas comunicações eletrônicas. Estas proporcionavam contato instantâneo e, assim, alguém que vivesse em uma localidade que estivesse sob a luz do dia poderia conversar com alguém em outro lugar, muito distante, onde já fosse noite. Foi o engenheiro italiano Guglielmo Marconi quem descobriu uma forma de transmitir mensagens através de ondas eletromagnéticas e enviou uma mensagem invisível até o outro lado do estreito Canal de Bristol, em 1897. As experiências, aos poucos, ampliaram o raio das mensagens. Quatro anos depois, Marconi estava na Terra Nova quando recebeu, de um transmissor de rádio situado na Cornualha, do outro lado do Atlântico, uma mensagem com sinal ainda bastante fraco. Era mais uma seqüência de sons do que uma mensagem, mas certamente causou uma grande excitação.

> FOI O ENGENHEIRO ITALIANO GUGLIELMO MARCONI QUEM DESCOBRIU UMA FORMA DE TRANSMITIR MENSAGENS ATRAVÉS DE ONDAS ELETROMAGNÉTICAS.

331

Embora o velho telégrafo não conseguisse transmitir a voz humana, o rádio podia transmitir a voz a curtas distâncias. A primeira estação de rádio para o público foi fundada por amadores em Pittsburgh, em 1920. Muitos americanos compraram ou montaram seus próprios aparelhos e puseram-se a escutar o rádio, pois este, em pouco tempo, preencheu outra função, a reprodução de música gravada no gramofone. Raramente uma invenção nasce pronta e, na década de 1920, o gramofone existente transmitia um som lúgubre e, às vezes, meio arranhado. A transmissão de rádio foi-se aperfeiçoando e, em 1939, as pessoas que estivessem escutando seu rádio na Nova Zelândia, à noite, podiam ouvir, embora nem sempre com muita nitidez, as notícias da manhã sendo transmitidas de Londres.

Enquanto isso, em 1926, um inventor escocês, John Logie Baird, transmitiu a primeira imagem de televisão, em preto-e-branco, de uma sala situada nos subúrbios de Londres. Sua invenção, embora de grande impacto, apresentou de certa forma um impasse. Por mais de vinte e cinco anos, poucas pessoas fora da Inglaterra e dos Estados Unidos puderam ver uma imagem televisionada. Em 1960, porém, na maioria das nações prósperas, a televisão, com a ajuda de satélites, estava começando a fazer com que o dia e a noite já não se distinguissem mais. Um espectador na Austrália, à noite, podia assistir aos Jogos Olímpicos sendo disputados, em plena luz do dia, do outro lado do mundo. Assim, o dia e a noite trocaram de lugar.

A Lua, por muito tempo, tivera um significado especial. Na Assíria, a Lua crescente era o símbolo do rei; no século 9° a.C., Israel baseava seu calendário na Lua. A data das celebrações da Páscoa e do ramadã eram determinadas pela Lua cheia. A Lua crescente tornou-se o símbolo do Islã e hoje aparece nas bandeiras do Paquistão, da Turquia e da maioria das nações islâmicas.

Como a noite era uma prisão, a Lua cheia abria as celas, permitindo que atividades importantes acontecessem. Algumas colheitas podiam ser feitas sob a luz da Lua cheia. A determinação da hora propícia para certas ações militares e navais de importância era, às vezes, influenciada pelo conhecimento de que a Lua estaria brilhando. Na Austrália antiga, as danças cerimoniais geralmente eram realizadas sob a Lua cheia. Ainda na lembrança de muitos, nas áreas rurais da África do Sul e do Canadá, os fazendeiros costumavam realizar danças rituais e serviços maçônicos na noite de Lua cheia, e os participantes, então, guiados pela Lua, podiam ir para casa a pé ou a cavalo, seguindo as trilhas. Nessa época, as casas possuíam um almanaque anual impresso que lhes dizia quando a Lua seria cheia.

A cúpula do céu noturno, que parecia estar tão próxima, apresentava uma certa intimidade com várias gerações. As estrelas previam o futuro das nações e dos indivíduos. Durante séculos, os fazendeiros plantaram de acordo com as estrelas e a Lua. Em 4 de janeiro de 1948, a nação da Birmânia fixou a hora da criação de sua república e de sua independência da Inglaterra após receber conselhos de astrólogos de que as 4 horas e 20 minutos eram a hora propícia. Nos últimos quatro séculos, o telescópio e o rádio dispersaram parte desse mistério e encantamento.

A eletricidade que permitiu que o dia fosse prolongado nas grandes cidades serviu também para enfraquecer a majestade das estrelas.

Por muito tempo, o céu noturno havia sido um templo e santuário bem conhecido aos olhos de dezenas de milhões de pessoas espalhadas pela superfície da Terra. Mas, no século 20, pela primeira vez na história da humanidade, a luz artificial que envolvia as cidades grandes ofuscou o brilho das estrelas, diminuindo o que um escritor de baladas uma vez chamou de "o maravilhoso esplendor das eternas estrelas". Na verdade, se uma família de caçadores pré-históricos pudesse ser ressuscitada e levada a Tóquio numa noite clara, primeiro ficaria impressionada pelos edifícios enormes e pelo número de pessoas, e depois observaria com igual perplexidade que o céu noturno não brilhava mais.

O dia também se transformou. O trabalho do dia seguiu um novo caminho nas prósperas nações ocidentais. Mesmo há um século, o trabalho pesado necessário para produzir alimentos, abrigo e roupas era uma tarefa de uma vida inteira para a maioria dos adultos e muitas crianças, e a penalidade pela ociosidade ou pelo infortúnio era a fome ou mesmo a morte. Mas a máquina e novas técnicas de produção transformaram a maioria dos empregos. As horas de trabalho se tornaram mais curtas e havia menos tipos de serviço que exigissem o levantamento de peso ou o uso ininterrupto de braços e pernas.

O aumento no lazer, especialmente para aqueles com dinheiro para gastar, era agora o impulsionador da vida econômica. Muitas das indústrias em expansão centraram-se em turismo, esportes, recreação, as chamadas artes de espetáculo, como música, dança, teatro ou outras atividades de lazer. Na Europa, no ano 1000, os heróis eram soldados e santos. Em 2000, era mais provável, em muitas partes do mundo, que fossem atletas, atores, cantores, artistas e outros heróis das horas de lazer.

GRANDES MULTIDÕES, GRANDES CIDADES

O renascimento e a difusão do esporte para espectadores (esportes que atraem multidões) no mundo ocidental era um reflexo da reformulação do trabalho e do lazer, do dia e da noite, do inverno e do verão. A

Inglaterra e a Austrália foram as primeiras a se tornarem obcecadas pelos esportes para espectadores. Essa obsessão surgiu antes nas cidades do que no interior: mais em cidades como Birmingham e Melbourne do que nos vilarejos rurais. Refletia a riqueza crescente produzida em menos horas de trabalho, facilitando assim o recebimento de uma folga de meio dia, aos sábados ou quartas-feiras, em cidades comerciais e industriais.

Inicialmente, o surgimento dos esportes para espectadores refletia antigos padrões. Não eram realizados aos domingos, pois a atividade fora proibida nos dias de sabá nos países protestantes, seu primeiro lar. Entre os próprios jogadores, havia claras distinções entre profissionais e amadores, ou entre participantes da classe trabalhadora e das classes mais altas. A designação restrita de estações para cada esporte popular refletia o antigo contraste entre verão e inverno. Assim, o futebol foi fixado no inverno, enquanto críquete, tênis, beisebol, atletismo, remo e boliche de grama eram realizados no verão.

No fim do século 20, os esportes para espectadores conseguiram descartar algumas das condições originalmente impostas pelas estações, pelo calendário, pelo sabá e pelo cair da noite. Com o advento da luz elétrica, uma competição diurna pôde se tornar um jogo noturno. Com o aparecimento de estádios cobertos, o contraste entre o verão e o inverno também desapareceu. Com o declínio do protestantismo, os domingos tornaram-se dias profanos em que eram realizados eventos esportivos e podia-se ir às compras. Além disso, com a facilidade das viagens aéreas e a difusão da cultura do esporte, os jogadores profissionais podiam jogar o mesmo esporte o ano todo, mudando de hemisfério, aproveitando a mudança das estações.

Como reflexo da difusão extraordinária do lazer, o esporte para espectadores está quase se tornando a linguagem internacional. Enquanto em 1900 havia poucas competições esportivas que despertassem o entusiasmo internacional, e a ressurreição dos Jogos Olímpicos ainda era uma festa de pouca importância, hoje as datas marcadas para as competições esportivas internacionais se estendem de janeiro a dezembro e mostram possíveis sinais de se tornarem o foco de orgulho e agressão internacional, que tradicionalmente eram descarregados nos conflitos de guerra.

Em toda a história da humanidade, praticamente todos os povos estavam ligados ao solo. Por isso, suas vidas eram profundamente afetadas pela alternação de inverno e verão, pelo início e fim da Lua cheia, pelos padrões de chuva e períodos de seca, e pela colheita anual. Com bastante firmeza, as cidades em constante crescimento desbancaram o interior como o lar da maioria das pessoas do mundo. As cidades grandes agora fazem com que a maior cidade de alguns séculos atrás pareça insignificante. Em 1995, pelo menos 25 cidades tinham mais de sete milhões de habitantes cada uma. Só quatro delas, Londres, Paris, Moscou e Istambul, ficavam na Europa. Em compensação, 13 das maiores cidades estavam na Ásia e outras sete nas Américas, incluindo quatro na América Latina. A África tinha somente uma, Cairo, no Nilo. No espaço de dois mil anos, quantas dessas cidades ainda serão expressivas? A cidade de arranha-céus parece a mais duradoura das criações, já que o arranha-céu é praticamente a esfinge e a pirâmide de nossa época, mas, em algum momento de uma era ainda distante, essas cidades altas presumivelmente seguirão o mesmo caminho de Nínive e Cartago.

As cidades refletem a crescente população mundial. Observadores no século 20, mais do que em qualquer outro século, falavam com medo sobre a superpopulação mundial, ao passo que, por exemplo, em 1800, um estudioso como Robert Malthus, especialista em população, dispunha de pouquíssimos meios para estimar com precisão a população mundial. Em sua época, uma grande parte do mundo ainda era esparsamente povoada, e seus povos ainda não haviam sido contados.

Pelo que se sabe, o mundo na época de Cristo não tinha uma população que excedesse os 300 milhões. Em essência, a população dessa época equivalia à dos atuais Estados Unidos. No ano de 1750, o mundo tinha talvez 800 milhões de habitantes, bem menos que a atual população da China. Daí em diante, veio o drástico aumento. A população mundial passou de um bilhão por volta de 1800, duplicando-se nos 125 anos seguintes. O aumento mais notável aconteceu entre 1927 e 1974, quando dobrou para aproximadamente quatro bilhões de pessoas. Nos 25 anos seguintes, outros dois bilhões surgiram. Mais pessoas foram acrescentadas à população mundial somente na década de 1990 do que em toda a história que ia desde as origens dos humanos ao nascimento da Revolução Industrial, na Inglaterra.

A natureza era agora vista como uma velha e querida aliada, a ser protegida contra uma população crescente e uma tecnologia poderosa, mas, durante muito tempo, havia sido vista como inimiga e amiga ao mesmo tempo. Desde que a raça humana começou a existir, a natureza e seus extremos de enchentes, seca, animais selvagens, micróbios invisíveis, tempestades, florestas escuras e oceanos temperamentais eram temidos com bastante freqüência. A natureza era capaz de infligir, de um golpe só, mais danos do que a humanidade poderia infligir em si mesma, através de guerras e outras formas de ferimentos, no decorrer de um ano inteiro. A peste negra matou mais europeus do que a Primeira Guerra Mundial seis séculos mais tarde. Em alguns séculos, milhões de vidas foram eliminadas por ciclones, maremotos, terremotos e a erupção de vulcões. Nas décadas da era moderna, entretanto, a tecnologia humana foi vista como mais devastadora que a extravagante natureza.

NOVOS E ANTIGOS DEUSES

A tendência da religião era florescer com mais vigor quando a vida cotidiana estava em perigo e quando havia muita dor. A religião florescia quando enchentes, secas e outras catástrofes da natureza eram mais destruidoras, quando a fome estava às portas, e a morte precoce era a expectativa da maioria das pessoas. A religião florescia quando as pessoas viviam da terra e sabiam como era fácil uma colheita, há tanto tempo esperada, ser arrasada por pestes, seca, exaustão do solo ou tempestades. Durante a maior parte da história, a vida humana esteve em perigo. A religião dava as respostas aos acontecimentos inexplicáveis da vida de um estado, de uma região ou de uma família. Satisfazendo uma ânsia profunda e, às vezes, inexplicável, ela era também uma fonte de força e inspiração.

A religião era a base de muitas sociedades que, de outra forma, possivelmente teriam desmoronado. Monarcas poderosos ganhavam muito ao sustentá-la. A religião oficial lhes permitia proclamar que eram mesmo descendentes de deuses. Assim sendo, desobedecer ao rei indiretamente significava desobedecer aos deuses. As revoluções na França em 1789, na Rússia em 1917 e na China em 1949 se empenharam em derrubar as antigas religiões porque sustentavam a antiga ordem.

No século 20, a religião enfrentou outras dificuldades. Com o aumento da prosperidade e da longevidade, parte do apelo da religião enfraqueceu. Na Europa e em algumas regiões dos Estados Unidos, a freqüência às igrejas decaiu rapidamente, assim como a aceitação de códigos sexuais e morais pregados por elas.

Apesar disso, no mundo como um todo, a religião permanecia poderosa. O cristianismo e o islamismo conseguiram muito mais adeptos do que o século anterior, e seus locais de reunião traçavam uma linha pontilhada por toda a Terra. O budismo, não mais tão poderoso na China, reteve sua vitalidade em muitas terras. Na Índia, os hindus, os jainistas, os parses e os sikhs eram extremamente presentes e atuantes. O judaísmo estava vivo e grato por estar vivo. Na África, havia mais pessoas praticando fervorosamente as religiões do que na Europa, em qualquer época. De forma bastante expressiva, exatamente as mesmas igrejas que se recusavam a dar uma trégua às tendências profanas e continuavam a afirmar sua crença na importância do próximo mundo, eram geralmente as mais vigorosas.

337

O Islã não dava trégua; havia somente um Deus, e Alá era seu nome. A maioria de seus pregadores se opunha à profanação, ao consumismo, ao materialismo e ao que viam como uma cultura cada vez mais atordoada e ímpia em Nova York, Paris, Moscou e Cingapura. Dentro do Islã, os extremistas evangélicos eram evidentes. Eles não eram típicos, mas eram forçados a serem típicos porque suas atividades estavam geralmente nos noticiários. Eram totalmente opostos ao judaísmo e ao cristianismo. Denunciavam o mundo ocidental secularizado como decadente e extremamente permissivo e tolerante. Por sua vez, eram denunciados

UMA BREVE HISTÓRIA DO MUNDO

como retrógrados e extremamente intolerantes. Disputas tão arraigadas como essas haviam ocorrido repetidas vezes na história da humanidade. Enquanto no ocidente a diversidade cultural e religiosa, talvez pela primeira vez na história, era aclamada por muitos como uma virtude suprema, nas mesquitas era vista quase como um pecado supremo.

Predominantemente uma religião do interior e dos vilarejos, o islamismo no início do século 21 cresceu em ritmo acelerado, em parte porque acreditava em si e em parte porque acreditava em famílias numerosas. Era agora a religião de aproximadamente uma em cada cinco pessoas no mundo e estava crescendo mais rapidamente que o cristianismo, embora ainda muito atrás em seu número total de adeptos. Hoje, os grandes templos de adoração construídos no mundo são provavelmente mesquitas islâmicas e não mais catedrais cristãs. Na cidade marroquina de Casablanca, foi recentemente construído o minarete mais alto do mundo e, até mesmo na Venezuela, considerada uma nação católica, os habitantes devotos dos vilarejos do interior ficaram impressionados com o surgimento de uma dessas imponentes mesquitas em seu país.

Milhões de pessoas cultas no mundo ocidental se distanciaram dos deuses a quem, quando jovens, haviam sido ensinadas a orar. Parte de sua autoconfiança veio das conquistas da ciência e da tecnologia. A própria ciência era um novo deus racional e era aclamada como possuidora de todo o conhecimento, de toda a sabedoria e de ser capaz de produzir milagres materialistas. O marxismo, durante um tempo, foi uma religião alternativa poderosa. Karl Marx pregava ser o primeiro a descobrir as leis científicas da história da humanidade e que essas leis produziriam por fim um céu, muito embora esse céu ficasse na Terra. Se por um lado a ciência e o comunismo alegavam dispensar os deuses, elas praticamente entronizavam a raça humana e

> MILHÕES DE PESSOAS CULTAS NO MUNDO OCIDENTAL SE DISTANCIARAM DOS DEUSES A QUEM HAVIAM SIDO ENSINADAS A ORAR. PARTE DE SUA AUTOCONFIANÇA VEIO DAS CONQUISTAS DA CIÊNCIA E DA TECNOLOGIA.

338

seu potencial, transformando-a em um deus. Essa atitude utópica, muito mais que a religião tradicional, entrou em declínio no fim do século 20, com o colapso do comunismo na Rússia e no Leste Europeu. Ainda assim, é possível que volte a aparecer novamente com trajes diferentes.

A ciência, aclamada no século anterior como a benfeitora da raça humana, era agora condenada por muitos críticos ocidentais como uma destruidora. Uma luta ambiental vigorosa resumiu a tecnologia e a ciência como inimigas que estavam poluindo o céu, a terra e o mar. A poluição tornou-se uma palavra que servia a todos os propósitos de desaprovação. Esse era o primeiro século em que a poluição era vista como uma força mundial. A hostilidade disseminada em relação à ciência e à tecnologia veio quando seus triunfos ainda eram muito mais abrangentes do que suas ameaças.

Epílogo

A história recente da raça humana é como um maravilhoso renascimento. Quase todas as partes do corpo ganharam um substituto.

Há dois mil anos, as pernas humanas eram indispensáveis. Não havia substituto, exceto um cavalo ou um veleiro. Em todos os lugares, as pernas conduziam as pessoas quando trabalhavam e quando passeavam. As pessoas ficavam em pé durante a maior parte do tempo em que permaneciam acordadas, exceto uma pequena parcela daquelas que executavam serviços sentadas, como, por exemplo, os agiotas e os estudiosos, que talvez pudessem se sentar enquanto trabalhavam; o restante ficava em pé, fosse semeando ou trabalhando na colheita, para serem sacerdotes, soldados ou para cozinhar. Até mesmo o hábito da escrita era geralmente executado em pé, diante de uma carteira mais alta. Hoje, porém, as aeronaves, os trens, os carros, as motocicletas e os ônibus tornaram-se os substitutos das pernas.

Da mesma forma, há dois mil anos, os braços e músculos eram essenciais na maioria das tarefas. No mar, o vento ajudava, mas os braços eram necessários para içar as pesadas velas ou para remar o navio em águas paradas. A força dos bois era fundamental na aragem, mas a força dos braços humanos era necessária para guiar o arado. Os músculos do braço e os dedos eram fundamentais para produzir alimentos, abrigo e segurança.

Foi então que surgiu uma corrente de mudanças drásticas, com o braço e a mão humanos sendo auxiliados ou substituídos pela roda hidráulica e a máquina a vapor, pelo carrinho de mão, pela pólvora e a dinamite, pelo guindaste hidráulico, pelo quebrador de concreto, pela máquina de terraplenagem, pela máquina de rebitagem, pela máquina de lavar roupas e pelo aspirador de pó, pela máquina de costura, escavadeiras, máquinas de sondagem, teclados de computadores e inúmeros outros substitutos. O braço e os dedos humanos foram transformados ainda mais que as pernas. Os dedos, por exemplo, podem enviar mísseis nucleares de um continente a outro.

A cabeça humana também sofreu mudanças inimagináveis. A visão foi realçada pelo telescópio, pelo microscópio, pela televisão, pelo radar, pelos óculos e pela imprensa. Os ouvidos escutam mais, fala-se com mais clareza, e a voz viaja chegando longe através do rádio, do microfone, do telefone e das fitas de música. A criatividade do cérebro humano foi auxiliada e refletida pelo computador. As atividades sexuais foram alteradas pela pílula. A eficácia dos dentes foi prolongada não só pela odontologia e pelo dente artificial, mas pelas mudanças na dieta e no processamento dos alimentos. O conhecimento do corpo humano foi ampliado ainda mais pelo estudo dos genes.

Da mesma forma, a memória dos seres humanos, especialmente a memória coletiva, foi ampliada pelas bibliotecas e pelos arquivos. Curiosamente, essa ampliação da memória humana já era significativa muito antes da ascensão do Império Romano, graças à inovação da contagem, à invenção do calendário, ao surgimento da arte da escrita e a uma forma criativa de retenção da memória, a capacidade da rima. Em contraposição, a maior parte dos surpreendentes ganhos na eficiência de pernas, braços, boca, dentes, olhos, ouvidos, memória e o diagnóstico de doenças humanas vieram após o século 15.

341

Nenhuma dessas profundas mudanças alterou a vontade humana, a inquietação humana, o desejo humano de liberdade e de conformidade. Tantos triunfos da ciência e da tecnologia foram superficiais. Era mais fácil, nessa era de produção em massa, no interior e na cidade, satisfazer o estômago do que a mente. Era mais fácil dominar as doenças do que dominar o comportamento humano e colocar um fim nos conflitos de guerra.

QUASE UM ÚNICO MUNDO

Os avanços na tecnologia aumentaram o poder dos líderes ou grupos específicos. Há dez mil anos, o líder de uma tribo raramente era capaz de exercer influência a mais de 100 quilômetros de casa. O mundo era como um lago, com espaço para milhares de pequenas ondulações em sua superfície, cada uma refletindo a minúscula esfera de influência de uma tribo. O raio das ondulações tornou-se maior após o surgimento de impérios maiores, da China, da Índia, da Grécia, de Roma e dos Astecas.

Porém, a esfera de influência de cada um desses impérios ainda era pequena. A tecnologia predominante da guerra e do transporte era tão grande que praticamente não havia outra forma de alcançar o controle central da disseminação de uma população civil por todos os cantos. Há dois mil anos, nenhum império podia se estender tão longe assim. Roma, em seu auge, poderia ter conquistado e governado partes da Índia e até mesmo da China, mas seu reino teria sido breve. Hitler, se tivesse saído vitorioso, provavelmente não teria conseguido controlar o mundo inteiro: a tecnologia da guerra, das comunicações e da censura não o permitiriam.

Hoje, como nunca antes, é possível a uma nação forte controlar o mundo inteiro. Nos dois próximos séculos, à medida que o mundo continue se encolhendo, e suas distâncias diminuindo, uma tentativa bem que poderia ser feita, com consentimento ou à força, de se instalar um governo mundial. Se durará muito tempo é uma pergunta deixada em aberto. Na história da humanidade, quase nada pode ser predeterminado.